LA PIERRE DE LUMIÈRE

LA FEMME SAGE

LA PIERRE DE LUMIÈRE

NÉFER LE SILENCIEUX
LA FEMME SAGE
PANEB L'ARDENT
LA PLACE DE VÉRITÉ

DU MÊME AUTEUR
VOIR EN FIN DE VOLUME

CHRISTIAN JACQ

LA PIERRE DE LUMIÈRE

LA FEMME SAGE

ROMAN

XO
EDITIONS

ISBN : 2-84563-002-6

*Que cette histoire soit dédiée à tous les artisans
de la Place de Vérité qui furent dépositaires
des secrets de la « Demeure de l'Or »
et réussirent à les transmettre dans leurs œuvres.*

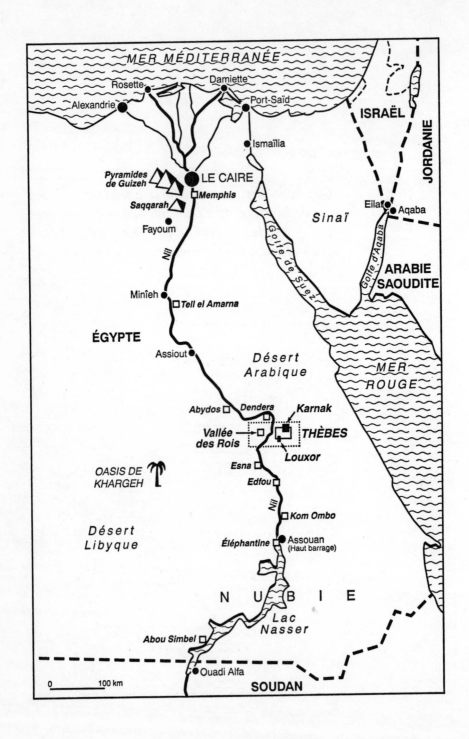

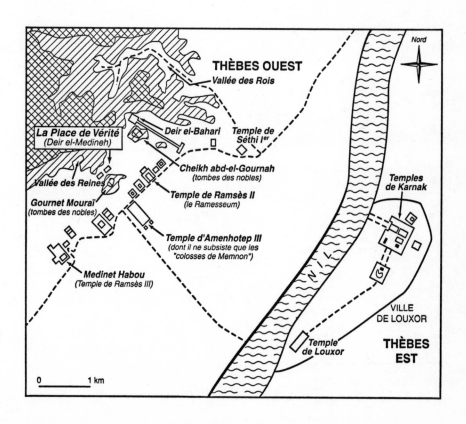

THÈBES OUEST

Vallée des Rois

La Place de Vérité
(Deir el-Medineh)

Deir el-Bahari

Temple de
Séthi Ier

Cheikh abd-el-Gournah
(tombes des nobles)

Vallée des Reines

Temple de Ramsès II
(le Ramesseum)

Gournet Mouraï
(tombes des nobles)

Temple d'Amenhotep III
(dont il ne subsiste que les
"colosses de Memnon")

Medinet Habou
(Temple de Ramsès III)

Temples
de Karnak

NIL

VILLE
DE LOUXOR

Temple
de Louxor

THÈBES
EST

Nord

0   1 km

1.

Le danger rôdait, obsédant.

Depuis la mort de Ramsès le Grand, après soixante-sept années de règne, la Place de Vérité vivait dans l'angoisse. Situé sur la rive occidentale de Thèbes, le village secret et fermé des artisans, dont le rôle majeur consistait à creuser et à décorer les tombes des rois et des reines, s'interrogeait sur son sort.

À l'issue des soixante-dix jours de momification de l'illustre défunt, quelles décisions prendrait le nouveau pharaon, Mérenptah, âgé de soixante-cinq ans ? Fils de Ramsès, il passait pour un homme autoritaire, juste et sévère ; mais saurait-il déjouer les inévitables complots et se débarrasser des intrigants qui désiraient occuper « le trône des vivants » et s'emparer des Deux Terres, la Haute et la Basse-Égypte ?

Ramsès le Grand avait été le généreux protecteur de la Place de Vérité et de la confrérie des artisans qui dépendait directement du roi et de son Premier ministre, le vizir ; elle avait son propre tribunal et bénéficiait d'un apport quotidien de nourriture. Délivrée des soucis matériels, elle pouvait se consacrer à son œuvre, vitale pour la survie spirituelle du pays.

Chargé de la sécurité du village dans lequel il n'avait pas le droit de pénétrer, le chef Sobek avait perdu le sommeil. Armé d'une épée, d'une lance et d'un arc, il ne cessait d'arpenter le territoire placé sous sa responsabilité et, plusieurs fois par jour, il vérifiait le dispositif de surveillance qu'il avait mis en place.

Certes, les deux gardiens de la grande porte du village remplissaient leur fonction habituelle, l'un de quatre heures du matin à quatre heures de l'après-midi, et l'autre de quatre heures de l'après-midi à quatre heures du matin ; costauds, bons manieurs de gourdin, ils empêchaient les profanes de pénétrer à l'intérieur de l'enceinte où vivaient les artisans de la Place de Vérité et leurs familles. Et il y avait aussi les « cinq murs », à savoir les fortins disposés sur le chemin menant au village.

Mais ces mesures habituelles ne semblaient pas suffisantes à Sobek, un grand Nubien athlétique dont le visage était marqué par une cicatrice, sous l'œil gauche ; il avait ordonné à ses hommes de faire le guet en permanence sur les collines environnantes, de surveiller le chemin menant au Ramesseum, le temple des millions d'années de Ramsès le Grand, et les sentiers aboutissant aux Vallées des Rois et des Reines.

Si des troubles graves survenaient, des émeutiers s'en prendraient à la Place de Vérité où, selon la rumeur, les artisans étaient capables de produire de fabuleuses richesses et même de transformer l'orge en or. Sans la protection de Pharaon, que deviendrait la modeste communauté où œuvraient trente-deux artisans, répartis en « équipage de droite » et « équipage de gauche » sur le bateau auquel était comparé le village ? Sobek en serait peut-être l'ultime défenseur, mais il ne s'enfuirait pas et il résisterait jusqu'au bout.

Tout en étant « de l'extérieur », le policier avait fini par prendre en affection la plupart des habitants qu'il avait le devoir de protéger ; sans être un artisan lui-même et sans connaître leurs secrets, il avait néanmoins le sentiment de participer à leur aventure et il n'imaginait plus l'existence loin d'eux.

C'est pourquoi un autre tourment le hantait : un assassin ne se cachait-il pas au cœur de la confrérie et ne menaçait-il pas l'existence du maître d'œuvre Néfer le Silencieux, naguère injustement accusé par une lettre anonyme puis innocenté du crime commis sur la personne d'un policier ? Le chef Sobek n'avait réussi à identifier ni le coupable ni l'auteur de la missive, et il se demandait s'il ne s'agissait pas d'un collègue de Néfer, jaloux de son ascension. Mais le policier avait une autre piste à suivre, car il soupçonnait Abry, l'administrateur principal de la rive ouest de Thèbes, d'être mêlé à un complot qui menaçait de détruire la Place de Vérité. Hélas ! la disparition de Ramsès le Grand risquait de bouleverser la situation au point de la rendre incontrôlable.

En tant que chef de l'équipe de droite, Néfer avait le devoir de « faire ce qui est lumineux dans la place de lumière », de tracer les plans et de répartir le travail en fonction des compétences de chacun. Et de plus lourdes responsabilités encore pesaient sur ses épaules depuis la récente disparition de Kaha, le chef de l'équipe de gauche, auquel succéderait son fils spirituel, Hay, dépourvu d'expérience et grand admirateur de Néfer, considéré comme le véritable patron de la confrérie. Même Kenhir, le vieux scribe de la Tombe, représentant du pouvoir central, traitait Néfer avec déférence ; le haut fonctionnaire, chargé de gérer correctement la confrérie qui portait le nom symbolique de « Grande et Noble Tombe des millions d'années à l'Occident de Thèbes », avait reconnu en lui un maître d'œuvre exceptionnel, à l'autorité naturelle et incontestable.

Mais Néfer le Silencieux serait-il capable de lutter contre

les forces des ténèbres qui agressaient la Place de Vérité ? Lui, le capitaine de l'équipage des « hommes de l'intérieur », saurait-il prendre conscience de la gravité du danger et aurait-il les moyens d'y faire face ? Attaché à l'accomplissement de l'œuvre selon la règle qu'avaient appliquée ses prédécesseurs, Néfer avait peut-être oublié la cruauté et l'avidité du monde extérieur. Sa magie personnelle suffirait-elle à écarter le malheur ?

Le policier s'immobilisa devant une niche creusée dans le mur d'enceinte. Là se trouvait une statuette de Maât, la souveraine du village. Portant sur la tête la rectrice, la plume permettant aux oiseaux de s'orienter, la fragile déesse incarnait l'idéal de la confrérie, son aspiration à l'harmonie et à la droiture, éléments indispensables de la création artistique. Ne disait-on pas qu'« accomplir Maât était faire ce que Dieu aime » ?

Sobek respirait mal. L'air chaud devenait de plus en plus oppressant, le péril se rapprochait. Pour tenter de se calmer, il contempla la cime d'Occident, point culminant de la montagne thébaine en forme de pyramide. Selon la légende, c'étaient les premiers tailleurs de pierre de la confrérie qui avaient ainsi modelé la roche pour faire écho, dans le Sud, aux pyramides du Nord.

Comme tout un chacun, le policier savait que la cime sacrée abritait un redoutable serpent femelle, « Celle qui aime le silence », et qu'une barrière de plus en plus infranchissable empêchait les profanes de troubler sa quiétude. Les pharaons avaient placé leurs demeures d'éternité sous sa protection, et c'était à elle que les villageois avaient confié leurs espoirs.

D'une altitude de quatre cent cinquante mètres, la cime se situait dans l'axe des temples bâtis par les pharaons pour faire rayonner le *ka*, l'énergie inépuisable répandue dans l'univers ; disposés en éventail autour d'elle, ils lui rendaient un hommage permanent.

Sobek aimait à la contempler, au couchant, lorsque la pénombre recouvrait le désert, les cultures et le Nil ; seule la

14

cime demeurait dans la lumière, comme si la nuit n'avait aucune prise sur elle.

Un guetteur agita les bras, un autre cria.

Sobek courut aussitôt en direction du premier fortin où l'affolement était à son comble ; les policiers encerclaient une dizaine d'âniers pris de panique qui se protégeaient la tête avec leurs mains pour éviter les coups de bâton, tandis que les bêtes s'éparpillaient dans toutes les directions.

— Arrêtez, ordonna Sobek, ce sont des auxiliaires !

Prenant conscience de leur erreur, les policiers cessèrent de frapper.

— On a eu peur, chef, s'excusa l'un d'eux ; on a cru qu'ils voulaient forcer le barrage.

Comme chaque jour, les auxiliaires apportaient de l'eau, du poisson, des légumes frais, de l'huile et d'autres denrées dont les villageois avaient besoin. Les plus vaillants rattrapèrent leurs ânes, les autres gémissaient ou protestaient. Le chef Sobek devrait rédiger un énorme rapport pour expliquer l'incident et justifier le comportement de ses subordonnés.

— Soignez les blessés, ordonna-t-il, et faites décharger les ânes.

Quand le cortège arriva en vue de la porte principale du village, cette dernière s'entrouvrit pour laisser sortir les épouses des artisans. À la fois prêtresses d'Hathor et maîtresses de maison, elles recueillirent les nourritures en silence.

Avant la mort de Ramsès le Grand, ce moment-là était l'occasion de discuter, de s'apostropher, de rire d'un rien et de se quereller, au moins en apparence, pour obtenir la meilleure viande, les meilleurs fruits ou le meilleur fromage. Depuis la disparition du grand monarque, même les enfants restaient muets, et leurs mères n'avaient plus le goût de partager leurs jeux. Elles s'accroupissaient pour accomplir le travail quotidien par excellence, le modelage de la pâte qui servirait à faire le pain comme la bière. Ces gestes simples, préludant au bonheur d'un repas pris en famille, combien de temps encore pourraient-elles les accomplir ?

Un jeune policier courut en direction de Sobek.

– Chef, chef ! Il y en a d'autres qui arrivent !

– De nouveaux auxiliaires ?

– Non... Des soldats avec des arcs et des lances !

2.

Méhy, Trésorier principal de Thèbes, faisait les cent pas dans la salle de réception de sa somptueuse villa. Financier hors pair et grand manipulateur de chiffres, le maître occulte de la région était aussi le commandant très apprécié des forces armées, qui bénéficiaient de ses largesses.

Le visage rond, les cheveux très noirs plaqués sur le crâne, les yeux marron foncé, les lèvres épaisses, les mains et les pieds potelés, le torse large et puissant, sûr de lui et de sa capacité de séduction, Méhy était obsédé par un but apparemment inaccessible : s'emparer des immenses trésors de la Place de Vérité. Il savait que les artisans produisaient d'incroyables richesses dans la Demeure de l'Or et il avait vu la pierre de lumière qui leur servait à s'éclairer lorsqu'ils s'enfonçaient dans les ténèbres d'une tombe de la Vallée des Rois.

Pour s'enfuir sans être identifié, Méhy s'était débarrassé d'un policier. La lettre anonyme envoyée à Sobek afin de faire accuser de meurtre Néfer le Silencieux n'avait malheureusement pas produit l'effet escompté, puisque l'intervention de la mystérieuse «femme sage» de la Place de Vérité et l'enquête du tribunal avaient innocenté l'artisan. Mais le commandant demeurait hors d'atteinte et son ascension s'était poursuivie, au prix de la disparition de son beau-père qu'il avait savamment organisée, et grâce à la complicité de sa délicieuse épouse Serkéta, aussi charmante qu'un scorpion, mais ambitieuse, avide et impitoyable comme lui.

Riche, puissant, jouissant d'une excellente réputation, Méhy manœuvrait avec prudence et patience. Lui qui avait été refusé par le tribunal d'admission de la Place de Vérité n'avait jamais admis cet affront; son désir de revanche se doublait de la volonté de transformer la vieille Égypte, engluée dans ses traditions et ses croyances, en un pays moderne et conquérant où la science, incarnée par son ami Daktair, ouvert à toutes les inventions, bouleverserait une société endormie.

La réalisation de ce grand dessein impliquait que fussent percés les secrets de la confrérie. Les pharaons ne les protégeaient-ils pas jalousement pour mieux s'en assurer l'exclusivité? Le principal adversaire de Méhy avait été Ramsès le Grand, et son unique tentative de supprimer le monarque en faisant saboter son char s'était traduite par un échec. Le commandant avait dû admettre que le vieux souverain jouissait d'une chance surnaturelle, et il s'était contenté de supprimer le saboteur qui risquait de bavarder. Seule stratégie possible : tisser sa toile autour du village en attendant la mort de Ramsès.

Enfin, Méhy était débarrassé du bienfaiteur de la Place de Vérité! Sans Ramsès, les artisans seraient désemparés; et il n'était pas certain que le nouveau roi, Mérenptah, un homme du Nord, fût aussi bien disposé que son prédécesseur à l'égard de la confrérie. Mais le Trésorier principal de Thèbes ne parvenait pas à obtenir de nouvelles précises de Pi-Ramsès, la capitale où Mérenptah avait été couronné. On le disait passéiste, dépourvu de toute intention novatrice, et bien décidé à mettre ses pas dans ceux de Ramsès le Grand ; mais le pouvoir suprême ne modifierait-il pas son caractère ?

Quant aux intrigues, elles devaient croître et embellir ! Certains s'accommodaient d'un règne de transition, qui serait probablement bref, pour mieux préparer un monde nouveau. Un monde dans lequel Méhy jouerait un rôle de premier plan s'il était détenteur des secrets de la Place de Vérité.

Pendant cette interminable période de momification, des événements inattendus pouvaient survenir. La mort brutale de Mérenptah, par exemple, et une lutte pour le trône. Méhy espérait qu'il n'en serait rien, car il n'était pas encore prêt à y participer. Il rêvait de manipuler un monarque qui paraderait sur le devant de la scène pendant que lui, dans l'ombre, détiendrait le vrai pouvoir. Ce qu'il avait réussi avec le maire de Thèbes, pourquoi ne pas le reproduire à l'échelon suprême ?

Un Mérenptah statique, ancré dans des principes désuets et incapable de percevoir l'évolution inéluctable du pays : ce médiocre pharaon ne serait-il pas son meilleur allié ?

Pour tester l'état d'esprit et la capacité de résistance des artisans, Méhy avait convaincu Abry, l'administrateur principal de la rive ouest, d'envoyer une escouade et un inspecteur du fisc.

S'ils parvenaient à forcer la porte, Méhy s'engouffrerait dans la brèche et réduirait à néant les privilèges de la confrérie.

L'affaire était sérieuse.

Le chef Sobek constata qu'il s'agissait bien de soldats, la plupart d'âge mûr. Pour la première fois depuis qu'il occupait le poste de chef de la sécurité de la Place de Vérité, il se trouvait directement confronté à la troupe.

Disposés sur deux files, les fantassins s'étaient immobilisés face au premier fortin. Les policiers nubiens, de solides gaillards bien entraînés, étaient armés de gourdins et d'épées courtes. Ils obéiraient à Sobek, considéré comme un véritable chef de clan dont on ne discutait pas les ordres.

Ce dernier s'avança.

— Qui vous commande ?

— Moi, répondit un vétéran, visiblement impressionné par l'athlète noir qui le toisait, mais je suis placé sous les ordres de l'inspecteur du fisc.

Jusqu'alors caché par les soldats, un bonhomme rondouillard sortit des rangs et s'adressa à Sobek d'une voix fluette mais pointue.

— J'ai un mandat de l'administrateur principal de la rive ouest pour recenser les animaux du village et calculer les taxes qui s'y appliquent. Comme je n'ai enregistré aucune déclaration pour ces dernières années, il y aura forcément des rappels. Vous qui représentez la force publique, vous devez collaborer et m'aider à remplir ma mission.

Le chef Sobek ne s'attendait pas à une attaque de ce genre-là.

— Avez-vous l'intention... de pénétrer dans le village ?

— C'est indispensable.

— Mes ordres sont formels : l'accès en est interdit à quiconque n'est pas un artisan ou un membre de sa famille, et agréé comme tel auprès de moi.

— Soyez raisonnable : je représente le pouvoir administratif.

— Seuls Pharaon et le vizir font exception à la règle que je viens de rappeler. Et vous n'êtes ni l'un ni l'autre.

— Face au fisc, vous devez vous incliner ! Allez chercher le scribe de la Tombe, il vous précisera la loi.

Sobek hésita. Après tout, ce n'était pas une mauvaise solution ; de toute évidence, l'inspecteur ne connaissait pas Kenhir le Bougon.

— Entendu, mais que les soldats ne bougent pas d'un pouce ! S'ils tentent de franchir ce fortin, mes hommes les repousseront sans ménagement.

— Je n'apprécie pas beaucoup ce ton-là, chef Sobek. Vos policiers sont moins nombreux que mes soldats, et j'ai le droit pour moi.

— Si vous le prenez comme ça, je ne vais chercher personne et je règle cette affaire moi-même.

Les policiers nubiens n'eurent pas besoin d'ordre pour brandir leurs gourdins. Plus jeunes et plus rapides que leurs adversaires, ils ne redoutaient pas un affrontement à un contre deux ou trois.

— Ne nous énervons pas, recommanda l'inspecteur du fisc ; moi, je suis ici pour faire respecter l'ordre, et vous aussi.

— Mes consignes sont très strictes, je dois les appliquer à la lettre.

— Allez chercher le scribe de la Tombe !

— Surtout, n'avancez pas !

Crispé, le fonctionnaire en resta coi. On l'avait prévenu que sa mission serait délicate, mais il ne s'attendait pas à une telle résistance. Et ce grand Noir lui faisait peur ; si la bagarre se déclenchait, ne risquait-il pas de prendre un mauvais coup ? Mieux valait, dans l'immédiat, renoncer à l'usage de la force et discuter avec le scribe de la Tombe en le plaçant devant le fait accompli.

Le chef Sobek ne se pressa pas pour franchir les fortins. Ce n'était pas ce ramassis de soldats qui viendrait à bout de ses hommes ; mais après ceux-là, il en viendrait d'autres, plus nombreux et plus redoutables.

Qui avait déclenché leur intervention, sinon Abry, l'administrateur principal de la rive ouest ? Sobek le retrouvait une fois de plus sur sa route. Le haut fonctionnaire avait tenté en vain de le corrompre puis de le faire muter, comme s'il voulait écarter un policier gênant, capable de l'impliquer dans l'affaire de meurtre qui ne cessait de hanter le Nubien.

Pour la troisième fois, Abry lançait une attaque contre lui et, plus directement encore, contre la Place de Vérité.

Pourquoi agissait-il ainsi, sinon parce qu'il était coupable, à un degré ou à un autre, et qu'il voulait se débarrasser de ses accusateurs ?

L'urgence du jour, c'était ce fonctionnaire du fisc. Éviter un conflit serait peut-être impossible, car prévenir Kenhir ne serait pas suffisant. Encore fallait-il que le scribe de la Tombe acceptât de se déplacer.

3.

— Surtout, rappela le scribe de la Tombe à sa servante Niout la Vigoureuse, ne passe pas ton maudit balai dans ma biblio- thèque ! J'y ferai le ménage moi-même.

La jeune fille se contenta de hausser les épaules. Chaque matin, c'était le même sermon.

Âgé de soixante-deux ans, plus bougon qu'un vieux bouquetin solitaire, Kenhir avait une allure pataude et la corpulence d'un scribe occupant une fonction importante, mais aussi des yeux malins et vifs auxquels rien n'échappait.

Grâce à une tisane de mandragore, Kenhir avait vaincu l'insomnie qui l'accablait depuis la mort de Ramsès le Grand. Il savait que, durant cette période transitoire, la petite commu- nauté était en danger et qu'elle ne survivrait pas à la décision d'un pharaon hostile à son mode de vie, mais il continuait cependant à remplir sa fonction comme si elle devait durer éternellement.

D'une importance capitale, l'approvisionnement en eau de la confrérie était assuré de deux manières : d'un côté par le puits très profond creusé à une soixantaine de mètres au nord-est du temple d'Hathor, de l'autre par les incessantes livraisons des âniers. Le puits était une sorte de chef-d'œuvre, avec ses parois verticales, taillées à angle droit, ses dalles de calcaire et ses superbes escaliers qui permettaient aux ritualistes d'aller puiser de l'eau pour les cérémonies, mais il ne suffisait pas aux usages domestiques, d'autant plus que l'hygiène était l'une des préoccupations majeures du village. C'est pourquoi le scribe de la Tombe attendait chaque matin, non sans impatience, l'arrivée des porteurs d'eau dont les lourdes jarres permettraient de remplir les énormes amphores de terre rose cuites de façon homogène, recouvertes d'une glaçure jaune pâle ou rouge foncé, et disposées dans les ruelles du village, à l'abri de renfoncements, afin que la fraîcheur du précieux liquide fût préservée. Certaines de ces amphores étaient inscrites au nom d'Amenhotep Ier, de Thoutmosis III ou de la reine pharaon Hatchepsout, et elles rappelaient que les souverains se souciaient du bien-être des habitants de la Place de Vérité.

Le règlement était strict : les porteurs déversaient l'eau pure, plusieurs fois par jour, dans deux réservoirs, l'un au nord du village, l'autre au sud. Les villageois venaient la puiser avec des jarres afin de remplir les amphores de l'intérieur dont ils utilisaient le contenu pour boire, se laver ou faire la cuisine. Nulle pénurie depuis la création de la confrérie, mais au contraire une surabondance très appréciée par la petite communauté vivant dans une zone désertique.

Nommé par le vizir avec l'approbation du pharaon, le scribe de la Tombe était surchargé de travail. À lui de veiller sur la prospérité du village, de préserver une bonne entente entre les deux chefs d'équipe, de payer le personnel, de tenir le Journal de la Tombe sur lequel il notait soigneusement les absences et leurs motifs, de recevoir le matériel nécessaire aux travaux et de le distribuer, et de poursuivre le Grand Œuvre commencé par ses prédécesseurs. Un labeur effrayant qui n'empêchait pas Kenhir de se livrer à sa distraction favorite : l'écriture.

Fils adoptif de l'illustre Ramosé élevé à la dignité rarissime de « scribe de Maât » avant son décès, Kenhir avait hérité de sa belle maison, de son bureau et surtout de sa riche bibliothèque où figuraient tous les grands auteurs dont il avait recopié les œuvres, de son écriture ingrate et presque illisible. Amateur de poésie épique, il avait composé une nouvelle version de la *Bataille de Kadesh* qui avait raconté la victoire de Ramsès sur les Hittites et le triomphe de la lumière sur les ténèbres ; il s'était attaqué ensuite à une reconstitution romanesque de la prestigieuse dix-huitième dynastie. Dès qu'il serait enfin à la retraite, Kenhir se consacrerait à la rédaction définitive d'une « Clé des songes », fruit d'une recherche de longue haleine.

— Un artisan vous demande, l'avertit Niout la Vigoureuse.

— Tu ne vois pas que je suis occupé ? Quand pourrai-je être tranquille, dans ce village !

— Vous voulez le voir ou non ?

— Qu'il vienne, bougonna Kenhir.

Ipouy l'Examinateur, un sculpteur de l'équipe de droite, était plutôt fluet et nerveux mais d'une habileté remarquable. Il savait apprivoiser la roche la plus rétive et ne rechignait jamais devant un problème difficile.

— Un ennui ?

— Un mauvais rêve, avoua Ipouy. J'ai besoin de vous consulter.

— Raconte.

— D'abord, le dieu bélier Khnoum m'est apparu et il m'a dit : « Mes bras te protègent, je te confie les pierres nées du ventre des montagnes pour construire des temples. » C'était plutôt effrayant...

— Détrompe-toi, c'est un excellent présage. En Khnoum

s'incarne l'énergie de la création qui bâtit les hommes et donne aux artisans la capacité de dompter sa puissance. Ensuite ?

— Ensuite... C'est plus délicat.

— Je n'ai pas de temps à perdre, Ipouy. Ou bien tu parles, ou bien tu t'en vas.

L'artisan semblait très gêné.

— J'ai rêvé que je faisais l'amour avec une femme... qui n'était pas ma femme.

— Très mauvais ! Une seule solution : plonge-toi dans l'eau fraîche d'un canal, au petit matin, et tu seras de nouveau en paix. Mais dis-moi... Pourquoi es-tu resté au village au lieu d'aller travailler dans la Vallée des Rois avec le reste de l'équipe ?

— J'ai porté des offrandes à la tombe de mon père, et mon épouse est malade.

Kenhir nota les deux motifs, considérés comme valables, sur le Journal de la Tombe. Ipouy ne méritait pas la terrible appellation de « paresseux » qui aurait entraîné de graves sanctions. Le scribe de la Tombe vérifierait néanmoins ses dires, car il n'avait plus confiance en personne depuis qu'un artisan avait donné comme raison de son absence le décès de sa tante... morte pour la seconde fois.

À peine le sculpteur était-il sorti de la salle à colonnes qui servait de bureau à Kenhir qu'y pénétrait Didia le charpentier, un homme de grande taille aux gestes lents.

— Le chef d'équipe m'a confié un travail à l'atelier, expliqua-t-il, et il m'a demandé de vous rappeler que les salaires devaient être versés demain matin.

Le versement des salaires... Il revenait tous les vingt-huit jours, inexorable ! Le scribe de la Tombe et les deux chefs d'équipe recevaient chacun cinq sacs d'épeautre et deux sacs d'orge, tandis que chaque artisan avait droit à quatre sacs d'épeautre et un d'orge. S'y ajoutaient de la viande, des vêtements et des sandales. Tous les dix jours, Kenhir veillait sur la distribution d'huile, d'onguents et de parfums ; et quotidiennement, chaque villageois était gratifié de cinq kilos de pain et de gâteaux, de trois cents grammes de poisson, de plusieurs sortes de légumes et de fruits, de lait et de bière. Les surplus leur permettaient de faire du troc au marché.

— Est-il nécessaire de me rappeler mes devoirs, Didia ?

— Cette période est angoissante, et beaucoup se demandent si les livraisons habituelles seront assurées.

— Si tel n'était pas le cas, je serais le premier à vous prévenir ! Demain, les salaires seront versés comme d'habitude, et il ne manquera pas une seule poignée de grains !

Réconforté, le charpentier se retira.

Kenhir ne pouvait pas lui avouer qu'il partageait ses craintes. Si le nouveau pharaon, qui n'était jamais venu au village, cédait à certaines pressions, les approvisionnements cesseraient. Restaient les silos appartenant à la confrérie et qui lui permettraient de survivre quelque temps, mais avec quel avenir ?

Râleur impénitent, le scribe de la Tombe se plaignait de ses conditions de travail, il évoquait souvent la brillante carrière qu'il aurait dû mener à Thèbes, mais il aimait le village plus que sa propre vie. Sans cesser de se plaindre de tout et de tout le monde, il savait qu'il y finirait ses jours comme son prédécesseur et père adoptif, parce que la Place de Vérité lui apparaissait comme le cœur de l'Égypte, le lieu où de simples hommes, avec leurs qualités et leurs défauts, accomplissaient chaque jour une œuvre extraordinaire au service du divin.

L'ennui, c'est qu'il fallait les faire cohabiter sans trop de heurts, et que tous les soucis retombaient sur lui, Kenhir !

— Le ménage est terminé, déclara Niout la Vigoureuse. Je prépare le déjeuner.

— Pas de concombres, je ne les digère pas. Et pas trop d'épices sur mon poisson.

Il aurait dû se débarrasser depuis longtemps de cette petite peste qui avait pris possession de sa demeure, mais elle travaillait de manière remarquable et, de plus, supportait avec une humeur inaltérable son mauvais caractère.

– Quelqu'un d'autre souhaite vous parler, dit la servante.

– Ça ne finira donc jamais ! Dis-lui de revenir plus tard.

– C'est grave et urgent, paraît-il.

– Entendu...

L'épouse de Païe le Bon Pain, un dessinateur de l'équipe de droite, se présenta devant le scribe de la Tombe. Elle avait l'air affolé.

« Encore une assommante histoire de couple », pensa Kenhir. « Il l'a trompée, elle veut porter plainte, et il faudra réunir le tribunal du village. »

– Le gardien de la porte a fait parvenir un message du chef de la sécurité... C'est épouvantable !

– Calmez-vous et donnez-m'en la teneur.

– Des soldats, devant le premier fortin... Ils veulent envahir le village !

4.

La grande porte s'ouvrit pour laisser le passage au scribe de la Tombe. Le chef Sobek se précipita vers lui.

— Que se passe-t-il ? demanda Kenhir.

— Nous avons des ennuis avec le fisc qui se fait appuyer par l'armée. On vous attend au premier fortin.

La marche à pied n'était pas le fort de Kenhir, qui préférait le calme de son bureau au sable des sentiers. Il progressa néanmoins avec vaillance pour affronter un fonctionnaire très irrité.

— Vous êtes bien le scribe de la Tombe ?

— Que voulez-vous ?

— Le village n'a pas payé la taxe sur les animaux. Je dois y pénétrer afin d'identifier les contrevenants et de fixer le montant des amendes.

— De quels animaux parlez-vous ? interrogea Kenhir.

– Des vaches, des moutons, des...

Le scribe de la Tombe éclata de rire.

– La loi n'a rien de comique ! protesta son interlocuteur.

– La loi, non, mais vous, si ! À ce niveau d'incompétence, vous n'êtes pas digne de remplir votre fonction, et j'adresserai une lettre circonstanciée au vizir pour demander votre radiation.

L'inspecteur du fisc semblait perdu.

– Je ne comprends pas, je...

– Quand on ignore tout d'un dossier, on ne brandit pas la menace ! À l'intérieur du village, il n'y a que des animaux domestiques, chats, chiens et petits singes. La présence des autres bêtes est interdite pour des raisons d'hygiène. Vous trouverez des ânes, des bœufs, des vaches, des moutons et des porcs à l'extérieur du village et dans les domaines appartenant aux artisans. Bien entendu, toutes ces créatures sont déclarées à votre administration. Vous m'avez donc dérangé pour rien, et j'ai horreur de ça.

Au regard courroucé de Kenhir, le fonctionnaire comprit qu'il n'avait plus qu'à battre rapidement en retraite et à tenter de faire oublier sa démarche malheureuse. La plainte d'un personnage aussi important que le scribe de la Tombe risquait de briser sa carrière.

– Quand serons-nous enfin débarrassés de ce genre de punaise ? grommela Kenhir en regardant détaler le vaincu.

Malgré cette victoire, le chef Sobek n'affichait pas une mine triomphante.

– Qu'est-ce qu'il y a encore ? demanda Kenhir.

– J'ai omis de vous parler d'un incident troublant...

– Eh bien, faites-le !

– Les objets du délit se trouvent dans mon bureau.

Les deux hommes gagnèrent le fief de Sobek qui présenta à Kenhir plusieurs morceaux de calcaire recouverts d'incroyables dessins.

Il y avait un chat qui apportait des fleurs à une souris, un rat femelle vêtu d'une jupe et coiffé par une guenon, un renard qui jouait de la double flûte, une chèvre qui dansait, un crocodile dressé sur sa queue et maniant une mandoline, une hirondelle grimpant à une échelle pour atteindre les hautes branches d'un arbre où trônait un hippopotame, un rat conduisant un char et tirant des flèches sur une armée de rongeurs armés de boucliers, et un singe assis sur un tas de blé.

La caricature était remarquable, mais elle n'amusa pas Kenhir, car il y reconnut les traits stylisés de plusieurs des membres de la confrérie ! Plus grave encore, le rat archer ne pouvait être que Pharaon combattant ses ennemis. Quant au singe, il présentait de notables ressemblances avec le scribe de la Tombe !

— Qui t'a apporté ces horreurs ?

— On les a déposées ici en mon absence.

— Détruis-les immédiatement.

— Et si le coupable recommence...

— Ce ne sera pas le cas, crois-moi !

Le coupable, Kenhir le connaissait.

Le style, la précision du dessin, l'originalité, l'irrévérence... tout trahissait Paneb l'Ardent.

Le scribe de la Tombe s'était montré très favorable à l'admission du jeune homme au sein de la confrérie, tout en sachant que la discipline ne serait pas son fort. La Place de Vérité ne pouvait exclure un tel talent mais, cette fois, il avait dépassé les bornes.

Dans l'œil du policier nubien, une lueur un peu trop gaie.

— Cette mauvaise plaisanterie n'a rien de drôle, Sobek ! Elle est une injure au sérieux et à la rigueur qui doivent régner dans ce village.

— Je partage votre avis et je sais que vous saurez sévir. Mais n'y a-t-il pas plus grave ? Cet inspecteur du fisc nous a été envoyé par Abry, l'administrateur principal de la rive ouest, celui-là même qui a tenté de me corrompre et de me faire muter.

– Tu le soupçonnes toujours de participer à un complot contre la Place de Vérité ?

– Plus que jamais.

Kenhir s'assombrit.

– J'aimerais tellement que tu aies tort... Mais j'ai pris des renseignements sur son compte, et cet Abry apparaît comme un carriériste prêt à toutes les compromissions. Dans les circonstances présentes, impossible de pousser l'enquête plus loin. Comment prévoir le sort que le nouveau pharaon lui réservera... Destitution, promotion, ou maintien de son statut actuel ?

– Son coup de force a échoué, mais Abry recommencera, j'en suis sûr ! Puisqu'il menace la sécurité du village, je suis contraint d'intervenir, quel que soit son rang.

– Un peu de patience, Sobek ! Les premières décisions de Mérenptah nous éclaireront sur la conduite à suivre. En attendant, ne baisse pas la garde.

Bien qu'il se refusât à l'avouer de peur d'affoler les villageois, le scribe de la Tombe était de plus en plus inquiet. S'il se produisait une révolution de palais et si des intrigants comme Abry obtenaient davantage de pouvoirs, la Place de Vérité n'aurait plus que quelques semaines à vivre.

Alors que Kenhir marchait vers la grande porte du village, les auxiliaires sortirent de leurs ateliers et de leurs maisons pour l'entourer, menaçants.

Le forgeron, le boucher, les blanchisseurs, le chaudronnier, le brasseur, le cordonnier, les tisserands, les pêcheurs, les coupeurs de bois et les jardiniers étaient surexcités. Leur chef, le potier Béken, prit la parole.

– Nous sommes qualifiés de « ceux qui portent », rappela-t-il, mais nous avons des droits ! Et le premier consiste à savoir si nous allons être mangés et à quelle sauce !

– Rien de changé pour le moment.

– Ne venons-nous pas d'être victimes d'une attaque de l'armée ?

LA FEMME SAGE

– Une ridicule erreur administrative. Tout est arrangé.
– Va-t-on fermer le village ?
– Ces craintes sont sans aucun fondement.
– Vous dites ça pour nous rassurer !
– La paie sera distribuée normalement, aucun poste n'est supprimé... Quelles meilleures garanties voulez-vous ?

L'assurance de Kenhir calma les auxiliaires.

– Retournons au travail, recommanda le potier.

Les vagues protestations du forgeron se perdirent dans les murmures de la petite troupe, qui se dispersa en traînant des pieds pendant que le scribe de la Tombe pénétrait dans le village où il fut immédiatement assailli par l'épouse de Paï le Bon Pain, visiblement bouleversée.

– Mon petit chat a disparu ! Je suis certaine que c'est ma voisine qui le cache chez elle... Elle me l'enviait, à cause de son poil noir et luisant, et elle me l'a volé ! Il faut fouiller sa maison et la faire condamner !

– J'ai d'autres soucis et je...

– Sinon, je porte plainte devant le tribunal du village !

Kenhir soupira.

– Bon, allons-y.

Le scribe de la Tombe imaginait déjà la terrifiante prise de bec entre les deux maîtresses de maison, mais il lui appartenait de résoudre ce genre de problèmes pour maintenir l'harmonie régnant entre les familles.

Par bonheur, le chat fugueur sauta d'un toit pour atterrir aux pieds de sa maîtresse qui le serra dans ses bras et le couvrit de baisers tout en lui adressant de doux reproches.

Sidéré par l'inconséquence féminine, Kenhir préféra s'éloigner sans mot dire. De combien d'épreuves serait-il encore accablé pendant cette maudite journée ?

– Le déjeuner est prêt, annonça Niout la Vigoureuse dès que le scribe de la Tombe rentra chez lui. Comme dessert, vous aurez un gâteau fourré aux dattes.

– Est-il moelleux, au moins ?

— Vous le verrez bien.

Comment cette petite peste osait-elle se montrer aussi insolente ? Un jour, Kenhir devrait y mettre bon ordre. Mais d'autres soucis, bien plus sérieux, le préoccupaient.

Le maître d'œuvre Néfer le Silencieux parviendrait-il à terminer dans les délais la demeure d'éternité de Ramsès le Grand, en respectant les normes qui lui avaient été imposées ? L'homme possédait d'exceptionnelles qualités, certes, mais c'était son premier grand chantier, et peut-être manquerait-il du génie nécessaire pour le mener à terme.

Et si Néfer échouait, la Place de Vérité se condamnerait elle-même à disparaître.

5.

Paneb l'Ardent était fou de bonheur.

Le colosse aux yeux noirs, âgé de vingt-six ans, avait été accepté dix années auparavant dans la confrérie de la Place de Vérité pour y devenir dessinateur, l'idéal de son enfance. Le chemin avait été rude, mais Paneb ne s'était jamais découragé, nourri par le feu qui brûlait en lui et que rien ni personne ne pourrait éteindre.

À présent, le paradis : la Vallée des Rois, cet oued désertique, écrasé de soleil et interdit aux profanes. Ici, sous la protection de la cime d'Occident en forme de pyramide, reposaient les momies des illustres pharaons du Nouvel Empire dont l'âme renaissait chaque matin dans le secret de leur demeure d'éternité.

Pour la quasi-totalité des Égyptiens, pénétrer dans « la

grande vallée » était un rêve impossible. Et lui, Paneb, avait cette chance parce qu'il avait persévéré, vaincu d'innombrables obstacles et réussi à devenir l'un des membres de l'équipe de droite !

Qui aurait pu croire, en voyant le jeune athlète à la taille et à la carrure impressionnantes, que ses énormes mains étaient capables d'exécuter des dessins d'une finesse et d'une précision extraordinaires ? En lui se conjuguaient la puissance et la grâce, mais il n'était qu'apprenti et avait encore beaucoup à apprendre.

Cette perspective enthousiasmait Paneb, qui ne rechignait devant aucune tâche. Depuis le début des travaux d'achèvement de la tombe de Ramsès le Grand, ses collègues dessinateurs et peintres lui avaient fait porter les pains de couleur, les pinceaux, les brosses et le reste de leur matériel. Le poids lui paraissait léger comme une plume, puisqu'il pouvait admirer les hautes roches verticales formant les murs de la vallée interdite où seule la pierre surchauffée survivait. Les falaises ocre se détachaient avec tranchant sous le ciel d'un bleu parfait et, à midi, le soleil ne laissait subsister aucune zone d'ombre dans ce chaudron sacré où se jouait le mystère suprême de la mort et de la vie.

C'était le moment que préférait Paneb l'Ardent, amoureux des étés implacables, surtout lorsque aucun souffle de vent ne troublait la canicule. Ici, dans cette vallée minérale, silencieuse et paisible, il se sentait chez lui.

– Tu rêves, Paneb ?

L'homme qui l'interpellait ainsi n'était autre que Néfer le Silencieux, chef de l'équipe de droite et maître d'œuvre de la confrérie. De taille moyenne, élancé, les cheveux châtains, les yeux gris-vert, un grand front bien dégagé, il avait un visage grave et une parole apaisante. Il ne lui avait pas fallu plus de dix ans pour devenir le patron incontesté des artisans, une fonction qu'il n'avait pourtant pas recherchée.

Paneb et Néfer s'étaient rencontrés avant leur admission

dans la Place de Vérité, et le premier avait sauvé la vie du second qui n'oublierait jamais son courage. En suivant le chemin des sculpteurs, Néfer avait atteint les degrés supérieurs de la hiérarchie avant d'être admis dans la Demeure de l'Or, où il était devenu dépositaire du secret du Grand Œuvre qu'il lui appartenait à présent de transmettre et d'incarner dans la matière.

– Quand j'étais gamin, répondit Paneb, je rêvais d'un monde parfait, mais je me suis vite heurté aux hommes. Avec eux, aucune trêve : il faut se battre à chaque instant. Au moindre signe de faiblesse, ils piétinent l'adversaire. Mais aujourd'hui, je sais que ce monde parfait existe : cette vallée dans laquelle notre confrérie creuse et décore les demeures d'éternité des pharaons. L'homme n'y a pas sa place, nous ne faisons qu'y passer, et c'est bien ainsi. Seul y règne un silence de feu, et je te remercie de m'avoir permis de le connaître.

– Tu n'as pas à me remercier. Tu es mon ami, mais je suis le chef de cette équipe et je ne t'accorderai aucune faveur. Si je t'ai ordonné de venir travailler dans la Vallée, c'est parce que tu en es capable.

Jusqu'alors, Paneb s'était contenté de jouer les rôles de porteur et de gardien de la tombe de Ramsès le Grand à l'intérieur de laquelle il n'avait pas été autorisé à pénétrer. Au ton de Néfer, il sentit que la situation allait évoluer.

– La journée s'annonce longue et difficile, estima ce dernier ; le temps commence à nous manquer, et nous devons réussir la décoration finale selon les instructions laissées par Ramsès. Ched le Sauveur va te confier un nouveau travail d'une importance décisive.

Ched le Sauveur... Le peintre de l'équipe, le chef des dessinateurs et le dédain personnifié ! Pendant plusieurs années, il avait ignoré la présence de Paneb pour bien lui faire comprendre qu'à ses yeux il n'existait pas. Mais l'Ardent avait jugulé sa vanité, persuadé que Ched était un maître exceptionnel, au talent inégalé, puisqu'il avait été choisi par la confrérie pour animer le décor peint des tombes royales.

— Tu sembles très soucieux, Néfer.

— Pour certains, les soixante-dix jours de momification apparaissent comme une très longue période ; pour nous, elle est très courte.

— Je ne comprends pas... La tombe de Ramsès n'est-elle pas achevée depuis longtemps ?

— Pour l'essentiel, si. Mais il est de règle d'attendre la mort du roi pour rendre vivantes les parois, tracer les derniers signes et les ultimes figures, et compléter la demeure d'éternité où son corps de lumière séjournera à jamais. Nulle erreur n'est permise, il ne faut ni se hâter ni perdre de temps.

— Pour ton premier chantier de maître d'œuvre, le destin t'a gâté ! Il aurait pu t'offrir un pharaon moins gigantesque que Ramsès le Grand... Mais nous avons tous confiance en toi.

— Je suis conscient que c'est la survie même de la Place de Vérité qui est en jeu. Si le nouveau pharaon était mécontent de la dernière demeure de son père, il décréterait notre disparition.

— Que dit-on de ce Mérenptah ?

— N'écoutons aucune rumeur et accomplissons notre tâche. Si nous œuvrons en rectitude, qu'avons-nous à redouter ?

À trente-six ans, Néfer le Silencieux était un homme mûr, à l'autorité tranquille mais implacable. Par sa seule présence, et sans avoir besoin de hausser le ton, il faisait régner une indispensable cohérence au sein de la confrérie et incitait les artisans à donner le meilleur d'eux-mêmes. Aucun n'aurait songé à discuter ses directives, qui allaient toujours dans le sens de l'œuvre à parfaire et de l'harmonie communautaire. Même Paneb, à la nature indisciplinée, appréciait la stature de son ami et se félicitait que la Place de Vérité l'eût installé à sa tête. Avec lui, ni l'injustice ni la corruption n'auraient droit de cité.

— Comment réagirais-tu si Mérenptah décidait de supprimer la confrérie ?

— Je lui démontrerais qu'il commettrait une erreur tragique et qu'il mettrait en péril la prospérité même de l'Égypte.

— Et s'il refusait de t'écouter ?

— En ce cas, il ne serait pas un pharaon mais un tyran, et l'aventure de notre civilisation ne tarderait pas à prendre fin.

Les trois dessinateurs, Gaou le Précis, Ounesh le Chacal et Païle Bon Pain déposèrent au pied de Paneb une belle quantité de pains de couleurs vives et des petits récipients en terre cuite et en cuivre.

— Que dois-je en faire ?

— Ched le Sauveur te l'indiquera. Le soleil est écrasant... Ne devrais-tu pas te mettre à l'ombre ? demanda Païle Bon Pain qui supportait mal la chaleur de la Vallée des Rois.

— Je n'ai pas envie de prendre froid ! s'amusa-t-il.

Les trois dessinateurs se dirigèrent d'un pas lent vers l'entrée de la tombe de Ramsès le Grand. Même Païle Bon Pain, d'ordinaire si prompt à rire et à plaisanter, était recueilli. Comme ses confrères, il ne songeait qu'au travail minutieux qu'il devait accomplir.

— Et toi, Paneb, comment réagirais-tu ? demanda le maître d'œuvre.

— Si les beaux discours ne servaient à rien, je prendrais les armes et je me battrais.

— Contre Pharaon, son armée et sa police ?

— Contre quiconque tenterait de détruire le village. Il est devenu ma patrie et mon âme. Pourtant, l'accueil n'a pas été fameux, et j'ai passé dix années plutôt rudes.

Néfer sourit.

— Ne subit-on pas les épreuves que l'on mérite et que l'on est capable d'endurer ? Tu finiras par me faire croire que ta capacité de résistance est vraiment hors du commun.

— Sauf ton respect, j'ai parfois l'impression que tu te paies ma tête !

— Ne serait-ce pas indigne de ma fonction ?

L'arrivée de Ched le Sauveur interrompit les deux amis.

Les cheveux et la petite moustache très soignés, élégant, les yeux gris clair, le nez droit, les lèvres fines, il jeta un regard ironique sur Paneb et s'adressa au maître d'œuvre.

— Mes dessinateurs sont-ils déjà au travail ?

— Ils viennent d'entrer dans la tombe.

— Les délais risquent d'être un peu courts...

— Nous n'avons pas le droit de les dépasser, Ched. C'est pourquoi j'ai mis Paneb à ta disposition.

Le peintre leva les yeux au ciel.

— Un apprenti auquel il faut tout apprendre !

— Sois un bon éducateur et rejoins-moi.

Néfer se dirigea à son tour vers la demeure d'éternité de Ramsès le Grand, pendant que Ched le Sauveur prenait en main une sorte de brique rouge.

— Sais-tu ce que c'est, Paneb ?

— De la couleur... De la couleur dure qu'on ne peut pas utiliser sous cette forme.

Le peintre parut atterré.

— C'est bien ce que je craignais... Tes yeux sont incapables de voir.

6.

Au prix d'un immense effort, Paneb l'Ardent réussit à garder son calme. Si Ched le Sauveur avait décidé de l'humilier, grand bien lui fasse!

— La couleur, déclara le peintre, ce n'est pas seulement de la matière. Le mot *ioun*, « couleur », est synonyme d'« existence », de « peau » et de « cheveu ». Grâce à elle, une vie secrète se révèle et la nature entière s'anime, depuis le minéral d'apparence inerte jusqu'à l'homme, cette créature trop souvent agitée. As-tu vraiment regardé l'ocre du sable, le vert brillant du palmier, le vert doux des champs au printemps, le bleu absolu du ciel, le bleu charmeur du Nil ou l'or du soleil? Ils enseignent des secrets auxquels personne ne prend garde. Et pourtant, c'est Pharaon en personne qui fait parvenir les couleurs à la Place de Vérité, car lui seul sait pourquoi et comment elles font exister les figures que tracent les dessinateurs. Notre dieu protecteur est Chou, « l'air lumineux », celui qui permet à la création de déployer ses merveilles. Mon métier me rend partial, mais qu'y a-t-il de plus important que la couleur ?

Paneb considéra d'un autre œil le matériel du peintre étalé devant lui. Jamais Ched le Sauveur ne lui avait encore parlé de la sorte.

— Avant de peindre, tu vas fabriquer des couleurs. Et il te faudra beaucoup de talent, mon garçon ! En temps ordinaire, nous aurions eu plusieurs mois, voire plusieurs années devant nous. Mais Ramsès le Grand a exigé que sa tombe éclatât de vie, et nous avons besoin d'une grande quantité de couleurs parfaites. Je vais te montrer comment procéder, et tu devras en fabriquer sans relâche pendant que je peins. Si tu échoues, tu seras le principal responsable de notre retard, donc de notre déchéance. Ramasse le matériel et suis-moi.

— Où allons-nous ?

— Dans mon atelier privé.

Ched le Sauveur avait profité d'une profonde anfractuosité de la roche pour y installer des planches, des tréteaux et un chaudron. Sur des étagères s'alignaient au moins une centaine de pots, de creusets et de vases de multiples tailles, à l'abri d'une toile blanche tendue entre deux parois grossièrement taillées à coups de ciseau de cuivre.

— Assieds-toi sur le tabouret à trois pieds, Paneb, et ouvre grand tes oreilles. Nos couleurs sont obtenues à partir de minéraux qu'il faut broyer le plus finement possible, jusqu'à l'obtention d'une poudre que tu mélangeras à de l'eau additionnée d'une substance liante aux fortes capacités adhésives. Là réside le secret majeur du fabricant de couleurs. Tu utiliseras du blanc d'œuf, donc de l'albumine, laquelle ne sera affectée ni par l'eau chaude ni par l'eau froide, et te procurera un type de couleur qui comblera bien les pores de la pierre. La colle de poisson est un autre liant de bonne qualité, de même que cette excellente glu.

LA FEMME SAGE

Tout en parlant, Ched le Sauveur soulevait les couvercles des pots contenant les substances qu'il décrivait. On aurait juré un cuisinier s'apprêtant à savourer les mets délicieux qu'il avait préparés.

— Ma glu est parfaite ! J'ai fait bouillir des extraits d'os, de cartilages, de tendons et de peau, et j'ai versé la mixture dans un moule où, après refroidissement, elle s'est transformée en une masse compacte. Et je n'oublie pas ma belle résine, mélangée à de la poudre de calcaire... Mais admire ceci !

Le peintre fit pivoter le couvercle d'un petit creuset en terre cuite de forme rectangulaire.

— Une cire d'abeille de première qualité que j'utilise pour la fusion des colles et que j'applique sur la surface peinte afin de la protéger. Bien sûr, un novice ferait adhérer directement de l'ocre rouge sur du plâtre, mais seule l'utilisation d'un adhésif est la marque d'un travail de qualité. Et je vais à présent te montrer le meilleur, mon préféré : la gomme d'acacia.

Ched le Sauveur ouvrit avec lenteur un vase d'albâtre.

— La gomme d'acacia garantit la durée d'une peinture... Le temps n'a aucune prise sur elle, elle rend la matière stable et se moque des variations de température. Le mot *seped*, «épine d'acacia», signifie aussi «être précis, intelligent», et ce végétal figure au nombre des puissances lumineuses grâce auxquelles le soleil donne la vie. Un jour, peut-être, tu rencontreras l'acacia.

Pendant quelques instants, l'esprit du peintre s'échappa, comme s'il plongeait dans de très anciens souvenirs.

— Où en étais-je... Ah oui, les liants ! Bon, tu connais l'essentiel... Passons aux couleurs elles-mêmes.

Comment Paneb aurait-il pu imaginer tant de passion de la part de cet homme froid et distant ? Les yeux brillants, les mains sans cesse en mouvement, Ched le Sauveur semblait heureux d'ouvrir les portes de son univers dans lequel le jeune colosse pénétrait avec ravissement.

— Pour obtenir du noir, rien de plus simple : tu recueilleras la suie la plus fine possible sur les parois des grands récipients utilisés dans les cuisines et le noir de fumée collé aux lampes. La poudre de charbon de bois fournit un beau noir, mais je possède également une réserve de manganèse du Sinaï. Sois prudent avec cette teinte : son nom, *kem*, « l'accompli, la totalité », signifie que le noir est la somme des couleurs. Quand Osiris est noir, il incarne la totalité des forces de résurrection.

— *Kemet*, « la totalité », n'est-ce pas le nom de l'Égypte ?

— Si, à cause de la terre noire, du limon qui contient toutes les potentialités d'existence et de renaissance. Le blanc, qui est joie, pureté et rayonnement, tu l'obtiendras en broyant le calcaire de la région. En mélangeant du gypse au charbon de bois ou au noir de fumée, tu obtiendras le gris. Pour le brun, tu passeras une couche de rouge sur du noir, ou bien tu mélangeras de l'oxyde de fer naturel avec du gypse. Quant au meilleur ocre brun, c'est celui de l'oasis de Dakleh dont je possède une petite réserve.

— Et le rouge ? interrogea Paneb.

— Ah, le rouge ! Cette couleur aussi terrifiante qu'attirante... Le rouge du désert, de la violence, du sang qui transmet la vie, du feu céleste, de la voile de la barque qui emmène les âmes vers l'au-delà, ce rouge qui encadre les portes pour que les démons destructeurs ne les franchissent pas, le rouge qui illumine l'œil de Seth quand il combat Apophis... Ta couleur préférée, n'est-ce pas ? Tu l'obtiendras en recueillant de l'ocre rouge, abondant dans notre pays, de l'oxyde naturel de fer, ou bien en calcinant de l'ocre jaune qui virera au rouge. Cet ocre jaune, de l'oxyde de fer plus ou moins hydraté, est très abondant, lui aussi. Tu le trouveras dans les oasis du désert de l'Ouest et, sous forme de pierre, dans les gebels. J'emploie aussi de l'orpiment, un sulfite d'arsenic naturel qui, sous cette forme de minerai, n'est pas un poison. Il provient d'Asie Mineure et des îlots de la mer Rouge, et c'est lui qui anime les parois avec un rayonnement semblable à celui de l'or, la chair des dieux.

Sur un fragment de calcaire, Ched le Sauveur dessina un

admirable papillon après avoir trempé son pinceau dans une couleur qui surprit Paneb.

— Du rose, expliqua le peintre. Il résulte d'un mélange de gypse et d'ocre rouge, et il sait traduire la grâce d'une femme ou l'élégance d'un cheval. Es-tu satisfait ?

— Non, répondit Paneb ; pourquoi n'avoir parlé ni du bleu ni du vert ?

— Tu es peut-être moins stupide que je le croyais... Certains pensent encore que, pour obtenir ces deux couleurs, évocatrices des mystères célestes et du dynamisme de la vie, il suffit de broyer des pigments minéraux. Mais ce n'est pas ainsi qu'il faut procéder lorsqu'on est peintre de la Place de Vérité.

Ched le Sauveur alluma un feu sous le chaudron.

— La nature nous offre ces pigments, et l'art du peintre consiste d'abord à les rendre efficaces sous l'aspect de couleurs qui restent stables. En ce qui concerne le bleu et le vert, le procédé est plus complexe. Observe chacun de mes gestes et grave-les dans ta mémoire.

Dans un moule, Ched mélangea du sable siliceux, du calcaire réduit en poudre, de la malachite, de l'azurite, du natron et des cendres végétales.

— Je vais faire cuire ce moule à une température élevée, entre 850 et 1 100 degrés. C'est à toi de la faire varier en régulant le feu, et c'est grâce à cette variation que tu pourras obtenir différentes nuances de bleu, entre turquoise et lapis-lazuli. Tu devras également tenir compte du broyage : plus la taille des grains sera petite, plus la couleur sera claire. Et si tu cuis une seconde fois les pigments réduits en poudre et compactés, la couleur s'intensifiera.

— Et pour le vert ?

— Tu te serviras des mêmes ingrédients que pour le bleu, mais dans des proportions différentes, en augmentant le calcium et en diminuant le cuivre. Le bleu te fera prendre conscience de l'immatériel, le vert de la fécondité spirituelle. Quant à la poudre colorée, tu l'aggloméreras sous la forme de pains, les uns allongés, les autres semblables à des disques, et j'en délayerai des parcelles au fur et à mesure de mes besoins. Tels sont les premiers pas de notre alchimie, Paneb ; si tu comprends bien l'art, il te mènera au cœur de notre confrérie.

Concentré sur la cuisson, Ched le Sauveur donnait l'impression de ressentir ses moindres variations, comme s'il était lui-même le moule. Et le peintre montra à son apprenti comment aller d'un bleu intense à un vert diaphane.

— Te sens-tu prêt à fabriquer des couleurs, Paneb ?

— Ai-je le choix ?

— J'ai besoin de rouge pour l'après-midi et de bleu pour demain. J'espère que nous ne manquerons pas de matière première, car il n'est pas certain que le nouveau pharaon acceptera de nous en procurer. Plus de pigments colorés, plus de peinture...

— Impossible !

— Ni toi ni moi ne décidons, mon garçon. Et j'ai l'impression que les vents ne tournent pas du bon côté.

Paneb commençait à manipuler avec intérêt les pots remplis de colle et de gomme d'acacia.

— Votre attitude me surprend... Jusqu'à présent, vous m'avez dédaigné et voici qu'aujourd'hui, vous me révélez plusieurs secrets de métier ! Pourquoi tant de bonté subite ?

— Le chef d'équipe m'a donné l'ordre de t'instruire, j'obéis. Mais tu n'as aucune chance de réussir.

7.

Épuisé, le renard des sables à l'épaisse queue rousse se réfugia au fond d'une cavité rocheuse, avec l'espoir que ses poursuivants perdraient sa trace.

Mais le commandant Méhy, à la tête d'un groupe de chasseurs acharnés, était un prédateur autrement plus redoutable que le petit carnassier dont il suivait la piste depuis plusieurs heures à travers le désert.

Les nerfs à vif, mécontent de ne pouvoir obtenir des renseignements dignes de foi sur les intentions du nouveau pharaon, Méhy avait besoin de tuer. Exterminer des cailles et des passereaux ne lui suffisait plus. C'est pourquoi il s'était aventuré à l'ouest de Thèbes afin de débusquer un gibier plus intéressant.

Haletant, le renard vit l'homme armé d'un arc s'engouffrer

dans l'étroit tunnel qui menait à son repaire de fortune. Les parois étaient trop raides pour qu'il puisse grimper. Il tourna la tête dans toutes les directions sans repérer la moindre possibilité de fuite.

Surexcité, Méhy banda son arc. Il n'avait pas sué pour rien dans cet univers hostile et, une fois de plus, il se montrait le plus fort.

Le renard aurait pu se jeter sur son agresseur, mais il préféra regarder sa mort en face et fixa Méhy avec le courage des êtres qui savent affronter leur destin. Face à ces yeux-là, nombre de chasseurs auraient renoncé à tirer pour rendre hommage à la noblesse de l'animal. Mais Méhy était un tueur, et sa flèche fendit l'air brûlant du désert pour se ficher dans la poitrine de sa malheureuse victime.

— À boire, ordonna Méhy en franchissant le seuil de sa somptueuse villa, et qu'on me débarrasse de ça.

Le commandant jeta sur le sol la dépouille ensanglantée du renard qu'un serviteur s'empressa de ramasser pendant qu'un autre lui apportait de la bière fraîche.

— Où se trouve mon épouse ?

— Près du bassin.

Serkéta était allongée sur des coussins, à l'ombre d'une pergola. Teinte en blonde, un peu grasse, la poitrine opulente, les yeux bleu délavé, elle se couvrait d'un fin voile de lin et se protégeait du soleil pour ne pas avoir la peau hâlée comme les filles de la campagne.

Méhy lui empoigna les seins.

— Tu me fais mal, chéri !

Bien qu'il fût un piètre amant, Serkéta appréciait la brutalité de son mari dont les principales qualités étaient une ambition effrénée et un désir de posséder sans limites. Grâce à ses dons de calculateur et de gestionnaire, il ne cessait d'accroître leur fortune. Aussi avide que lui et ne reculant devant aucune cruauté, Serkéta avait songé à se débarrasser de Méhy, convaincue que lui-même avait envisagé de la supprimer; mais ils avaient préféré devenir d'inséparables complices, liés par leurs crimes et leur soif inextinguible de pouvoir.

– Bonne chasse, mon doux amour?

– Je me suis bien amusé. Des nouvelles de la capitale?

– Malheureusement rien, mais j'ai quelque chose d'intéressant.

Méhy s'allongea à côté de son épouse. Elle avait le charme d'un scorpion et la magie d'une vipère à cornes.

– Notre informateur, cet homme merveilleux qui trahit sa confrérie, vient de me faire parvenir une lettre par l'intermédiaire de notre dévoué Tran-Bel.

Tran-Bel, un escroc médiocre mais complaisant, grâce auquel le traître de la Place de Vérité engrangeait des bénéfices illicites en vendant sous le manteau des meubles de qualité. Pour pouvoir continuer ses petits trafics, Tran-Bel était devenu le fidèle serviteur de Méhy et de son agent de liaison, Serkéta, auxquels il ne pouvait rien refuser.

– Ne me fais pas languir, Serkéta, ou je te viole...

Elle embrassa les genoux de son mari.

– Pourquoi pas, tendre chéri? Mais écoute d'abord ceci : le maître d'œuvre Néfer connaît de graves ennuis, en raison de son manque d'expérience. La tombe de Ramsès le Grand n'est pas terminée, et il est probable que les délais ne seront pas respectés.

– Passionnant... Autrement dit, la confrérie sera taxée d'incompétence et ses chefs destitués! Un événement sans précédent et un beau scandale... Notre ami Abry émettra une protestation officielle et les approvisionnements seront interrompus. Nous sommes peut-être à la veille de la mort du village, Serkéta! Et nous nous emparerons de ses secrets plus facilement que je ne le supposais. En choisissant ce Néfer comme patron, les artisans ont commis une lourde erreur.

L'épouse de Méhy ôta son voile de lin, mais elle prit soin

de rester à l'ombre. Le regard vicieux, le commandant allait lui prouver de quoi il était capable.

Étant donné l'urgence de la situation, l'équipe ne retournait plus au village et dormait sur des nattes, à la belle étoile, près de l'entrée du tombeau de Ramsès le Grand.

Comme Néfer avait cru déceler une faiblesse dans la roche, il avait demandé aux tailleurs de pierre, Féned le Nez, Casa le Cordage, Karo le Bourru et Nakht le Puissant, de procéder à des sondages qui, par bonheur, n'avaient rien révélé d'alarmant. Aussi les quatre hommes avaient-ils poursuivi leur travail en essayant de rattraper le temps perdu.

Le chef sculpteur, Ouserhat le Lion, et ses deux assistants, Ipouy l'Examinateur et Rénoupé le Jovial, mettaient la dernière main aux statues royales, en bois et en pierre, et aux « répondants », les figurines de travailleurs de l'au-delà qui seraient déposées dans la tombe du roi.

Le charpentier Didia le Généreux parachevait la fabrication des lits funéraires que recouvrait à la feuille d'or Thouty le Savant, pendant que les trois dessinateurs, Gaou le Précis, Ounesh le Chacal et Païle Bon Pain, achevaient le tracé des hiéroglyphes contenant les formules de connaissance indispensables au ressuscité pour franchir les portes de l'au-delà et se déplacer à son gré sur les beaux chemins de l'éternité.

Et Ched le Sauveur peignait à son rythme, comme s'il disposait de nombreux mois. Son génie était si éclatant que Néfer avait presque honte de lui rappeler que la date des funérailles se rapprochait.

Par bonheur, Paneb n'avait pas échoué.

Fasciné par les révélations de Ched dont il avait retenu jusqu'au moindre détail, le jeune colosse avait travaillé sans relâche. Sa main avait fidèlement répété les gestes du maître, pourtant Paneb s'était vite aperçu que cette méthode lui procurait des résultats convenables, mais insuffisants.

S'appuyant sur les fondements enseignés par Ched le

Sauveur, il avait innové à chaque étape de la fabrication des couleurs, utilisé plusieurs pilons pour des broyages variés et modifié les proportions des adhésifs en fonction des teintes espérées. Comme le peintre l'avait souligné, le meilleur liant était bien la gomme d'acacia.

Le premier jour, devant les pains de rouge, Ched le Sauveur avait eu une moue dégoûtée, mais il avait néanmoins accepté de les utiliser. Paneb était resté impassible, alors qu'il avait envie de hurler sa joie! Enfin, après tant d'années de patience et d'épreuves, il jouait avec les couleurs, il savait les produire et il donnait satisfaction à l'artisan chargé de faire vivre les divinités sur les parois de la demeure d'éternité de Ramsès le Grand!

L'Ardent avait réalisé bien davantage que son rêve d'enfant; il était entré dans un monde aux richesses illimitées et il commençait à dominer les rudiments d'un langage qui, demain, lui permettrait de peindre à son tour.

Paneb avait dû déchanter lors de la cuisson de la mixture destinée à devenir du bleu et du vert. Bien qu'il eût respecté les ingrédients et les proportions indiqués par Ched le Sauveur, il n'avait obtenu que des teintes bâtardes.

Il s'était donc remis à la tâche jusqu'à ce qu'il maîtrisât les variations de chaleur. Là encore, il innova et laissa sa main trouver sa propre méthode, qui ne correspondait pas exactement à celle de Ched.

Quand, au petit matin, il avait façonné des pains de bleu clair, de bleu médian et de bleu sombre comme le lapis-lazuli, puis des pains de vert tendre et foncé, Paneb aurait aimé vérifier leur qualité, mais Ched le Sauveur était apparu devant lui, élégant, rasé et parfumé comme s'il sortait de la salle d'eau de sa demeure.

– Ma quantité de bleu est-elle prête?

Paneb lui présenta les pains colorés.

– Apporte-moi un plat en terre cuite et un godet d'eau.

Le fabricant s'exécuta.

Avec un grattoir, le peintre détacha quelques fragments de bleu qu'il délaya dans le plat en versant de l'eau, goutte après goutte. Puis il utilisa un pinceau d'une extrême finesse qu'il trempa à peine dans le bleu lapis-lazuli pour tracer, sur un fragment de calcaire, l'une des couronnes de Pharaon qui conférait à sa pensée une dimension céleste.

Paneb était aussi nerveux que le jour où il avait passé l'épreuve d'admission dans la confrérie. Il savait que le peintre, en raison des circonstances, ne lui accorderait pas une seconde chance. Et même Néfer serait obligé d'approuver Ched le Sauveur.

D'interminables secondes s'écoulèrent. Le peintre faisait jouer la lumière sur la couronne et il l'examinait sous de multiples angles.

— Il y a un grave défaut, conclut-il. Ton pain de bleu a une longueur d'au moins vingt-cinq centimètres, ceux que j'utilise mesurent exactement dix-neuf centimètres. Pour le reste, je m'en contenterai.

8.

Ils étaient quatre, un homme et trois femmes, et ils s'immobilisèrent devant Paneb l'Ardent.

De taille moyenne, l'homme paraissait insignifiant, avec sa petite moustache noire et son regard en biais. Il s'appelait Imouni et appartenait à l'équipe de gauche. Se piquant de littérature, il ne cessait de flatter Kenhir, le scribe de la Tombe, qu'il considérait comme un grand auteur. Paneb ne fréquentait pas cet Imouni dont il détestait le comportement de rongeur.

En revanche, et pour des raisons différentes, chacune des trois femmes lui était chère.

Blondinette, menue, discrète mais déterminée, Ouâbet était son épouse légitime; c'est elle qui avait décidé de le devenir, et Paneb avait été vaincu par l'entêtement d'une parfaite ménagère qui lui donnerait bientôt un enfant. Son ventre s'était à peine arrondi, et sa grossesse, heureuse et aisée, la rendait chaque jour plus épanouie.

Rousse, grande et pulpeuse, Turquoise était la maîtresse de Paneb. Avec elle, il se livrait aux jeux de l'amour les plus débridés et cette passion brûlante, qui durait depuis plusieurs années, ne tiédissait pas. Turquoise avait fait le vœu de ne pas se marier, utilisait une contraception efficace et menait une existence de femme libre, indifférente aux ragots. Ouâbet la Pure tolérait la situation, à la seule condition que Paneb ne passerait jamais la nuit chez Turquoise.

La troisième femme, belle et lumineuse, était Claire, l'épouse de Néfer le Silencieux, admise en même temps que lui au sein de la Place de Vérité. Fine, souple, aérienne, les yeux bleus, la voix douce et mélodieuse, aimée de tous les villageois, elle était devenue l'assistante de la mystérieuse femme sage qui lui avait transmis l'essentiel de ses secrets.

Coiffées de perruques courtes et vêtues de robes rouges à bretelles, les trois prêtresses d'Hathor portaient des coffrets en bois d'acacia.

— Où se trouve le maître d'œuvre ? demanda Imouni sur le ton mielleux qui lui était habituel.

— Dans la demeure d'éternité de Ramsès le Grand.

— Va le chercher.

— D'abord, je ne suis pas autorisé à y pénétrer ; ensuite, tu n'as pas à me donner d'ordre.

Les yeux ternes d'Imouni brillèrent de satisfaction.

— Erreur, Paneb ! Kenhir vient de me nommer scribe assistant. À ce titre, je transmets ses directives aux artisans qui me doivent donc obéissance, toi comme les autres. Ces trois prêtresses apportent des fournitures que je dois remettre en mains propres à Néfer. Va le chercher.

— Tu es sourd ou quoi ? Je viens de te dire que je n'ai pas le droit de pénétrer dans la tombe. Donc, tu attendras que Néfer en sorte. C'est lui qui règne sur ce chantier, personne d'autre.

Agacé, Imouni gratta sa petite moustache.

– En quoi consiste ton travail, Paneb ?

– C'est curieux, je n'ai pas l'impression que ça te regarde.

– Un scribe assistant doit être au courant de tout !

– Confie-moi les coffrets, je les remettrai au maître d'œuvre.

– Hors de question !

Imouni promena son regard inquisiteur sur les pains colorés que Paneb avait terminés.

– Quels ingrédients as-tu utilisés et en quelle quantité ?

– Ici, nous avons beaucoup de travail. Tu devrais retourner dormir dans le bureau qui t'a été attribué.

Un sourire mauvais fit frémir les lèvres minces d'Imouni.

– Je n'ai pas l'impression que tous ces produits aient été correctement enregistrés... Ne serait-ce pas de la fraude et ne détournerais-tu pas de précieuses couleurs pour ton profit personnel ?

Le jeune colosse agrippa Imouni par les hanches et le souleva de terre.

– Répète ça, avorton !

– Je... je suis dans l'obligation de tout répertorier avec minutie et je...

– Si tu continues à piailler, je t'écrase contre la roche !

– Lâche-le, ordonna Néfer qui, alerté par les échos de la querelle, était sorti de la tombe de Ramsès.

Parce que c'était le maître d'œuvre qui l'exigeait, Paneb envoya Imouni rouler dans la poussière.

Furieux, le scribe se releva aussitôt.

– Paneb m'a agressé !

Néfer consulta du regard les trois prêtresses d'Hathor. Aucune ne soutint l'accusation, et chacune retint à grand-peine son envie de rire.

– L'incident est clos, décida le maître d'œuvre. Ainsi, tu m'apportes des mèches, Imouni ? Disons plutôt que c'est la tâche accomplie par les prêtresses et que, toi, tu les accompagnes, les mains vides.

– Pas du tout! J'ai mon matériel de scribe et je compterai les mèches, selon le règlement!

– Pourquoi Kenhir n'est-il pas ici?

– Il souffre d'une crise de goutte et m'a choisi comme assistant.

Claire, Ouâbet la Pure et Turquoise posèrent les coffrets sur une pierre presque plate. C'étaient elles qui avaient fabriqué les précieux objets.

Chaque coffret contenait vingt mèches de lin torsadé qu'Imouni compta une à une avant de rédiger son rapport.

– Tu peux partir, lui dit Néfer.

– Mais... Je dois savoir comment sera utilisé ce matériel!

– En tant que scribe assistant, ton rôle est strictement administratif. Regagne le village, Imouni, et ne m'oblige pas à faire intervenir Paneb.

Le jeune colosse était tout prêt à obéir. Imouni jeta un regard haineux au maître d'œuvre mais jugea préférable de décamper.

Chacune des trois prêtresses avait également apporté un pot d'une graisse composée de trois substances: «la saine», «la crémeuse» et «l'éternelle», issues des huiles de lin et de sésame.

– Et moi, demanda Paneb, je peux rester?

– Nous avons besoin d'un récipient rempli d'eau et d'une bonne quantité de sel, répondit Claire.

L'Ardent s'empressa de la satisfaire; par bonheur, son laboratoire de fortune ne manquait pas de ressources.

Ce fut Turquoise qui versa le sel dans le récipient jusqu'à ce que l'eau ne parvînt plus à le dissoudre. Lorsque la consistance fut jugée à point, les trois prêtresses trempèrent, à tour de rôle, chacune des mèches de lin dans la saumure et les mirent ensuite à sécher au soleil.

Claire transvasa l'eau salée dans une amphore à laquelle Ouâbet la Pure ajouta une quantité égale d'huile de sésame, et Turquoise secoua l'amphore pour mélanger les liquides. Après un temps de repos, le mélange huileux fut purifié, et les trois prêtresses s'assirent face au maître d'œuvre.

La partie la plus délicate de l'opération débutait. Afin d'obtenir des mèches qui ne dégageraient aucune fumée, désastreuse pour les peintures d'une tombe, il fallait à la fois les huiler et les graisser avec une dextérité qui ne supportait pas l'à-peu-près.

Paneb ignorait que son épouse eût accès à un secret d'une telle importance, et il ne l'en admira que davantage, d'autant plus qu'elle se montrait fort habile, à l'instar de ses deux compagnes, visiblement expérimentées.

Néfer était très attentif, comme si le sort du chantier dépendait des mèches que fabriquaient les prêtresses.

— Elles connaissent le secret du feu, dit-il à Paneb, et l'une de mes obligations consiste à vérifier leur travail sans tolérer la moindre imperfection. Une seule mèche défectueuse, et l'œuvre des sculpteurs, des dessinateurs et des peintres pourrait être souillée. D'ordinaire, les prêtresses d'Hathor préparent ces mèches dans un atelier du village et nous les fournissent le matin, sous le contrôle du scribe de la Tombe, lorsque nous travaillons dans un lieu obscur. Étant donné l'urgence, je les ai priées de compléter au plus vite notre matériel afin que nous disposions d'un éclairage intense.

Paneb ne perdait pas un seul des gestes des fabricantes, conscient du nouveau trésor qui lui était offert au sein de cette vallée des miracles où les voiles se déchiraient les uns après les autres.

— Il faut trois mèches pour équiper une lampe en forme de coupe, révéla Néfer, et chaque mèche dure environ quatre heures.

— Combien en utilise-t-on dans une tombe ?

— Tout dépend de son volume, de sa profondeur et de l'ampleur de l'œuvre à effectuer. D'ordinaire, une trentaine de mèches par jour suffisent. Dans le cas présent, j'en veux beaucoup plus : cent cinquante lampes contenant quatre cents mèches vont éclairer la demeure d'éternité de Ramsès.

LA PIERRE DE LUMIÈRE

« Cent cinquante lampes ! imagina l'Ardent. Quelle féerie ce doit être ! »

– Désires-tu voir cette lumière-là ? lui demanda le maître d'œuvre.

9.

Paneb demeura silencieux un long moment, comme s'il vivait un rêve éveillé dont il ne désirait pas sortir. Mais l'illusion se dissipa, et il comprit qu'il avait mal interprété la question posée par le maître d'œuvre.

— Voir allumer ce type de lampe... Oui, j'aimerais bien.

— Je me suis mal exprimé, rectifia Néfer : te sens-tu prêt à pénétrer dans la demeure d'éternité de Ramsès le Grand ?

— Ce n'était donc pas un rêve...

Lui, Paneb l'Ardent, fils de paysan, simple apprenti de l'équipe de droite, était autorisé à découvrir l'un des lieux les plus secrets d'Égypte !

— Tu hésites ?

— Moi, hésiter ? Je peux te jurer que mon désir de connaître cette merveille n'est pas entaché de curiosité et que je n'éprouve aucune peur, mais je ressens une sorte d'étrange respect, presque une vénération, comme si cet acte allait bouleverser ma vie une fois de plus.

— Tu as raison, Paneb; personne ne ressort intact d'un univers comme celui-là.

— Pourquoi m'accorder cette faveur?

— Je te répète que je ne t'en accorderai aucune. Ton travail a donné satisfaction, et il t'ouvre les portes de ce chantier sur lequel l'équipe entière a travaillé. Il est juste que, comme les autres, tu contemples l'œuvre accomplie.

Néfer le Silencieux se dirigea vers la tombe de Ramsès le Grand, Paneb lui emboîta le pas.

Parce qu'il avait voulu être dessinateur, parce qu'il avait refusé toute compromission, parce qu'il avait continué à tracer son chemin sans écouter ceux qui lui recommandaient une existence tiède et fade, l'Ardent avait vu s'ouvrir les portes de la Place de Vérité et, à présent, celles de la demeure de résurrection du pharaon.

Torse nu, vêtu d'un pagne plissé attaché sous le nombril et descendant à mi-mollet, les poignets ornés de bracelets, le maître d'œuvre s'immobilisa sur le seuil monumental de la tombe, comme s'il vérifiait les proportions de la grande porte d'accès taillée dans le roc.

— Tu vas quitter le monde des humains pour entrer dans celui de la lumière secrète qui fait vivre l'univers, dit Néfer à Paneb. Ne cherche ni à analyser ni à comprendre, mais regarde de tout ton être, vois avec ton cœur et ressens avec ton esprit.

Sitôt franchi le seuil, que les textes désignaient comme «le premier passage de la lumière divine», ce fut l'éblouissement.

Les cent cinquante lampes réparties à intervalles réguliers dispensaient une lumière à la fois douce et précise qui faisait de la tombe de Ramsès un monde frémissant de vie. Elle avait été entièrement ornée de hiéroglyphes et de sculptures en léger relief, et l'ensemble du décor était peint avec un génie qui rendit Paneb muet d'admiration.

Grâce à l'enseignement dispensé par Kenhir, il parvint à lire les textes des corridors qui évoquaient les mutations du soleil, correspondant aux phases de résurrection de l'âme royale.

Longue de près de cent vingt mètres, la dernière demeure de Ramsès s'enfonçait en ligne droite au cœur de la roche jusqu'à la salle de Maât, point d'aboutissement des scènes rituelles de « l'ouverture de la bouche » au cours de laquelle la momie, apparemment inerte, reprenait vie. Puis le chemin tournait à angle droit pour s'épanouir dans la salle du sarcophage à huit piliers qui n'attendait plus que le corps de lumière du roi défunt.

C'est là que s'étaient rassemblés les membres de l'équipe de droite, assis en scribe, à l'exception de Ched le Sauveur qui ajoutait une nuance d'or à un portrait du monarque faisant offrande à Osiris.

— Bienvenue parmi nous, Paneb, dit Païe le Bon Pain avec un large sourire. Maintenant, tu fais vraiment partie de l'équipage.

Les frères en esprit se donnèrent l'accolade ; consentant enfin à poser son pinceau, Ched les imita.

— Je n'avais aucune confiance en toi, avoua-t-il, et je n'avais probablement pas tort, mais tu m'as étonné en te montrant à la hauteur de la tâche. Décidément, cette confrérie n'en finira pas de me surprendre... Mais ne triomphe pas pour autant ! Ton chemin ne fait que commencer, et je ne suis pas certain que les efforts conjugués des dessinateurs parviendront à combler ton ignorance.

Le peintre s'adressa au maître d'œuvre.

— En ce qui me concerne, mon rôle est terminé. Les volontés de Pharaon ont été respectées à la lettre, et il vivra éternellement en compagnie des divinités peintes sur les murs.

— Le travail des sculpteurs et des tailleurs de pierre est également achevé, précisa Ouserhat le Lion dont le torse puissant évoquait le fier poitrail du fauve.

Le charpentier Didia et l'orfèvre Thouty avaient, eux aussi, mené l'œuvre à son terme.

– Soyez tous remerciés pour l'ardeur que vous avez déployée, dit Néfer ; grâce à vous, la Place de Vérité ne subira aucune critique et Ramsès reposera dans le sanctuaire qu'il avait lui-même conçu.

– Nous n'acceptons aucun remerciement, objecta le sculpteur Rénoupé le Jovial ; tu as rempli ta fonction en organisant le chantier et en nous orientant, nous avons rempli la nôtre en suivant tes directives.

Selon le geste rituel de la confrérie, bras gauche détaché du corps pour former une équerre et bras droit replié sur la poitrine, les artisans de l'équipe de droite acclamèrent trois fois Néfer le Silencieux qui masquait mal son émotion.

– Notre confrérie est un bateau, rappela-t-il, nous sommes un équipage, et chacun d'entre nous a un rôle précis à jouer, vital pour la cohérence de l'ensemble. Quelles que soient les épreuves à venir, nous avons respecté notre serment et tenu nos engagements.

– Cette tombe était-elle notre dernière œuvre ? interrogea Karo le Bourru, croisant ses bras courts et puissants.

L'inquiétude rendait encore plus rébarbatifs ses épais sourcils et son nez cassé.

– Je l'ignore. Certains étaient sans doute persuadés que nous ne la terminerions pas dans les délais, et leurs réactions risquent d'être violentes.

– Quelles que soient les décisions des autorités, avança Nakht le Puissant, nous devrions rester unis, former des jeunes et leur transmettre nos secrets.

– Ce serait une insubordination grave, passible de lourdes peines, objecta Gaou le Précis, approuvé par Casa le Cordage. Notre supérieur est Pharaon ; qui refuse son autorité devient un rebelle.

– Ne nous engageons pas dans de vaines discussions, recommanda le maître d'œuvre. Dès que le scribe de la Tombe, le chef de l'équipe de gauche et moi-même connaîtrons les volontés du nouveau roi, nous réunirons les villageois. Il ne reste que trois jours avant la fin de la période de momification, et cette tombe peut désormais accueillir les trésors qui environneront la momie de Ramsès. Voilà la seule réalité qui compte. Jusqu'à nouvel ordre, vous êtes en congé.

Paneb l'Ardent laissait errer son regard dans les petites pièces environnant la vaste salle du sarcophage. Lors des funérailles, elles recevraient mille et un objets précieux qui favoriseraient le passage de l'âme du pharaon vers l'au-delà.

Au cœur du sanctuaire encore vide, Paneb eut le sentiment de vivre la création à son origine, avant même que la pensée divine n'eût rendu les étoiles visibles. Et il ne pouvait détacher son regard de l'extraordinaire sarcophage en calcite auquel le sculpteur avait donné la forme de la momie d'Osiris, le corps de résurrection par excellence. À l'intérieur et à l'extérieur, des hiéroglyphes sculptés et peints formaient des passages du *Livre des Portes*, dont la connaissance permettait au ressuscité de traverser sans danger les paysages de l'autre monde.

Le sarcophage avait été placé sur un lit de pierre peint en jaune pour symboliser la chair des dieux, devenue indestructible. Reconnu «juste de voix», le roi connaîtrait son ultime triomphe en s'associant à leur immortalité.

Malgré la beauté du chef-d'œuvre créé par les artisans, Paneb éprouvait une étrange sensation.

— J'ai l'impression qu'il est inerte, comme un bloc non travaillé, confia-t-il à Néfer.

— Que la pierre soit apportée et qu'on éteigne les lampes, ordonna le maître d'œuvre.

Nakht le Puissant et Karo le Bourru déposèrent une pierre cubique à la tête du sarcophage, pendant que les autres membres de l'équipe plongeaient le tombeau dans l'obscurité.

— La lumière est cachée dans la matière, affirma Néfer; à nous de la libérer pour vaincre le chaos. Notre art est celui de magiciens qui abolissent le temps afin de recréer le premier instant d'où toutes les formes ont jailli. C'est à l'œuvre de conserver la mémoire de la lumière, pas à l'individu qui l'accomplit.

Le maître d'œuvre posa les mains sur la pierre.

Pendant plusieurs minutes, régnèrent les ténèbres et le silence. Puis une lumière vive jaillit des faces de la pierre, et elle illumina la salle de résurrection dont les murs se teintèrent d'or. Les rayons se concentrèrent sur le sarcophage pour pénétrer au cœur de la calcite dont chaque parcelle fut animée.

— Le nom secret de ce sarcophage est « le maître de la vie », révéla le maître d'œuvre. Il est devenu une nouvelle pierre de lumière qui maintiendra à jamais cette demeure hors de la mort.

Guidé par la clarté minérale de la pierre cubique, l'équipage sortit de la tombe et il se recueillit longuement sous la voûte étoilée avant de quitter, en silence, la Vallée des Rois.

10.

À peine Néfer et Paneb eurent-ils franchi la porte du village qu'un chien noir sauta au cou du maître d'œuvre puis à celui de l'apprenti dessinateur. La tête allongée et puissante, le pelage court et soyeux, la queue longue et vaillante, les yeux noisette très vifs, il lécha consciencieusement le visage de Paneb et le fit ainsi sortir de son rêve éveillé.

Nourri et soigné par Claire qui ne lui tolérait que de rares excès, Noiraud s'était imposé comme le chien fétiche du village et le maître du clan des canidés qui respectaient son autorité. Même les chats et les singes de la Place de Vérité le regardaient passer avec déférence, sachant qu'il veillait sur l'intégrité de leurs territoires respectifs.

Paneb appréciait la vigueur de Noiraud, Noiraud la force du jeune colosse ; il leur arrivait souvent de se livrer à des joutes endiablées dont le chien sortait obligatoirement vainqueur. Et puis l'Ardent était le seul avec lequel Noiraud pouvait s'amuser pendant des heures sans que son partenaire se fatiguât.

— Ai-je bien vu ? demanda Paneb au maître d'œuvre.

— Comment le saurais-je ?

— C'est de la pierre cubique qu'a jailli la lumière qui a pénétré dans le sarcophage, et c'était de cette même pierre, sans doute, qu'avait jailli la même lumière, capable de traverser la porte en bois du sanctuaire, dans notre local de confrérie... Personne n'acceptait de m'en parler, mais je l'avais bel et bien vue !

— T'avais-je dit le contraire ?

— Tu mérites bien ton surnom de « Silencieux » ! Quand reverrai-je la pierre ?

— Quand sa présence sera nécessaire.

— L'aurais-tu taillée de tes mains ?

— Ne m'attribue pas des pouvoirs que je ne possède pas ! Cette pierre est l'un des trésors essentiels de notre confrérie, transmise de maître d'œuvre à maître d'œuvre dans le secret de la Demeure de l'Or.

— Ta langue est donc scellée, et il ne me reste qu'à parcourir le chemin qui mène à cette pierre.

— Belle preuve de lucidité.

Ouâbet la Pure courut au-devant de son mari. Elle, d'ordinaire si paisible, paraissait affolée.

— Imouni est venu chez nous pour m'avertir que le scribe de la Tombe exigeait de te voir d'urgence.

— Pour quel motif ? demanda Paneb.

— Imouni a refusé de me le révéler mais, d'après lui, c'est très grave.

— Sûrement un malentendu... Je vais régler ça tout de suite.

Paneb marcha d'un bon pas jusqu'à la demeure de Kenhir. Niout la Vigoureuse en balayait le seuil.

— Je suis espéré, paraît-il.

— Mon patron parle beaucoup de toi, admit la servante.

— En bons termes, j'en suis sûr.

Niout sourit et s'écarta.

Assis dans un fauteuil bas, un papyrus déroulé sur les genoux, Kenhir rédigeait le récit des expéditions du grand pharaon Thoutmosis III en Asie. Il expliquait que l'armée égyptienne n'avait livré que peu de combats et qu'elle s'était surtout préoccupée d'importer des plantes exotiques que les laboratoires des temples égyptiens avaient étudiées avec minutie avant d'en extraire des substances médicinales. Malgré les douleurs de la goutte, il est vrai fortement atténuées grâce au traitement prescrit par la femme sage, le scribe de la Tombe disposait enfin de quelques moments tranquilles pour se consacrer à son œuvre littéraire.

Depuis que le maître d'œuvre lui avait promis l'achèvement de la tombe de Ramsès dans les délais imposés, Kenhir passait de meilleures nuits et s'énervait un peu moins à cause des mille et un soucis quotidiens.

— Vous désiriez me voir ?

— Ah, te voilà enfin ! Mais quel est le démon du désert qui pervertit ta main, Paneb ?

— De quoi m'accusez-vous ?

Kenhir roula le papyrus.

— C'est bien toi l'auteur de dessins scandaleux représentant le roi sous la forme d'un rat qui tire à l'arc ? Et je ne parle pas des caricatures des membres de la confrérie et de moi-même !

Paneb ne sembla guère ému.

— Oui, c'est bien moi. Ces dessins ne vous ont pas amusé ?

— Cette fois, mon garçon, tu as dépassé les bornes !

— Je ne vois pas pourquoi ! N'ai-je pas le droit de me distraire ?

— Pas de cette manière-là !

— Je n'ai montré ces caricatures à personne... Qui vous en a parlé ?

— Sobek, le chef de la sécurité. Quelqu'un les a déposées dans son bureau.

Paneb réfléchit.

— Je les avais laissées dans l'atelier des dessinateurs, sur un tas de fragments de calcaire destinés au dépotoir.

— Rassure-toi, il ne subsistera pas trace de ces horreurs ! Surtout, ne recommence pas.

— Je ne peux rien vous promettre. C'est ma manière, à moi, de me détendre, et je ne nuis à personne !

— De telles extravagances sont intolérables ! Elles sont une injure au sérieux de notre confrérie.

— Si nous ne savons pas rire de nous-mêmes et de nos défauts, comment serions-nous dignes de l'œuvre à accomplir ? Même les sages ont écrit des contes pour se moquer des travers humains !

— Peut-être, peut-être... Mais je ne peux pas effacer tes bévues, et je vais être obligé de te convoquer devant le tribunal du village.

— Me juger pour mes dessins ? Ça ne tient pas debout !

— L'un de nous a vu tes caricatures, les juge irrévérencieuses et a décidé de porter plainte contre toi.

— Qui ?

Kenhir parut ennuyé.

— Imouni, mon assistant.

— Pourquoi avoir accordé tant d'importance à cet avorton ? Il aurait dû rester un médiocre dessinateur de l'équipe de gauche !

— D'abord, il connaît bien son métier ; ensuite, il me seconde avec efficacité. Qu'il soit aimable ou non n'a aucune importance. Enfin, je n'ai pas à justifier mes décisions ! Prépare-toi à de sérieux ennuis.

Paneb sembla accablé.

— Il est temps de prendre conscience de tes erreurs ! Devant le tribunal, tâche de te repentir et de susciter ainsi son indulgence.

Tête basse, l'Ardent sortit de la maison de Kenhir. Ce dernier était heureux de constater que le jeune colosse ne réagissait plus comme un taureau sauvage à la moindre occasion. Avec la maturité, il apprenait à maîtriser sa fabuleuse énergie.

Paneb rentra chez lui où son épouse l'attendait avec impatience.

— Que te reproche-t-on ?

— Rassure-toi, rien de grave.

— Pourtant, Imouni prétendait que...

— Il habite bien la petite maison du quartier ouest, à côté de celle du chef dessinateur de l'équipe de gauche ?

— Oui, mais...

— Prépare-moi un bon déjeuner : je meurs de faim et je ne m'absente que pour peu de temps.

Ouâbet la Pure s'accrocha au bras de son mari.

— Pas de folie, je t'en prie !

— Je dois dissiper un malentendu.

Imouni préparait l'acte d'accusation contre Paneb lorsque ce dernier força sa porte d'un coup d'épaule.

— Sors immédiatement de chez moi ! glapit le scribe assistant.

L'Ardent l'agrippa par les épaules et le souleva du sol pour avoir son visage de rongeur exactement en face du sien.

— Alors, tu comptes porter plainte contre moi à cause de mes caricatures ?

— C'est... c'est mon devoir !

— Qui te les a montrées ?

— Je n'ai pas à te répondre.

— Tu as pénétré dans l'atelier des dessinateurs de l'équipe de droite, tu l'as fouillé et tu as découvert mes caricatures. C'est bien la vérité ?

— J'accomplis mon travail comme je l'entends.

— Je t'accuse de vol, Imouni, et c'est moi qui te traînerai devant le tribunal du village avec la certitude que tu seras condamné.

Le scribe blêmit.

– Tu n'oserais pas, tu...

– Oublie mes dessins, Imouni. Sinon, ta réputation sera détruite et tu seras chassé du village.

Le scribe n'eut pas besoin de réfléchir longtemps. Paneb pouvait effectivement lui causer de graves ennuis.

– Bon, entendu... L'affaire est close.

L'Ardent reposa brutalement le scribe sur le sol.

– Si tu recommences, prévint-il, je t'écrabouille.

11.

À l'exception de Paneb l'Ardent qui ignorait la fatigue et la maladie, les artisans venaient toujours consulter la femme sage et son assistante, Claire, au terme d'une période de travail intense comme celle qui avait vu l'achèvement de la tombe de Ramsès le Grand.

Grâce à l'utilisation des substances extraites de l'écorce, des rameaux et des feuilles de saule*, Claire guérissait les douleurs et les courbatures. Par précaution, elle procédait néanmoins à un examen médical en prenant les pouls pour écouter les différentes voix du cœur et savoir si les énergies circulaient correctement dans les divers canaux sillonnant l'organisme. En cas de doute, elle se préoccupait de la qualité

---

* Substances à la base de notre moderne aspirine.

du sang, dont le rôle majeur consistait à lier entre elles les forces vitales.

À Féned le Nez, qui souffrait d'un début d'abcès au creux des reins, Claire prescrivit une décoction à base de lupin qui le débarrasserait de ce désagrément. Mais l'état de santé de Gaou le Précis, à la grande carcasse un peu molle et au visage ingrat malencontreusement orné d'un nez trop long, la préoccupait. Quand elle avait posé les mains sur la nuque, le ventre et les jambes du patient, Claire avait décelé une grave faiblesse du foie, cet organe essentiel dont les défaillances provoquaient des troubles redoutables. Aussi avait-elle préparé un remède composé de feuilles de lotus, de figues, de poudre de bois de jujubier, de baies de genévrier, de bière douce, de lait et de résine de térébinthe ; filtrée après avoir reposé une nuit entière et additionnée de rosée, la potion dissiperait les malaises de Gaou le Précis qui, de plus, devrait boire beaucoup de chicorée pour améliorer le fonctionnement de sa vésicule.

Dès le premier jour, le traitement s'était révélé efficace. Les autres artisans de l'équipe de droite avaient, eux aussi, recouvré une excellente condition physique et ne juraient plus que par l'épouse du maître d'œuvre que d'aucuns considéraient comme une véritable magicienne.

Alors que Claire rangeait dans un coffre de bois les papyrus médicaux qu'elle avait consultés pendant la journée, la femme sage lui en tendit un autre, roulé et fermé par un sceau de boue séchée.

— Je n'ai plus rien à t'apprendre, lui dit la centenaire à l'admirable crinière blanche. Il ne te reste plus qu'à consulter ce vieux texte du temps des pyramides pour mieux lutter contre les maux graves. Rappelle-toi qu'une maladie est déclenchée par une force obscure et destructrice, et que les médicaments seuls ne suffisent pas à la vaincre. Il faut aussi extirper cette force nocive et la réduire à néant ; sinon, elle se déplace à l'intérieur du corps et le ronge, souvent à l'insu du patient. C'est pourquoi tu ne dois pas t'en tenir aux symptômes ; à toi de dépister les troubles de l'énergie avant qu'ils ne provoquent des dégâts incurables. Les anciens disaient : un élément nocif entre par l'œil gauche, et il ressort par le nombril si le traitement est efficace. À chaque instant, des forces opposées traversent le corps humain qui n'est pas une entité indépendante mais se relie à la terre comme au ciel.

La femme sage brisa le sceau et déroula le papyrus.

— J'ai repris les enseignements de celle qui m'a précédée et j'y ai ajouté mes propres observations après en avoir vérifié plusieurs fois le bien-fondé. Méfie-toi des théories et n'aie qu'une seule préoccupation : guérir, même si, parfois, tu ne comprends pas comment tu y parviens.

L'écriture du papyrus était fine et lisible.

— Le corps humain est le lieu d'un mystère, poursuivit la femme sage. En lui se livre un combat quotidien entre des puissances harmonieuses et leurs contraires, sans cesse prêts à corrompre et à détruire. Ces derniers sont des souffles pathogènes qui pénètrent dans l'organisme de mille et une manières pour l'immobiliser, le rendre inerte et le faire mourir. La plupart des agents nocifs se trouvent dans l'alimentation ; lors de la putréfaction, dans les intestins, ils tentent de se répandre à l'intérieur des vaisseaux pour y provoquer des inflammations, responsables du vieillissement des organes. La première clé de la santé est donc le drainage, la suppression des obstructions internes et le bon fonctionnement de l'appareil digestif. J'ai mis au point une préparation avec des dosages précis que tu trouveras dans le papyrus. La deuxième clé consiste à maintenir en bon état les conduits et les canaux par lesquels passent le sang, la lymphe et les autres formes d'énergie vitale. Certains sont visibles sous la peau ; l'ensemble forme un réseau ressemblant à la trame d'un tissu grâce auquel est transmise la vitalité, à condition que ces vaisseaux restent souples. Dès qu'ils se durcissent, les fluides ne circulent plus correctement. Enfin, la troisième clé est le bon fonctionnement de ce que nous appelons « le cœur », c'est-à-dire le centre énergétique de l'être d'où partent tous les canaux.

Tu affineras sans cesse tes perceptions pour entendre ses messages.

Lasse, la femme sage s'allongea sur une natte.

– Nous nous lèverons avant l'aube. Bonne nuit, Claire.

La femme sage et Claire s'élevaient vers la cime dans la nuit mourante, alors que les serpents regagnaient leurs trous. La centenaire avait abandonné sa canne au début de l'ascension et progressait d'un pas régulier.

La naissance de l'aube s'accompagnait d'un vent léger et, peu à peu, les temples des millions d'années sortaient des ténèbres. Bientôt, le bleu du Nil et le vert des cultures scintilleraient sous les rayons du soleil ressuscité. À l'instant où la cime s'illumina, la femme sage éleva ses mains vers elle, dans un geste de prière.

– Déesse du silence, toi qui m'as guidée tout au long de ma vie, guide ma disciple qui monte vers toi. Qu'elle repose dans ta main, de nuit comme de jour, viens vers elle quand elle t'invoque, sois généreuse et montre-lui l'étendue de ta puissance.

Au sommet, creusé dans la pyramide, un petit sanctuaire.

– Fais offrande, ordonna la femme sage.

Claire déposa sur le sol le lotus planté dans ses cheveux, son collier et ses bracelets.

– Prépare-toi au combat suprême. La déesse qui connaît les secrets dispense la vie ou la mort.

Soudain jaillit de la grotte un cobra royal femelle aux yeux de feu dont la taille stupéfia la jeune femme. La colère gonflait son cou, preuve qu'il se préparait à frapper.

– Danse, Claire, danse comme la déesse !

Morte de peur, l'épouse de Néfer le Silencieux réussit pourtant à suivre les mouvements du reptile. Elle s'inclina de gauche à droite, puis de droite à gauche et d'avant en arrière, au même rythme que le cobra qui parut désappointé.

– Quand elle attaquera, courbe-toi bien vers moi, sans cesser de la regarder.

Claire passait au-delà de l'effroi. Fascinée par la beauté de la déesse, elle commençait à percevoir ses intentions. Et lorsque cette dernière se lança brusquement vers sa gorge, la prêtresse d'Hathor suivit les instructions de la femme sage.

Elle avait évité la morsure, mais sa robe était maculée du venin craché par le cobra dont l'échec décuplait la fureur.

— Encore deux attaques, prévint l'initiatrice.

Le reptile ne cessait d'onduler, Claire l'imitait. Et à deux reprises, il tenta vainement de planter ses crochets dans sa chair.

— Maintenant, exerce ta maîtrise ! Embrasse-la sur la tête.

Comme s'il s'épuisait, le cobra bougeait avec moins de vivacité. Et, de manière presque imperceptible, il recula lorsque Claire s'avança vers lui.

Bien qu'envahie par une bouffée d'angoisse, elle planta profondément son regard dans celui du reptile et elle posa ses lèvres sur le sommet de son crâne.

Surpris, il ne se retira pas.

— Nous redoutons ta sévérité, dit la femme sage, mais nous espérons ta douceur. Celle qui te vénère est digne de ta confiance. Ouvre-lui l'esprit et permets-lui de guérir les êtres qu'elle soignera en ton nom.

Le serpent ondulait à peine.

— Recueille la puissance de la déesse, Claire. Qu'elle pénètre ton cœur.

Une deuxième fois, l'épouse de Néfer embrassa le monstre qui paraissait presque docile.

— Que votre communion soit scellée par un troisième et dernier baiser.

Une ultime fois, la femme et le cobra furent en étroit contact.

— Retire-toi vite ! ordonna la femme sage.

Si elle n'avait pas été vigilante, Claire aurait été surprise par la brusque attaque du reptile. Mais elle sut s'esquiver pour ne recevoir qu'un dernier jet de venin.

— Le feu secret t'a été transmis, jugea la femme sage.

Lentement, le cobra femelle regagna son sanctuaire.

— Ôte ta robe et purifie-toi avec la rosée des pierres de la cime.

La femme sage offrit à Claire une robe blanche qui lui aurait servi de linceul si elle n'était pas sortie victorieuse de l'épreuve.

— Je m'en vais, et tu me succèdes. Non, ne proteste pas! Mon temps de vie a été long, très long, et il est bon qu'il s'achève. Souviens-toi que les plantes sont nées des larmes et du sang des dieux, et qu'elles ont ainsi acquis le pouvoir de guérir. Tout est vivant, mais il existe des âmes errantes et des démons destructeurs qui ne laisseront jamais la paix s'installer sur cette terre. Grâce à ta science, tu ne cesseras pas de lutter contre eux. Dieu crée ce qui est en haut comme ce qui est en bas, et il viendra vers toi dans un souffle lumineux. Tu n'as pas à croire en lui, mais à le connaître et à l'expérimenter.

— Pourquoi refuser de vivre plus longtemps?

— Ma cent dixième année s'achève. Même si mon esprit est intact, mon corps est usé. Ses canaux sont durcis, l'énergie n'y circule plus, et la meilleure médecine ne leur redonnera pas la jeunesse. Ta formation est achevée, et tu veilleras avec amour sur le village. Avant de partir, je dois te léguer mon ultime secret. Le corps vieillit et se dégrade de manière inéluctable, mais la pensée peut demeurer vive et robuste à condition de savoir la régénérer. Passe ta main sur la pierre de la cime, et tu y recueilleras la rosée qui a fait naître les étoiles. C'est avec elle que la déesse du ciel lave le visage du soleil, juste avant sa naissance, c'est elle que Pharaon boit chaque matin, dans le secret du temple, lorsqu'il fait offrande à Maât. Quand la lassitude s'emparera de ton âme, monte à la cime, vénère la déesse du silence et bois la rosée de pierre. Ainsi, jamais ta pensée ne vieillira.

— J'ai encore tant de questions à vous poser!

— Pour toi, Claire, l'heure est venue de donner des réponses. Chaque jour, on viendra t'interroger et l'on exigera que tu soulages les souffrances. Tu deviens la mère de la confrérie, et tous les villageois sont tes enfants.

LA FEMME SAGE

La jeune femme eut envie de protester et de rejeter l'énorme charge qui allait peser sur ses épaules, mais la vive clarté du matin l'éblouit.

La femme sage se leva.

— Descendons, exigea-t-elle. Précède-moi.

Claire s'engagea dans l'étroit sentier, hésitant sur l'allure à adopter. Devait-elle progresser à son propre rythme, ou marcher lentement pour ne pas obliger la centenaire à se hâter?

Indécise, elle se retourna après le premier passage sinueux.

La femme sage avait disparu.

Claire remonta vers le sommet, à la recherche de celle qui lui avait tout donné, mais elle ne la retrouva pas. La femme sage s'était évanouie, disparaissant sans doute dans une caverne où elle rendrait le dernier soupir, dans le silence de la cime.

Claire se recueillit en songeant aux heures merveilleuses passées en compagnie de l'être qui lui avait ouvert tant de chemins qu'elle devrait prolonger, seule. Puis elle descendit pas à pas vers le village, savourant ses derniers moments de quiétude avant qu'elle ne devienne, à son tour, la femme sage de la Place de Vérité.

12.

L'artisan avait pris le bac pour se rendre sur la rive est et, comme à l'accoutumée, il n'avait parlé à personne, se contentant de vagues salutations. À cette heure matinale, les paysans sommeillaient encore, assis sur leurs cageots qui contenaient des légumes frais destinés au grand marché organisé sur la rive. Perdu dans une foule rieuse et ravie à l'idée de se livrer aux plaisirs subtils du palabre et du troc, l'homme de l'équipe de droite se rendit à l'entrepôt de Tran-Bel.

Certes, il trahissait sa confrérie et son serment, mais n'avait-il pas de nombreuses excuses ? D'abord, c'est lui qui aurait dû être désigné comme chef d'équipe à la place de Néfer le Silencieux ; ensuite, il méritait bien de faire fortune à son tour ; enfin, pris au piège, il n'avait eu d'autre solution que de collaborer. Au fur et à mesure de ses contacts avec ceux qui lui payaient les précieux renseignements qu'il distillait, ses scrupules s'évaporaient. La Place de Vérité lui avait sans doute beaucoup appris, transformant un ouvrier médiocre en artisan d'élite, mais il préférait l'oublier et ne songer qu'à son avenir, en prenant les précautions indispensables pour ne pas être découvert. Suffisamment habile et retors pour y parvenir, il ne doutait plus de son succès.

Les cheveux noirs plaqués sur son crâne rond, affublé d'un pagne trop long et d'une chemise trop large, Tran-Bel reçut l'artisan dans son bureau, au fond de l'entrepôt.

— J'ai d'excellentes nouvelles, dit-il ; nos meubles de luxe se vendent très bien, et je suis en train de te constituer un joli magot ! Surtout, pense à de nouveaux projets.

— Je m'en occupe.

Soudain, le visage du petit escroc se figea.

— Ah... Voici la personne que tu dois rencontrer. Je lui cède la place... Quand vous aurez terminé, rejoins-moi à l'atelier.

Avec la lourde perruque noire qui lui cachait le front et un maquillage très soigné, Serkéta était méconnaissable. Elle regarda l'artisan avec un sourire victorieux.

— Du nouveau ?

— La tombe de Ramsès le Grand est prête pour les funérailles. Nous avions sous-estimé Néfer, il a su diriger l'équipe de manière surprenante et il s'est attiré l'estime de tous. S'il continue ainsi, il deviendra un grand maître d'œuvre.

— Moins grand que tu ne l'aurais été...

— C'est certain, mais il saura acquérir l'expérience qui lui manque encore. En menant à bien ce chantier, il permet à la Place de Vérité de tenir ses engagements et de justifier son utilité face au nouveau pharaon.

— Tu n'as pas réussi à ralentir les travaux !

— C'était impossible. Toute l'équipe se trouvait dans la tombe, chacun avait une tâche précise à accomplir, et Néfer était toujours présent et attentif.

— Espérons que Mérenptah ne lui sera pas favorable...
Quoi d'autre ?

L'artisan hésita. Il ne devait pas livrer tous les secrets de la
confrérie sans une sérieuse contrepartie.

Telle une vipère prête à attaquer, Serkéta sentit que son
interlocuteur s'apprêtait à lui dissimuler l'essentiel.

— Ne joue pas au plus fin avec moi, cher allié, et n'oublie
pas que je tiens ton sort entre mes mains. Qu'as-tu découvert ?

— Que m'offrez-vous en échange ?

— Si tu collabores de manière efficace, tu deviendras un
homme aisé, avec une maison, des champs et un troupeau de
vaches laitières. Des domestiques te rendront l'existence facile,
et tu boiras chaque jour de l'excellent vin.

— De simples promesses...

Serkéta montra un petit papyrus à l'artisan.

— Cet acte de propriété à ton nom, n'est-ce qu'une promesse ?

L'homme tenta de s'en emparer, mais la femme s'esquiva.

— Tout doux... Avant de devenir propriétaire de ton paradis, il faudra encore travailler. Je t'écoute.

Le traître n'hésita pas longtemps.

— Néfer est capable de manier la pierre de lumière.

— De quoi s'agit-il ? demanda Serkéta, les yeux brillants.

— Tout ce que je sais, c'est qu'elle provient de la Demeure
de l'Or et qu'elle peut à la fois répandre une lumière intense et
rendre vivant tout ce qu'elle touche. Mais seul le maître
d'œuvre, qui a reçu une initiation particulière, est apte à
l'utiliser.

Ces révélations excitèrent Serkéta. Ainsi, Méhy ne s'était pas
trompé : la Place de Vérité possédait bien de prodigieux trésors.

— Où cette pierre est-elle cachée ?

— Je l'ignore.

— Tâche de le découvrir !

— Ce sera très difficile, sans doute impossible.

— Alors, oublie ton paradis !

— Vous devez comprendre que nous formons une communauté et que nous respectons une règle de vie. Si je la transgresse, je serai exclu du village et vous ne disposerez plus de la moindre information.

Malgré son irritation, Serkéta dut admettre que l'artisan avait raison.

— Moi aussi, reprit-il, j'aimerais connaître ce secret. Seules la patience et une extrême prudence me permettront de le percer et de vous en faire profiter.

Lorsque Claire avait franchi l'enceinte du village, un grand ibis au plumage d'une blancheur étincelante avait tracé plusieurs cercles au-dessus d'elle.

Une fillette avait aussitôt alerté les villageois et Kenhir, oubliant les douleurs de la goutte, avait accouru tant bien que mal au-devant de l'épouse du maître d'œuvre.

— La femme sage a disparu dans la montagne, n'est-ce pas ?

— Elle estimait que son temps de vie était épuisé.

— Elle a agi selon la tradition... D'après les archives, celle qui l'avait précédée avait également choisi de se laisser absorber par la cime. Et toi, Claire, tu es la nouvelle mère du village. Puisses-tu le protéger et le guérir de tous les maux qui voudraient l'accabler.

La fillette qui était la première à avoir vu l'ibis tenait dans ses bras un petit chat noir et blanc.

— Il est malade, dit-elle à Claire ; tu peux le guérir ?

Claire posa sa main sur la tête du félin qui semblait moribond. Envahi par une douce chaleur, il ronronna de plus en plus fort puis, énervé, sortit ses griffes. La fillette le lâcha.

— Viens ici, vilain ! cria-t-elle en lui courant après.

— Celle qui est partie t'a transmis ses pouvoirs, observa Kenhir ; quelle chance pour nous ! Désires-tu occuper sa demeure ?

— Non, répondit Claire. Qu'elle soit offerte à la plus jeune mère du village. J'installerai chez moi mon laboratoire et ma salle de consultation.

– En ce cas, tu pourras occuper la maison d'à côté. Cette disposition est prévue dans le budget, et tu auras besoin de place. La fonction de «femme sage» est suffisamment importante pour que sa titulaire l'exerce dans les meilleures conditions. À propos... Ma goutte me fait encore souffrir. Pourrai-je te consulter demain matin à la première heure?

– Votre teint est rassurant. À demain matin.

Sous les regards admiratifs et un peu effrayés des villageois, Claire regagna sa demeure. Chacun savait déjà que la nouvelle femme sage était entrée en fonctions.

Sur le seuil, Néfer l'attendait.

Il la prit tendrement dans ses bras, elle posa la tête sur son épaule.

– Elle a usé ses dernières forces pour me transmettre sa science, et puis elle nous a quittés...

– Non, Claire; elle demeurera à jamais présente dans la cime qui domine la Place de Vérité. Et toi, tu feras vivre sa pensée et sa lumière.

– Et si je n'en étais pas capable?

– Elle t'a choisie, mais toi, tu n'as plus le choix.

Enlacés, ils se souvenaient de leur arrivée au village, dix ans plus tôt, avec l'angoisse d'en être rejetés. Comme il avait été bref, le temps presque insouciant de l'apprentissage, comme c'était reposant de savoir que d'autres exerçaient les plus hautes responsabilités et qu'il suffisait de suivre leurs directives pour progresser! Mais aujourd'hui Néfer était maître d'œuvre et chef d'équipe, et Claire femme sage... Leurs goûts et leurs préférences ne comptaient plus, seuls importaient le bien-être de la confrérie et l'harmonie de l'œuvre. Et ils savaient que, pour préserver son pouvoir de guérison, Claire n'aurait pas d'enfant. Quel que fût leur âge, les habitants du village devenaient ses fils et ses filles qu'elle chérirait. Ce sacrifice-là était immense, et seul leur amour leur permettrait de l'assumer.

À la porte principale du village, une agitation inhabituelle. On s'agglutinait, on se bousculait et l'on criait.

Craignant un nouveau coup de force, Néfer s'approcha. À la vue du maître d'œuvre, les villageois s'écartèrent pour lui permettre d'atteindre le facteur, Oupouty, qui avait failli périr étouffé.

Néfer le releva. Le malheureux peinait à reprendre son souffle.

– J'ai... j'ai des nouvelles... Une lettre au sceau de Pharaon.

Le maître d'œuvre le brisa et il lut un court texte émanant du palais de Pi-Ramsès. Le village entier s'était groupé autour de lui.

– Le navire royal et son escorte ont quitté la capitale depuis plusieurs jours, annonça-t-il. Le pharaon Mérenptah se rend à Thèbes pour diriger les funérailles de Ramsès le Grand, et il honorera de sa présence la Place de Vérité.

13.

Jamais le village n'avait connu une telle effervescence. Hommes et femmes maniaient balais, brosses et chiffons pour procéder à un nettoyage intensif et rendre la Place de Vérité aussi pimpante que possible. Les auxiliaires étaient également à la peine, et le scribe de la Tombe avait même fait appel à des femmes de ménage aux tarifs pourtant élevés mais qui s'acquitteraient de multiples tâches, dont la préparation de plats cuisinés, pendant que les prêtresses d'Hathor se feraient belles pour accueillir le pharaon.

Le gardien de porte ne savait plus où donner de la tête, perdu au milieu d'une véritable ruche dont le désordre n'était cependant qu'apparent. Turquoise avait été chargée de coordonner cette vaste opération, et elle n'autorisait pas les séances de bavardage.

Deux artisans de l'équipe de gauche s'étaient plaints de douleurs au coude qui les empêchaient de manier un balai, mais le baume appliqué par Claire avait rapidement dissipé la gêne pour leur permettre de participer à la corvée communautaire. Même Ched le Sauveur, quoique peu enthousiaste, s'était plié à la discipline.

Quand Turquoise se présenta à la porte de la demeure de Paneb, elle constata que le seuil était immaculé. En raison de sa grossesse, Ouâbet la Pure avait été dispensée d'efforts intenses, mais elle avait néanmoins procédé elle-même à la fumigation de toutes les pièces de sa maison où ne subsistait aucun grain de poussière.

— Où se trouve ton mari?

— Comme tu peux le constater, il a rempli sa part de labeur et il est allé nager dans le Nil.

— À cette période, c'est extrêmement dangereux!

Ouâbet était accablée.

— J'ai tenté de le raisonner... Mais qui saura contenir la fougue de Paneb?

— Pharaon sera ici dans l'après-midi... Il faut songer à nous préparer et à mettre nos habits de fête! Quel scandale, si Paneb n'était pas de retour à temps!

— Je l'ai mis en garde, mais il ne m'a même pas écoutée.

— Veux-tu que je prévienne le maître d'œuvre?

— Je crois que c'est indispensable.

La crue débutait.

Une crue que les spécialistes, après avoir étudié les données fournies par les nilomètres, annonçaient excellente, voire exceptionnelle. Il ne pouvait exister de meilleur présage pour le nouveau pharaon, l'époux de l'Égypte et le garant de la fécondité des terres cultivables.

Le fleuve devenait rouge et, pendant quelques jours, son eau ne serait plus potable. Des courants violents l'animaient, des tourbillons se formaient près des îlots.

C'était la période que préférait Paneb pour s'élancer dans les eaux tumultueuses, nager jusqu'à la rive est et en revenir. Quoi de plus distrayant que les pièges tendus par le flot furieux ?

L'Ardent ne redoutait pas les caprices du fleuve car il les pressentait, se glissait dans le sens du courant et savait contourner ses pièges. Mais l'exercice n'était pas à recommander à un novice qui n'aurait eu aucune chance de survie.

Sur la berge, Paneb fut apostrophé par trois jeunes d'une vingtaine d'années dont le regard n'avait rien d'amical.

— Tu te crois très fort, dit un costaud aux cheveux roux.

— Je ne vous demande rien, les gars. Alors, vous m'ignorez.

— Je nage mieux que toi... Tu relèves le défi ?

— Pas le temps.

— C'est drôle... J'avais parié avec mes copains que tu n'étais qu'un lâche.

— C'est quoi, ton défi ?

— La traversée et le retour le plus vite possible. Si tu perds, tu nous devras trois sacs d'orge ; si tu gagnes, on te laisse partir sans t'infliger une bonne correction.

— Ça me paraît équitable, estima Paneb. Allons-y, je suis pressé.

Surpris par le superbe plongeon de l'apprenti dessinateur, le rouquin se jeta à son tour dans le fleuve, bien décidé à rattraper son retard. Il avait réussi des dizaines de fois à dompter les courants et se sentait sûr de sa technique. Forcément fatigué, son adversaire ne tiendrait pas la distance.

Le rouquin déchanta vite. Paneb crawlait * sur un rythme fou qui ne faiblissait pas une seule seconde et il obligeait son suiveur à prendre des risques inhabituels. Mais si le rouquin ralentissait, il perdrait tout espoir de gagner la course.

Au prix d'un effort qui lui déchira les poumons, il parvint à garder le contact. Quand Paneb toucha la rive est, le rouquin

---

* Comme le prouvent des signes hiéroglyphiques utilisés dans les *Textes des Pyramides*, les anciens Égyptiens pratiquaient cette technique de natation.

espéra qu'il se reposerait quelques instants, mais le colosse fit une cabriole dans l'eau et repartit aussitôt vers l'autre rive.

Renoncer, c'était perdre la face... Malgré la fatigue et des muscles raidis, le rouquin repartit avec l'espoir que son adversaire se ferait prendre par les pièges du fleuve. Les gestes saccadés, le souffle court, le jeune garçon concédait de plus en plus de longueurs.

Il ne l'aperçut que du coin de l'œil, mais il fut aussitôt pris de panique : un crocodile fonçait sur lui !

Le rouquin rebroussa chemin, mais il ne put éviter un tourbillon qui l'engloutit en quelques secondes. Le saurien s'enfonça dans les profondeurs, ravi de cette proie facile.

Détendu, Paneb prit pied sur la berge et se retourna.

— Où est passé votre ami ? demanda-t-il aux deux garçons dont le regard était devenu haineux.

— Il vient de se noyer, répondit le plus âgé.

— Pauvre type... Il ne connaissait pas ses limites.

— C'est à cause de toi qu'il est mort !

— Ne dis pas de bêtises et va plutôt prévenir sa famille.

— Tout est de ta faute !

L'Ardent tenta de garder son calme.

— Il paraît que le Nil emmène directement les noyés dans le royaume d'Osiris... Alors, réjouis-toi pour ton camarade et laisse-moi en paix.

Les deux garçons ramassèrent chacun une grosse pierre et menacèrent Paneb.

— On va te briser les os et on te jettera dans le fleuve... On verra si tu nages toujours aussi vite !

— Si vous m'attaquez, je vais être obligé de me défendre, et vous risquez de prendre un mauvais coup.

— Tu te crois le plus fort !

— Ôtez-vous de mon chemin.

Le plus jeune lança sa pierre avec une telle promptitude que Paneb faillit être surpris. Un réflexe salutaire lui fit dévier la tête à l'ultime instant, mais le projectile lui érafla la tempe.

Du sang perla.

— Dernier avertissement, minables : écartez-vous immédiatement !

L'autre tenta, à son tour, de lancer sa pierre, mais son geste fut beaucoup trop lent. Paneb le frappa d'un violent coup de poing à la face.

Assommé, le garçon s'effondra.

Son camarade se jeta sur Paneb qui lui percuta la poitrine du coude avant de le gratifier d'un crochet du droit définitif. Le nez éclaté, le vaincu tomba à genoux et s'évanouit.

— Le monde est peuplé d'imbéciles, déplora Paneb.

Sur le chemin de terre, au sommet de la digue, deux hommes approchaient.

« Si ce sont des amis de ces deux-là, pensa l'Ardent, la trêve sera de courte durée. »

C'étaient Nakht le Puissant et Karo le Bourru qui accouraient, l'air courroucé. Paneb s'était déjà battu avec le premier et il avait eu des mots avec le second.

— C'est le maître d'œuvre qui nous envoie, dit Nakht. On a l'ordre de te ramener au village.

— J'allais rentrer... Pourquoi vous inquiéter ?

— Le pharaon nous rend visite cet après-midi, et les équipes doivent être au complet.

Karo aperçut les deux garçons étalés sur le sol, comme disloqués.

— Qu'est-ce qui s'est passé, ici ?

— Ces deux crétins m'ont agressé parce que leur camarade s'est noyé. J'ai été obligé de me défendre.

— Tu risques d'avoir de gros ennuis.

— Je ne pouvais quand même pas me laisser démolir !

— Quand ils se réveilleront, ils porteront plainte contre toi.

— Ne témoignerez-vous pas en ma faveur ?

— Nous n'étions pas présents quand cette querelle s'est produite, objecta Nakht.

– Il faut rentrer au village, rappela Karo. Pour le reste, on verra après.

Être victime d'une injustice révoltait l'Ardent. Par bonheur, il lui restait encore une chance d'y échapper.

Il cala l'un des garçons sur son épaule droite et l'autre sur la gauche. Le double fardeau pesait son poids, mais le jeune colosse le supporterait jusqu'au bout du chemin.

– Allons-y, dit-il aux deux artisans. Si j'ai bien compris, nous n'avons pas de temps à perdre.

14.

Paneb déposa les deux garçons devant les policiers du premier fortin. L'un gémissait, l'autre était toujours évanoui.

– Soyez tranquilles, ce ne sont pas des postulants. Surveillez-les, je reviens.

La Place de Vérité était d'une parfaite propreté, coquette et fleurie. Les maisons blanches brillaient de tout leur éclat, et les villageois avaient revêtu des habits de fête aux couleurs chatoyantes.

Sans répondre aux gamins qui voulaient jouer avec lui, Paneb courut jusqu'à la demeure du maître d'œuvre où il fut accueilli par Noiraud. Brossé avec soin, le chien noir étincelait.

– Claire, j'ai besoin d'aide !

Néfer apparut.

– Nous sommes en train de nous habiller... Pharaon ne va plus tarder.

– Je sais, mais il s'agit d'une urgence. Si la femme sage n'intervient pas, je risque d'avoir de gros ennuis.

– Ton urgence ne pourrait-elle pas attendre demain ?

– Vraiment pas... Et il serait bon que Claire vienne avec du matériel, que je porterai, bien entendu. Les deux bonshommes à soigner sont plutôt amochés.

Le premier avait une plaie profonde au niveau du sourcil. Claire la sonda et constata que l'os n'était pas gravement atteint. Tout en maintenant serrés les bords de la blessure, elle les recousit avec du fil, disposa deux bandes adhésives* et appliqua un pansement imprégné de miel et de graisse. Pour éviter des séquelles, elle prescrivit un baume composé de lait de vache et de farine d'orge, à appliquer plusieurs fois par jour jusqu'à complète guérison.

Le second souffrait d'une fracture du nez et avait perdu beaucoup de sang. Avec des linges doux, la femme sage le nettoya, puis lui plaça un tampon de lin enduit de miel dans chaque narine et disposa deux attelles recouvertes de lin afin de resserrer le nez. Elle prescrivit un régime alimentaire pour hâter la cicatrisation.

Heureux d'être bien soignés, les deux garçons s'éloignèrent sans demander leur reste. Assurés de recouvrer la santé, ils n'avaient plus la moindre envie de retrouver sur leur chemin le jeune colosse aux poings plus durs que la pierre.

– Merci, Claire. Sans toi...

– Une mère a parfois des enfants difficiles, Paneb, et tu sais ne pas te faire oublier.

– Malgré mes mises en garde, ils se sont comportés comme

---

* D'après l'étude des momies et des textes médicaux, cette invention semble bien due aux anciens Égyptiens.

deux imbéciles. Je ne suis quand même pas responsable de la stupidité d'autrui !

– Allons nous préparer. Tu ne voudrais pas manquer l'arrivée de Pharaon ?

Thèbes aux cent portes était en effervescence. La flottille royale ne tarderait plus à accoster le débarcadère principal, et tous les notables désiraient assister à l'événement. La population s'était massée sur les berges afin d'acclamer le couple royal en l'honneur duquel une grande fête serait organisée. On y boirait de la bière forte et l'on y consommerait des mets offerts par le palais. À la tristesse d'avoir perdu un monarque de la stature de Ramsès le Grand succédait la joie d'être gouverné par Mérenptah, dont la présence à Thèbes était garante de la continuité du pouvoir et du maintien des traditions.

Après avoir été reçu par le grand prêtre d'Amon, le couple royal recevrait l'hommage du maire de la capitale du Sud et traverserait le Nil pour gagner la rive ouest où il serait accueilli par les autorités locales, avant de se rendre à la Place de Vérité et dans la Vallée des Rois pour y présider aux funérailles de Ramsès.

Ce beau programme ne réjouissait pas le commandant Méhy qui avait tendance à se ronger les ongles.

– Mérenptah est bien le conservateur que nous redoutions, dit-il à son épouse Serkéta, qui hésitait entre plusieurs colliers.

– Est-ce vraiment une surprise, mon doux chéri ?

– J'avais quand même espéré mieux... Le roi aurait pu se faire représenter par le grand prêtre d'Amon, mais il vient en personne, et même avec la reine et toute la cour ! Et s'il se contentait de rencontrer quelques vieux dignitaires... En plus, il va visiter ce maudit village et conforter les privilèges des artisans !

– Ne te désespère pas et change de chemise plissée. Celle que tu portes n'est pas assez luxueuse.

– Tu prends la situation à la légère, Serkéta !

– À quoi sert de se lamenter? Chacun sait qu'aucun pharaon n'égalera Ramsès. Nous aurons donc face à nous un adversaire beaucoup moins puissant, peut-être manipulable.

– Aurais-tu un projet?

Serkéta minauda.

– Ce n'est pas impossible...

– Explique-toi.

– Change d'abord de chemise. Je veux que tu apparaisses comme un dignitaire élégant et riche que les hommes admirent et dont les femmes tombent amoureuses. Mais si l'une d'elles s'approche de toi, je lui crève les yeux!

Le commandant Méhy serra les poignets de son épouse à lui faire mal.

– Explique-toi, et vite!

– Grâce à notre informateur, nous savons que Néfer est devenu le maître d'œuvre incontesté de la confrérie. Pourquoi ne pas ruiner sa réputation? Si le roi recevait certains documents lui prouvant que le patron des artisans est indigne de sa fonction, la Place de Vérité serait déconsidérée car incapable de choisir un bon chef. Mérenptah pourrait avoir envie de la démanteler ou de confier sa direction à des mains extérieures.

– Par exemple à notre ami Abry, l'administrateur de la rive ouest!

Serkéta était radieuse.

– Le moment n'est-il pas venu d'utiliser pleinement ses services?

– Mais nous n'avons plus le temps de préparer un dossier convaincant...

– Il est prêt, mon doux chéri. J'ai imité plusieurs écritures et rédigé des documents d'apparence officielle accusant Néfer d'incompétence, d'insoumission aux autorités civiles, de volonté d'indépendance excessive et surtout de pratique tyrannique du pouvoir... Il y aura bien un ou deux artisans pour enfourcher ce cheval-là et provoquer la destitution du maître d'œuvre. Ensuite se produira une période de chaos que nous mettrons à profit.

– Ce programme-là me convient beaucoup mieux.

– N'es-tu pas satisfait de moi, mon tendre amour ?

« Elle est plus redoutable qu'un scorpion, pensa Méhy, et j'ai eu raison de m'en faire une alliée. »

Les joues flasques, les cheveux trempés de sueur, le regard vague, Abry avait écouté le commandant et Trésorier principal de Thèbes avec une attention inquiète.

– C'est un plan aussi hasardeux que risqué, mon cher Méhy... Je ne crois pas que...

– Ni hasard, ni risque ! Tu remettras ce dossier au roi quand il posera le pied sur la rive ouest. Venant de toi, ce document ne peut être que sérieux. Mérenptah aura le temps de le consulter avant d'arriver à la Place de Vérité, et il se persuadera de l'indignité de Néfer. Il te désignera comme supérieur de la confrérie, avec pour mission d'y remettre de l'ordre. Tu auras beau jeu de rappeler que tu avais déjà alerté Ramsès à propos des privilèges insupportables dont jouissent ces artisans.

– Vous m'obligez ainsi à monter en première ligne.

– Pour ton plus grand bien, Abry ! Le roi te saura gré de ta lucidité.

– J'aurais préféré rester dans l'ombre et ne pas intervenir de manière aussi directe.

– Si ce dossier parvient au pharaon de manière anonyme, et si Mérenptah observe la morale surannée des sages qui consiste à ne pas tenir compte des ragots, nos efforts auront été vains. Il faut donc une démarche officielle que toi seul peux accomplir.

– C'est tout de même très délicat...

– Tu n'as strictement rien à perdre et tout à gagner. Un peu de courage, Abry, et la Place de Vérité sera à nos pieds !

– Je ne connais pas le pharaon Mérenptah... Il refusera peut-être de m'écouter.

— Refuser d'écouter l'administrateur principal de la rive ouest, le plus haut dignitaire de la région ? Tu divagues ! Au contraire, il te félicitera pour cette indispensable intervention.

— Il serait plus prudent d'observer le comportement du nouveau monarque et de n'agir qu'après avoir longuement réfléchi...

— Tu donneras ce dossier à Mérenptah, Abry, parce que je l'ai décidé. Prépare-toi pour l'accueil officiel et ne commets aucun faux pas. À bientôt, fidèle allié.

Abry voulait être un haut fonctionnaire modèle et tranquille. En rencontrant Méhy, il avait cru que le destin lui permettait de sortir d'une ornière dont il ne pouvait s'extraire seul ; et il avait compris trop tard qu'il se rendait prisonnier d'un redoutable prédateur, capable du pire.

Le commandant Méhy avait toujours fait peur à Abry. Face à lui, il perdait ses moyens et n'entrevoyait d'autre issue que l'obéissance absolue. Même après son départ, son ombre rôdait encore ; aussi Abry s'empressa-t-il de consulter les documents que lui avait remis le commandant.

La calomnie y était distillée avec une habileté consommée. Vicieuses et venimeuses, les accusations feraient sombrer Néfer.

Administrateur principal de la rive ouest, donc protecteur théorique de la Place de Vérité, Abry avait-il le droit de ruiner ainsi la carrière d'un maître d'œuvre ? Cette bouffée de scrupules ne l'embarrassa qu'un bref instant. S'il ne remplissait pas sa mission, Méhy réagirait avec violence.

C'était sa propre carrière qu'Abry devait sauver. Il décida donc de remettre le dossier au roi Mérenptah.

15.

Le cortège royal franchit « les cinq murs » sous le regard attentif des policiers chargés de la sécurité du village. Certes, le pharaon était protégé par sa garde personnelle, mais le chef Sobek avait néanmoins exigé de ses hommes la plus grande vigilance.

Sur l'aire où ils travaillaient, pas un auxiliaire ne manquait. Au premier rang, le forgeron et le potier eurent la chance de voir d'assez près le nouveau monarque qui avait la lourde charge de succéder à Ramsès le Grand.

Visage ovale, front large, de grandes oreilles, le nez long, mince et droit, des lèvres épaisses, le monarque avait coiffé une perruque ronde ornée de l'uraeus, le cobra d'or chargé de détruire ses ennemis. Mérenptah était vêtu d'un pagne plissé fermé par une ceinture dont la boucle avait la forme d'une tête de panthère. À ses poignets, des bracelets d'or.

Aux côtés du roi, âgé de soixante-cinq ans, la reine Iset la Belle, qui portait le même nom que la mère du souverain, la deuxième épouse de Ramsès le Grand. Elle avait donné deux fils au pharaon, dont l'un portait le nom redoutable de Séthi, « l'homme du dieu Seth », qu'un seul pharaon, l'immense Séthi Ier, père de Ramsès, avait osé adopter.

Très élégante dans sa robe de lin d'une exceptionnelle finesse, la reine arborait une soixantaine alerte et tenait dans la main droite une croix ansée, symbole de la vie. Le couple royal était accompagné du vizir et de nombreux représentants de la hiérarchie civile et religieuse.

Campé devant la porte principale du village, le gardien, rasé et parfumé, ne savait comment tenir sa lance et son gourdin.

Le vizir fit présent au roi d'un étrange tablier d'or qui contenait le secret des mesures et des proportions permettant de tracer le plan d'un temple. Et la supérieure des prêtresses de Louxor accrocha à l'extrémité du grand collier d'or de la reine une figurine de la déesse Maât.

– Gardien, déclara le roi, tu as devant toi le maître de la Place de Vérité et la représentante terrestre de la loi d'harmonie. Que la porte de ce village leur soit ouverte.

Ravi de recevoir un ordre précis, le gardien s'exécuta, puis referma aussitôt la porte, laissant à l'extérieur le cortège officiel.

Porteur d'un lourd bâton à l'extrémité en forme de tête de bélier couronné d'un soleil, Néfer le Silencieux se détacha de la masse des villageois, regroupés pour recevoir le couple royal. Ce symbole marquait la présence d'Amon, le dieu caché, parmi la petite communauté. C'était vers lui que montaient les prières, et c'était d'abord à lui que devaient être adressées les suppliques.

L'angoisse serrait les cœurs. Et le visage austère, presque hostile, de Mérenptah, l'augmenta encore.

Dominant l'assistance d'une bonne tête, Paneb pensa que le nouveau roi ne devait pas être un personnage facile à convaincre.

Coiffé d'une perruque aux tresses disposées en rayons à partir du sommet du crâne et maintenue par un large bandeau, le maître d'œuvre avait revêtu un pagne de cérémonie et il portait une écharpe rouge en baudrier. Le chef de l'équipe de gauche et le scribe de la Tombe lui avaient laissé le soin de préparer un discours.

— Majesté, la demeure d'éternité de Ramsès le Grand est prête à recevoir son corps de lumière, et je remets la Place de Vérité entre vos mains.

Le discours était terminé. Malgré la gravité du moment, Paneb ne put s'empêcher de sourire. « Il mérite vraiment son nom de Silencieux, estima-t-il, mais il a sans doute tort ; un roi doit espérer davantage de flatteries. »

— Dieu a créé le ciel, la terre, le souffle de vie, le feu, les divinités, les animaux et les hommes qui ne sont que l'un des éléments de la création et non son couronnement, dit le pharaon. Il est le sculpteur qui s'est modelé lui-même, le modeleur qui n'a jamais été modelé, l'unique qui parcourt l'éternité. L'or le plus pur ne saurait être comparé à son rayonnement. Tout ce qui est arpenté est son cadastre, et la coudée royale mesure les pierres de ses temples. C'est Dieu qui place le cordeau sur le sol et implante en justesse les édifices. Aucun des murs élevés sur cette terre ne doit être privé de Sa présence, car Lui seul exprime la vraie puissance. En créant les mondes, l'architecte divin s'est rendu perceptible et il a transmis le secret de son œuvre ; ici, dans la Place de Vérité, il est enseigné que seul se réalise ce que Dieu construit. Est-ce bien ainsi, maître d'œuvre, que vit et pense cette confrérie ?

— Sur le nom de Pharaon, j'en fais le serment.

Kenhir frissonna. Les paroles prononcées par le roi prouvaient sa connaissance profonde de la confrérie, mais elles avaient contraint Néfer à s'engager avec gravité en prenant un maximum de risques. Si le monarque avait des reproches précis à lui adresser, il pourrait traiter le maître d'œuvre de parjure et le condamner à la peine capitale.

– Qu'il s'agisse d'un pays ou d'une confrérie, on ne les dirige de manière juste que par le don et l'offrande, continua Mérenptah. Plus l'on est riche, plus l'on doit se montrer généreux. Pharaon, à qui les dieux ont offert les Deux Terres pour les rendre prospères, se soucie du bien-être de chacun de ses sujets. À vous, artisans de la Place de Vérité, je continuerai de procurer les outils, les nourritures, les vêtements et tout ce qui est nécessaire pour que vous accomplissiez l'œuvre de Maât en vivant heureux dans votre village. Afin de fêter mon couronnement, neuf mille poissons, neuf mille pains, d'innombrables quartiers de viande, vingt grandes jarres d'huile et cent de vin vous seront attribués.

Paneb aurait bien laissé éclater sa joie, mais l'inquiétude persistait à clore les bouches. Malgré ces excellentes nouvelles, qui permettaient de croire à la survie du village, ses habitants sentaient encore peser une lourde menace.

– Le rôle de cette confrérie, sa raison d'exister, rappela Mérenptah, est d'incarner dans la matière le plan des dieux. Afin de réussir, il lui faut des chefs capables de diriger et d'orienter. À eux d'ouvrir le papyrus scellé sans oublier de manier le bâton si nécessaire. Un véritable chef doit d'abord savoir servir l'œuvre et sa confrérie, piloter le navire et manier le gouvernail sans faiblir, il doit se montrer grand dans sa fonction comme un puits riche en eau fraîche et bienfaisante. Qui autoriserait l'ignorant ou l'imbécile à effectuer un travail pour lequel ils sont incompétents ne mériterait plus de gouverner. Serait frappé de la même sanction le chef d'équipe qui se comporterait comme un tyran et s'octroierait des privilèges.

La tension venait brusquement d'augmenter.

Chacun avait compris que les griefs énoncés par le pharaon étaient autant d'accusations portées contre Néfer le Silencieux.

Claire fixa son mari pour lui transmettre toute l'intensité

de son amour en cet instant où il risquait d'être anéanti par le feu royal.

— L'administrateur principal de la rive ouest m'a remis un rapport très sévère à ton sujet, Néfer. Je l'ai lu avec attention, et sa conclusion est formelle : en raison de tes fautes, tu dois démissionner.

— Si telle est la volonté de Votre Majesté... Mais pourrais-je savoir ce que l'on me reproche ?

— En premier lieu, un enrichissement personnel au détriment de la confrérie.

Kenhir s'avança.

— Majesté, en tant que scribe de la Tombe et responsable de la gestion de la Place de Vérité, je peux apporter la preuve que cette accusation est dénuée de tout fondement. Conformément à notre règle, Néfer occupe une demeure attribuée avec l'approbation du vizir, à laquelle s'ajoutent une salle de consultation et un laboratoire indispensables à la femme sage, son épouse. Comme notre vénéré scribe de Maât, Ramosé, le maître d'œuvre aurait pu acquérir des champs et des troupeaux en toute légalité, mais il s'est exclusivement consacré à son travail.

— Dont acte, scribe de la Tombe. D'après les documents qui m'ont été remis, Néfer n'a pas été désigné à l'unanimité des artisans, et il se comporte comme un despote, sans hésiter à utiliser la force et la menace pour asseoir sa tyrannie.

— C'est complètement faux, Majesté ! s'insurgea Paneb. Tous ici présents, nous avons reconnu par le cœur Néfer comme maître d'œuvre. Le seul à regretter cette décision, c'est lui !

— Cet avis est insuffisant, estima le monarque. Que chacun s'exprime en toute liberté sur le comportement du maître d'œuvre.

Ched le Sauveur prit la parole le premier et confirma les déclarations enflammées de Paneb, qui s'était juré de corriger les éventuels menteurs.

Mais le colosse n'eut pas cette peine, car ni un artisan ni

une prêtresse d'Hathor n'émirent la moindre critique contre Néfer le Silencieux. Même le traître avait vanté les mérites du maître d'œuvre, de peur de se singulariser et d'attirer l'attention sur lui. Et Kenhir conclut en affirmant que la confrérie avait su désigner l'homme droit et compétent qu'il lui fallait.

L'ultime décision, cependant, revenait au pharaon et à lui seul. Ne lui était-il pas impossible de désavouer l'un de ses hauts fonctionnaires ?

— Mon père, Ramsès le Grand, m'avait mis en garde contre les attaques perfides qui ne manqueraient pas d'accabler la Place de Vérité, révéla le roi. Il pressentait que son maître d'œuvre serait calomnié, de manière à jeter le discrédit sur l'ensemble de la confrérie et à provoquer son anéantissement. Je n'ai donc pas été surpris par le document diffamatoire que l'on m'a remis juste avant ma visite, mais je tenais à vous entendre, tous, pour m'assurer de la solidité des liens qui vous unissent : me voilà rassuré. Approche, Néfer.

Pharaon ceignit le Silencieux du tablier d'or.

— Je te délègue ma souveraineté sur la Place de Vérité et je te confie deux tâches prioritaires : creuser ma demeure d'éternité dans la Vallée des Rois et bâtir mon temple de millions d'années sur la rive d'Occident.

Quand le roi Mérenptah donna l'accolade à Néfer, des cris de joie purent enfin jaillir du cœur des artisans.

16.

Présent parmi les dignitaires qui étaient restés à l'extérieur du village, Abry, l'administrateur principal de la rive ouest, entendit les acclamations. Les premières furent en l'honneur du roi, puis fut scandé le nom de Néfer.

Le haut fonctionnaire n'avait pas besoin d'en entendre davantage. À l'évidence, sa démarche se soldait par un échec complet, et le maître d'œuvre avait réussi à repousser toutes les accusations. En le confirmant à son poste, Mérenptah désavouait Abry et confortait la Place de Vérité.

L'administrateur écrasa quelques pieds pour atteindre son char.

— Un malaise ? lui demanda l'un de ses collaborateurs.

— La chaleur, sans doute... J'ai besoin de repos.

— Venez vous allonger à l'ombre quelques instants.

– Non, je préfère rentrer chez moi.

– S'il constate votre absence, le roi risque d'être mécontent.

Abry ne répondit pas, monta sur son char et donna le signal du départ au soldat qui le conduisait.

Plusieurs notables remarquèrent l'incident et s'en étonnèrent. Il fallait un motif d'une exceptionnelle gravité pour que l'administrateur se comportât d'une manière aussi étrange.

La maison d'Abry était vide. Sa femme avait été invitée au palais royal de Thèbes où la reine recevait les grandes dames de la province, les enfants participaient aux festivités organisées sur la berge du Nil et les domestiques bénéficiaient de deux jours de congé.

Cette fois, l'abîme s'ouvrait devant ses pieds.

Une bonne âme rappellerait forcément à Mérenptah qu'Abry avait déjà tenté d'obtenir la disparition de la Place de Vérité et que seule la mansuétude de Ramsès lui avait permis de conserver son poste. Le nouveau pharaon ne ferait pas preuve de la même clémence, d'autant plus qu'il avait couru le risque de commettre une injustice en se fondant sur les faux renseignements communiqués par Abry.

Ce serait la disgrâce, la déchéance publique, au mieux l'exil, au pire une condamnation à la peine capitale... À l'idée de ces supplices, Abry trembla de tout son corps, pourtant accablé par de douloureuses bouffées de chaleur. Espérant jouir d'un peu de fraîcheur, il sortit de sa maison pour s'asseoir à l'ombre d'un kiosque fleuri, près du bassin aux lotus bleu et blanc.

Et c'est là qu'il prit sa décision : il ne tomberait pas seul dans l'abîme. Ce désastre, il le devait au commandant Méhy, manipulateur et maître chanteur. Puisqu'il n'avait aucune chance de sortir indemne de cette tragédie, Abry dirait tout, et le principal coupable serait châtié, lui aussi. Une maigre consolation, certes, mais l'ultime occasion de pratiquer la rectitude.

– Abry... vous êtes seul?

Comme piqué par un insecte, l'administrateur se leva d'un bond et se tourna vivement vers le bosquet de lauriers-roses d'où provenait la voix féminine.

– C'est moi, Serkéta... Il ne faut surtout pas qu'on nous voie ensemble.

– Bien sûr, bien sûr... Soyez tranquille, la maison est vide.

Serkéta apparut, méconnaissable. Perruque, maquillage et robe lui donnaient l'allure d'une autre femme.

– Méhy m'a envoyée pour vous aider.

– Ah...

– La situation est embarrassante, mais il a trouvé le moyen de tout arranger.

– C'est impossible !

– Ne soyez pas si pessimiste. J'ai ici un document qui apaisera la colère du pharaon.

Incrédule, Abry consulta le papyrus que lui présentait Serkéta.

Sa lecture le stupéfia. Lui, l'administrateur principal de la rive ouest, expliquait qu'il avait tenté de salir la Place de Vérité et de calomnier son maître d'œuvre parce qu'il détestait depuis toujours cette institution qui échappait à son contrôle. Rongé par le remords, il n'avait plus d'autre solution que le suicide.

Éberlué, Abry prit conscience d'une autre réalité alors que Serkéta roulait le papyrus.

– On jurerait... que c'est mon écriture !

– Je n'ai eu aucun mal à l'imiter et j'apposerai votre sceau qui authentifiera ce désolant testament.

– Je n'ai pas l'intention de me donner la mort et je vais vous dénoncer, vous et votre mari !

– C'est bien ce que je craignais, mon cher Abry, et c'est pourquoi j'ai jugé bon d'intervenir au plus vite.

Animée d'une colère froide, Serkéta poussa violemment l'administrateur qui tomba dans le bassin aux lotus.

Mauvais nageur, empêtré dans ses habits de fête, étouffé

par l'eau qu'il avait absorbée, Abry n'offrit qu'une piètre résistance à Serkéta, qui lui maintint la tête sous la surface jusqu'à ce qu'il cessât de s'agiter.

Rassérénée, elle déposa sur le bureau du dignitaire le testament prouvant qu'il n'avait eu d'autre issue que de se punir lui-même de son crime de lèse-majesté.

Pour transporter le matériel funéraire de Ramsès le Grand, il n'avait pas fallu moins de cent soldats, quatre-vingts porteurs d'offrandes venant des temples voisins, quarante marins et deux cents dignitaires, sans compter les deux équipes de la Place de Vérité et les prêtresses d'Hathor.

Agissant en qualité de prêtres, les artisans avaient revêtu des robes de lin neuves et chaussé des sandales de papyrus. Conformément à la règle, ils s'étaient abstenus de relations sexuelles la veille des funérailles et avaient consommé des aliments raffinés.

Le plus fier était Ipouy l'Examinateur. Lui qui venait de terminer la décoration de sa tombe, dont une grande partie était consacrée aux activités quotidiennes comme la pêche ou la lessive, avait été choisi comme porte-éventail à droite du pharaon, vêtu de la robe étoilée du «prêtre de résurrection», chargé d'ouvrir la bouche, les yeux et les oreilles de la momie pour la transformer en support d'une régénération quotidienne, dans le secret de la demeure d'éternité.

Chargé d'un grand lit en bois doré, Paneb était émerveillé par les trésors fabuleux qui accompagneraient le pharaon défunt lors de son voyage vers l'au-delà : statues de divinités en or, coffrets contenant des métaux précieux, des parfums, des onguents, des étoffes ou des aliments momifiés, sceptres, couronnes, chapelles et naos de tailles diverses, barques, miroirs, tables d'offrande, arcs, bâtons de jet, miroirs, papyrus, char en pièces détachées et tant d'autres chefs-d'œuvre ! C'était le monde de Ramsès qui serait ainsi associé à la transmutation de l'âme royale.

Les objets furent déposés à l'entrée de la tombe qu'illuminaient une centaine de lampes. Il revint aux Serviteurs de la Place de Vérité, seuls habilités à y pénétrer, de les mettre à leur juste place dans les salles et les chapelles de la dernière demeure de Ramsès.

Un silence absolu régnait quand Mérenptah procéda aux rites de résurrection sur la momie que le maître d'œuvre, le chef de l'équipe de gauche et les tailleurs de pierre installèrent dans le sarcophage. Néfer dirigea la délicate manœuvre de mise en place du couvercle de pierre qui scellait la destinée posthume du Fils de la Lumière.

Mérenptah ordonna aux artisans de sortir de la tombe, à l'exception de Néfer. Le roi se dirigea vers l'extrémité du sanctuaire, au-delà de la salle du sarcophage, et il constata que l'œuvre, dont le moindre détail avait pourtant été étudié avec grand soin, se terminait dans la roche brute.

— Au-delà de ce que peuvent concevoir les humains, dit Pharaon, il y a l'inconnaissable, la matrice dont nous sommes issus et où nous retournerons, si nous avons mené une existence en rectitude. As-tu animé le sarcophage avec la pierre de lumière, maître d'œuvre ?

— « Le maître de la vie » est lui-même devenu une pierre de lumière qui gardera intact l'être de Ramsès pour les siècles des siècles.

Mérenptah songea au fidèle Améni, le secrétaire du pharaon défunt. Le très vieux scribe s'était retiré à Karnak pour y écrire la vie de Ramsès qui, diffusée dans tous les pays où les gens savaient lire, contribuerait à sa gloire.

Le roi posa une lampe à la tête du sarcophage. Brillant d'une lumière douce, elle permettrait à l'âme-oiseau de s'en nourrir avant de traverser l'épreuve de la nuit et de s'élancer vers le soleil.

Lorsque la flamme jaillit, un halo lumineux entoura la tête du sarcophage. Au fur et à mesure que Néfer éteignait les autres lampes, la pierre du « maître de la vie » absorbait leur énergie pour devenir elle-même un foyer émetteur de plus en plus puissant.

Quand les deux hommes sortirent du tombeau, le sarcophage répandait son rayonnement dans le sanctuaire où les ténèbres n'étaient plus hostiles mais fécondes.

Le maître d'œuvre ferma la porte de la demeure d'éternité où, loin du regard des hommes, les textes hiéroglyphiques et les scènes rituelles vivaient d'eux-mêmes, permettant à Ramsès de continuer à régner, dans l'invisible, sur son pays et sur son peuple auquel il montrerait désormais le chemin des étoiles.

Enfin, Néfer apposa le sceau de la nécropole, formé de neuf chacals au-dessus d'ennemis ligotés et décapités. Grâce à la présence d'Anubis, aucune force nocive ne pourrait franchir la porte close.

— Sache que je n'ai jamais douté de toi, de ta probité et de ta compétence, confia Mérenptah au maître d'œuvre. Je t'ai imposé une rude épreuve pour que tu sois jugé digne, par toute ta confrérie, de porter le tablier d'or.

17.

Rageur, le chef Sobek éprouvait des difficultés à trouver ses mots.

— Vous avez entendu, Kenhir, ce qu'a dit le roi ! C'est Abry, l'administrateur principal de la rive ouest, qui a tenté de détruire la réputation de notre maître d'œuvre ! Je n'ai plus besoin d'autre preuve, il me semble ? C'est bien lui, ce misérable qui cherche à nous nuire depuis tant d'années.

Le scribe de la Tombe était atterré.

— Comment un haut fonctionnaire de cette importance a-t-il pu se comporter de manière aussi vile ? Lui qui était chargé de protéger la Place de Vérité n'a songé qu'à la détruire !

— Rédigez une plainte officielle.

— Ne crois-tu pas que l'intervention du roi sera suffisamment tranchante ? Abry sera accusé de mensonge, de falsification de documents et probablement de lèse-majesté pour avoir tenté d'abuser Pharaon. Abry n'a aucune chance de conserver son poste, et il risque une sévère condamnation.

— Je veux profiter de la situation pour éclaircir l'énigme qui me hante : est-il l'assassin du policier placé sous mes ordres ou avait-il un complice ? Si nous intervenons dans la procédure, je pourrai l'interroger et le faire avouer.

— Je savais que tu allais me dire ça... La plainte est prête.

— Il faut aussi que vous m'autorisiez à enquêter au nom de la Place de Vérité hors de son territoire.

— La demande vient d'être envoyée au vizir.

Sobek comprit pourquoi Kenhir, malgré son caractère difficile, avait été nommé scribe de la Tombe. Pour lui, comme pour les chefs d'équipe, le village était l'essentiel.

En raison de la présence du roi, Sobek ne pouvait pas quitter son poste pour questionner Abry, comme il en mourait d'envie. Fragilisé et désemparé, ce bandit parlerait, il en était sûr !

— J'espère qu'il n'est pas à la tête d'un réseau hostile à la Place de Vérité, avança Kenhir.

— J'en suis malheureusement persuadé, objecta le policier, et je ne suis pas certain que la menace qui pesait sur nous ait disparu.

L'arrivée du facteur Oupouty, visiblement sur les nerfs, interrompit l'entretien.

— Une horrible nouvelle : Abry s'est suicidé, chez lui, en l'absence de sa famille et de ses domestiques !

— Comment sait-on qu'il s'agit d'un suicide ? interrogea Sobek.

— Abry a laissé un texte dans lequel il explique les raisons de son geste. Il avoue avoir menti au roi et il redoutait une lourde peine, voire une condamnation à mort. Incapable de supporter sa déchéance, il a préféré se supprimer en implorant le pardon pour ses fautes.

LA PIERRE DE LUMIÈRE

Le couple royal logeait dans le petit palais édifié pour Ramsès le Grand à l'intérieur de la Place de Vérité, et il célébrait les rites du matin dans la chapelle attenante. Au même instant, dans tous les temples d'Égypte, du plus modeste au plus gigantesque, l'image de Pharaon s'animait magiquement pour prononcer les mêmes paroles et accomplir les mêmes gestes. Les célébrants ne pouvaient officier qu'au nom de Pharaon, façonné par les divinités pour maintenir la présence de Maât sur terre.

Puis Mérenptah et Néfer s'étaient rendus à la Maison de Vie située à côté du temple principal du village. Kenhir les y attendait, avec les clés de cette bibliothèque sacrée qui contenait « les puissances de la lumière », à savoir les archives de la confrérie composées des rituels et des ouvrages écrits par Thot, le dieu de la connaissance, et par Sia, celui de la sagesse. Grâce à eux, était-il écrit, Osiris pouvait revivre et la science de la résurrection se transmettre aux hommes.

Précieux entre tous, un livre en or martelé et un autre en argent préservaient les décrets de création de la confrérie et de son temple. S'y ajoutaient les textes indispensables, comme le *Livre des fêtes et des heures rituelles*, le *Livre de protéger la barque sacrée*, le *Livre des offrandes et de l'inventaire des objets rituels*, le *Livre des astres*, le *Livre pour repousser le mauvais œil*, le *Livre de sortir dans la lumière*, le *Livre de la magie rayonnante* et les manuels pour la décoration symbolique des sanctuaires et des tombes.

Mais c'était un tout autre document que voulait consulter le monarque.

— Montre-moi le plan des demeures d'éternité de la Vallée des Rois, ordonna-t-il à Kenhir.

Jusqu'à présent seul dépositaire de ce secret inestimable que lui avait légué son prédécesseur, Ramosé, le scribe de la Tombe le révéla au roi et au maître d'œuvre. Le papyrus avait été classé sous un faux titre dans la catégorie des vieilles archives.

Le scribe le déroula sur une table basse. Apparurent les

plans des tombes des Vallées des Rois et des Reines, et leur emplacement sur les sites. Les maîtres d'œuvre successifs pouvaient ainsi creuser dans un endroit vierge et ne pas percer un ancien caveau.

– En ce qui concerne mon temple des millions d'années, décréta le monarque, vous le bâtirez à la lisière des terres cultivées, au nord-ouest de celui d'Amenhotep III et au sud du Ramesseum. Pour ma demeure d'éternité, que proposez-vous ?

Néfer réfléchit longuement en étudiant le plan sur lequel figuraient de nombreuses indications techniques.

– Il faut tenir compte de la qualité de la roche et des orientations voulues par les pharaons précédents pour composer une harmonie... C'est pourquoi je propose cet emplacement-là, à l'ouest de la tombe de votre père Ramsès le Grand et nettement au-dessus d'elle, à flanc de montagne.

– Ton choix est excellent, maître d'œuvre. Mais sois bien conscient que tu vas tenter d'exprimer le Grand Œuvre et qu'il ne t'est pas permis d'échouer.

Jouer et écouter de la musique étaient les distractions favorites des villageois. Chacun jouait plus ou moins bien de la flûte, de la harpe portative, du luth, du tambourin ou de la cithare, et l'on ne concevait pas de travailler sans être bercé par une mélodie, encore plus indispensable lors des fêtes et des banquets.

Et puisqu'il convenait de fêter dignement à la fois le couronnement de Mérenptah et celui du maître d'œuvre Néfer, les orchestres s'en donnaient à cœur joie, et le village se transformait en salle de concert. Les hommes se montraient moins talentueux que les femmes, les prêtresses d'Hathor étant dépositaires de la musique sacrée dont la pratique faisait partie de l'initiation. Le meilleur ensemble était formé d'une harpiste, d'une flûtiste et d'une joueuse de tambourin dont les rythmes enchantaient petits et grands. Même Kenhir le Bougon se sentait parfois pris d'une envie de danser à laquelle, bien entendu, sa dignité lui interdisait de céder.

Paneb cessa d'écouter le petit orchestre quand un air sensuel capta son attention.

De longs cheveux noirs tombant sur les épaules et masquant la plus grande partie de son visage, les yeux fardés de noir et de vert, une ceinture de perles séparée par des têtes de léopard en or, des bracelets de cheville en forme de serres d'oiseaux de proie, une robe courte et transparente, telle se présentait la joueuse de lyre dont la voix était douce comme la brise du soir.

Elle pinçait avec habileté les huit cordes de son instrument fixées par des agrafes de cuivre à la caisse de résonance creuse et plate, tenue par deux bras coudés de longueur inégale, passait d'un pizzicato à un trémolo sans effort apparent, et serrait la lyre contre sa poitrine pour stopper les vibrations lorsqu'elle chantait pianissimo afin d'exprimer de délicieuses nuances.

Lorsque Paneb s'approcha, la musicienne recula pas à pas, sans cesser de jouer et de chanter, et elle l'entraîna vers un coin d'ombre.

Enfin, elle s'immobilisa, et il vint tout près d'elle, à la toucher. C'est alors qu'il la reconnut.

— Turquoise !

— Quand seras-tu fidèle à ton épouse, Paneb ?

— Je ne le lui ai jamais promis, elle ne me l'a jamais demandé.

— Comprends-tu au moins pourquoi je joue cette musique ?

Il l'embrassa dans le cou avec passion.

— Pour m'attirer, et tu as réussi !

— Je joue pour conjurer le danger et le mal. L'intervention de Pharaon ne suffira pas à les écarter du village. Et toi, Paneb, tu es suffisamment fou pour ne pas les craindre et les affronter sans précautions. Alors, je joue la musique qu'apprennent les prêtresses d'Hathor afin de dissiper les ondes malfaisantes et je t'environne de ma magie.

— Tu me surprendras toujours !

— Croyais-tu tout connaître de moi ?

— Bien sûr que non ! Mais je sais tout de même jouer de ton corps comme d'une lyre...

Avec une délicatesse inattendue, Paneb posa l'instrument sur le sol.

— J'ai acquis une certitude te concernant, affirma-t-il avec gravité.

— Laquelle ?

— La robe que tu portes est tout à fait inutile.

Turquoise ne résista pas quand il la dénuda, puis la prit dans ses bras et la porta jusqu'à sa maison où ils firent chanter leur désir à l'unisson.

18.

— Ma patronne ne reçoit personne, dit le portier de la demeure du défunt Abry.

— Je suis le chef Sobek, responsable de la sécurité de la Place de Vérité, et ma démarche revêt un caractère officiel.

— En ce cas... Je vais la prévenir.

Après avoir obtenu l'accord du scribe de la Tombe et vérifié que la protection du roi était parfaitement assurée, Sobek avait jugé indispensable de s'entretenir au plus vite avec la veuve.

La grande femme brune reçut le Nubien sous un palmier, dans le jardin. Elle avait perdu toute vitalité et semblait au bord de la dépression.

— La police m'a déjà interrogée, rappela-t-elle d'une voix brisée. J'étais absente lors du drame et je ne peux donc rien vous apprendre. Tout ce que je sais, c'est que des collègues de mon défunt mari l'ont vu quitter précipitamment le cortège officiel quand des acclamations sont montées de l'intérieur du village. Pourquoi... pourquoi Abry s'est-il donné la mort ?

— Il a tenté d'obtenir la destitution du maître d'œuvre de la confrérie et il a échoué.

— Pourquoi n'a-t-il pas cessé de s'acharner contre la Place de Vérité ? Il me laisse seule, toute seule, avec une fille à élever mais aussi avec la honte... Cette honte si lourde à porter... Je n'avais pas mérité un tel châtiment !

— Permettez-moi de vous poser une question très directe : vous qui connaissiez votre mari mieux que quiconque, le pensiez-vous capable de se suicider ?

La grande femme brune accusa le choc.

— Avec toute cette agitation, je ne m'étais même pas interrogée... Mais vous avez mille fois raison de soulever ce problème ! Non, Abry n'était pas homme à s'ôter la vie. Il s'aimait beaucoup et n'aurait certainement pas eu ce courage-là !

Soudain, elle revint à la réalité.

— Pourtant, il est bien mort... Et il a même laissé un texte pour expliquer son geste.

Sobek préféra changer de sujet.

— Ces derniers temps, votre mari avait-il eu des fréquentations que l'on pourrait qualifier de... douteuses ?

— Bien sûr que non ! Il recevait toutes les notabilités thébaines, comme sa fonction le lui imposait, qu'il s'agisse du maire, des hauts fonctionnaires, des principaux scribes... Celui que je déteste le plus, c'est ce nouveau riche, le commandant Méhy, mais il ne le voyait que très rarement. En fait, je les déteste tous, et Abry en premier ! À cause de sa veulerie et de sa paresse, il ne progressait plus dans la hiérarchie. Il aurait dû obtenir une promotion à Pi-Ramsès et nous introduire à la cour. Mais il n'avait que Thèbes en tête...

— Vous avait-il parlé du dossier qu'il comptait remettre au pharaon ?

– Abry ne me parlait jamais de son travail. Quelle honte, mais quelle honte... Finir comme ça...

La veuve éclata en sanglots, Sobek se retira.

Ce bref entretien le troublait. Si le suicide d'Abry n'était qu'un très habile maquillage, quel assassin avait pu se montrer assez retors pour le faire tomber dans un piège démoniaque ? L'administrateur défunt apparaissait comme un caractère faible, influençable, incapable d'accomplir des actes extrêmes. Était-ce bien lui qui avait mis au point un dossier mensonger, susceptible de lui faire courir un risque majeur en cas d'échec ?

Sobek ne disposait d'aucune preuve concrète, mais son instinct l'orientait vers un complot dont Abry n'aurait été que l'instrument et non la tête pensante.

Si le policier nubien ne se trompait pas, de sombres jours s'annonçaient, et même le soutien de Mérenptah ne serait peut-être pas suffisant pour sauver la Place de Vérité.

Mais comment remonter la piste si brutalement coupée avec la mort d'Abry ?

Le taureau qui fonçait sur son congénère, cornes en avant, avait le museau noir et le pelage sombre. L'autre ne s'était pas retourné assez vite et, encorné en plein ventre, il basculait la tête en avant et les pattes arrière levées, dans une attitude d'impuissance et de désespoir.

À la tragédie succédait le comique, avec un troupeau d'oies à la tête blanche ou grise et au bec pointu, cheminant toutes dans le même sens, à l'exception d'une indisciplinée qui se retournait brusquement et attirait ainsi les regards.

Quant à la grâce, elle s'exprimait dans le dessin aérien d'une gazelle aux cornes bleutées, à l'œil noir, au corps gris-rose et aux pattes d'une finesse presque irréelle.

Ainsi se présentaient les trois premières peintures de Paneb, sur trois grands morceaux de calcaire de première qualité. Ched le Sauveur les examinait tour à tour depuis plus d'un quart d'heure sans que l'apprenti parvînt à pressentir son jugement.

Soudain, le maître ouvrit la porte de l'atelier.

Assis avec noblesse, le regard fier, un chat noir et blanc le défiait.

— Regarde bien ce félin, Paneb, observe-le avec davantage d'attention que tu ne l'as jamais fait. Lorsque tu le peindras sur le mur d'une tombe, il ne sera plus un simple chat, mais l'incarnation de la lumière qui maniera ses rayons, sous forme de couteaux, pour lacérer le dragon Apophis, le mauvais génie décidé à tarir le flux vital.

— Cela signifie… que vous m'estimez capable de peindre ?

— Sortons d'ici et regarde le ciel.

De nombreuses hirondelles dansaient dans l'azur.

— L'âme des rois peut s'incarner dans cet oiseau. Quand tu représenteras une hirondelle perchée sur le toit d'une chapelle, tu symboliseras le triomphe de la lumière. Mais tu n'arriveras à rien de bon sans la technique de la mise aux carreaux.

Paneb suivit Ched le Sauveur qui le conduisit jusqu'à un tombeau de la nécropole de l'Ouest où travaillaient Gaou le Précis et Paï le Bon Pain.

— Que penses-tu de la qualité de la paroi, Paneb ? interrogea Ched.

L'Ardent s'assura qu'elle avait été correctement égalisée avec un mortier constitué de limon et de paille hachée puis recouverte d'une couche de gypse pour boucher les trous. Ensuite, deux couches d'enduit de deux millimètres avaient été appliquées avec soin, la seconde d'excellente qualité pour servir de support à la peinture.

— Ce mur me convient, jugea Paneb.

— Tu te trompes, affirma Ched. Montrez-lui, ordonna-t-il à Paï et à Gaou.

Paï le Bon Pain monta sur une échelle. Il tenait l'une des extrémités d'une fine corde trempée dans l'encre rouge, et Gaou l'autre. La corde fut bien tendue, le long de la paroi, et

117

Gaou la lâcha brusquement afin qu'elle fouettât le mur en y imprimant une ligne bien droite. Les deux dessinateurs procédèrent ainsi à plusieurs reprises pour obtenir un quadrillage.

— Cette grille doit précéder dessin et peinture afin que chaque figure respecte un système de proportions harmoniques, expliqua Ched. Pour un personnage debout, trois rangs de carreaux des cheveux à la base du cou, dix du cou aux genoux, six des genoux à la plante des pieds, soit dix-neuf au total. Pour un personnage assis, quinze carreaux.

Gaou le Précis révéla à Paneb plusieurs autres jeux de proportions relatives à différents sujets, en insistant sur un principe général : quadrillage serré pour des motifs de petite taille, large pour des thèmes de grande dimension.

— Adapte-toi à la paroi, recommanda Ched, mais ne t'empêtre pas dans des calculs. C'est ta main qui doit apprendre les proportions, sans nulle rigidité, car elle seule possède la liberté de création. Un jour, si tu deviens un véritable peintre, tu n'auras même plus besoin de cette grille. En attendant, essaye de représenter un corps de femme sans gâcher cette paroi.

Superposer des couches d'épaisseur variable exigeait une grande dextérité, mais Paneb prit le temps nécessaire pour obtenir une subtile texture de rouge et de blanc qui restitua une chair délicate, et il apposa un blanc presque transparent pour former le tissu d'une robe légère. Puis il recouvrit son œuvre d'un vernis à base de résine d'acacia afin de préserver la brillance des couleurs.

Païa et Gaou étaient muets d'admiration, mais Ched le Sauveur semblait indifférent.

— Dans le coin gauche supérieur, ordonna-t-il, représente un faucon qui s'envole.

L'exercice s'annonçait particulièrement difficile mais, dans les mains du colosse, les pinceaux devenaient des instruments de haute précision. Utilisant une brosse par couleur, il créa un rapace animé d'une telle vie qu'il paraissait à l'étroit dans la petite pièce au ciel trop bas.

– Tu ne dois pas peindre la nature, observa Ched, mais l'au-delà de la réalité, la vie cachée et surnaturelle. La tombe est une demeure d'éternité où les paysans accomplissent des gestes parfaits et sans fatigue, où rien ne se fane, où de frêles barques de papyrus voguent sans danger sur des canaux tranquilles, où le couple des bienheureux est toujours jeune... C'est un univers de lumière qu'il t'appartient de recréer sans que tes préoccupations personnelles viennent l'obscurcir. Que chacune de tes peintures éclaire un aspect du mystère de la vie. Sinon, elles seront inutiles.

À l'encre noire, Ched le Sauveur corrigea l'une des pattes du faucon qu'il estimait imprécise. Et Paneb, dont le cœur commençait à s'enflammer, comprit qu'il n'était encore qu'un débutant. L'œil du maître avait remarqué le détail qui empêchait le rapace de prendre réellement son envol.

– Il y a encore beaucoup de travail dans cette tombe, estima Ched. Mais je ne suis pas certain que tu possèdes les compétences nécessaires.

Le sang de Paneb bouillonna.

– Quelles que soient les techniques à apprendre, je les apprendrai !

– Là n'est pas la question.

– Alors, que dois-je faire ?

– Répondre à cette question : acceptes-tu de devenir mon assistant ?

19.

À Thèbes, lors des fêtes du couronnement, le vizir était autorisé par le roi à décorer ceux et celles qui avaient bien servi leur pays sous le règne précédent, et il en profitait pour procéder à des mutations et à des nominations.

Bien qu'il ne fréquentât pas encore les personnages influents de la cour de Mérenptah, Méhy n'était pas trop inquiet sur son sort. Il avait appris que des hommes du vizir menaient une enquête sur lui dans le milieu des officiers supérieurs où le commandant jouissait d'une grande popularité ; ils ne recueilleraient donc que des témoignages positifs qui se traduiraient forcément par une promotion dans la hiérarchie militaire. Quant à la gestion de Méhy en tant que Trésorier principal de Thèbes, elle ne présentait aucun défaut. Grâce à lui, la cité et la province s'étaient enrichies.

Le vieux général en chef des forces thébaines venant de prendre sa retraite, Méhy pouvait espérer obtenir ce poste, forcément accordé à un scribe ayant une bonne connaissance du fonctionnement de l'armée.

Le petit monde des dignitaires désireux de plaire au nouveau pouvoir n'avait que deux préoccupations : le maire de Thèbes serait-il remplacé et qui serait nommé administrateur principal de la rive ouest à la place d'Abry ?

Quand le vizir apparut dans la salle du conseil, les paris allaient bon train. Il était évident que le nouveau pharaon imprimerait sa marque sur la région thébaine en imposant des fidèles venus du Nord, et que les ambitions locales seraient déçues. La cité du dieu Amon connaîtrait de profonds bouleversements qui n'iraient pas sans de sérieux grincements de dents et la formation d'une opposition plus ou moins fiévreuse, nourrie par les ressentiments des dépités.

Le vizir commença par la remise des décorations, qui allaient du collier d'or à de simples bagues. Puis il appela le commandant Méhy qui s'inclina devant lui.

– Méhy, vous êtes nommé général en chef des troupes thébaines. Vous vous préoccuperez du bien-être des troupes, du bon état du matériel, et vous vous rendrez régulièrement à Pi-Ramsès pour remettre au roi un rapport détaillé.

Séjourner dans la capitale et se rapprocher du pouvoir... Méhy était ravi. Il s'engagea par serment à remplir les devoirs de sa charge et regagna les rangs des hauts fonctionnaires qui lui adressèrent des sourires condescendants. Comme le pharaon était le chef suprême des armées et le vizir son bras droit, le titre ronflant de « général » masquait son peu d'importance réelle. Méhy sortait de la sphère d'influence pour devenir un dignitaire bien payé et paresseux.

Enfin fut ouvert le dossier de la mairie de Thèbes, et les décisions de l'exécutif laissèrent bouche bée les courtisans : le maire était maintenu à son poste, de même que l'ensemble de ses conseillers, auxquels s'ajoutait un nouveau Trésorier principal, un scribe thébain aux pratiques conservatrices.

Méhy apprécia l'habileté politique de Mérenptah. En évitant le bouleversement redouté, il s'attirait la sympathie de la riche région thébaine où aucune convulsion ne serait à craindre. Autrement dit, il était suffisamment préoccupé par les problèmes qui se posaient au Nord pour ne pas s'en créer au Sud.

Restait à pourvoir le poste d'administrateur principal de la rive ouest, considéré comme particulièrement délicat après la tragique disparition de son titulaire.

— J'appelle le général Méhy, dit le vizir d'une voix calme.

Des rumeurs étonnées parcoururent l'assistance. Méhy lui-même hésita un instant, croyant avoir mal entendu. Mais les regards qui convergeaient vers lui l'incitèrent à se présenter devant le Premier ministre de l'Égypte. Ce dernier lui confia bel et bien la fonction du défunt Abry, et le général fraîchement promu n'eut d'autre solution que d'accepter.

Le vizir avait accordé à Méhy le privilège d'un entretien privé dans le jardin du palais, sous les ombrages des perséas et des sycomores.

— Vous vous attendiez à votre nomination comme général, mais vous avez été surpris de vous voir attribuer le poste d'administrateur principal de la rive ouest, n'est-il pas vrai ?

— Ce sont deux lourdes charges, et je croyais qu'elles seraient dissociées.

— Le roi et moi-même pensons le contraire, en raison des événements qui viennent de se produire. Abry était un adversaire déclaré de la Place de Vérité, et il a tenté d'abuser le souverain en portant de fausses accusations et en maquillant des documents. Ce comportement est-il le fruit d'une folie individuelle ou d'un complot dont nous ignorons les ramifications ? Il est encore impossible de répondre à cette question, mais nous devons envisager le pire et prendre les précautions nécessaires.

Pendant les dernières années du règne de Ramsès, vous avez su réorganiser les troupes thébaines ; les officiers, comme les soldats, vous en sont reconnaissants. Votre autorité ne sera pas discutée, et vous pourrez donc assurer la sécurité de la région en suivant les directives de la capitale.

— Pardonnez ma curiosité, mais redouteriez-vous des troubles à Thèbes ?

— Pas à Thèbes, mais les Libyens et les Asiatiques demeurent des agresseurs potentiels. Et les tribus nubiennes du Grand Sud voient parfois leurs instincts belliqueux se réveiller. C'est pourquoi Thèbes doit demeurer une zone de stabilité et de paix, lesquelles pourraient être menacées par des fauteurs de troubles comme Abry. Les richesses de la rive ouest sont immenses... Que de trésors contenus dans les tombes royales et dans les temples des millions d'années ! Si des malfaiteurs songeaient à s'en emparer avec l'aide de hauts fonctionnaires corrompus, et si leur abominable entreprise réussissait, qu'adviendrait-il de l'Égypte ? Il vous appartiendra de veiller sur les richesses de la rive occidentale de Thèbes, Méhy, et vous disposerez à la fois du pouvoir administratif et de la force armée pour y parvenir. À nos yeux, c'est une mission essentielle. Sachez que nous vous observerons avec la plus grande attention.

— Je tâcherai de me montrer digne de votre confiance.

— Essayer ne suffira pas : nous exigeons que la rive ouest soit préservée de toute agression, d'où qu'elle vienne. Me fais-je bien comprendre ?

— Vous pouvez compter sur moi.

— Au moindre soupçon, à la moindre alerte, prévenez immédiatement la capitale. Le cas Abry ne doit pas se reproduire.

Alors que le vizir s'éloignait, le général Méhy se sentit un instant ébranlé par les caprices du destin et il eut presque envie de rire. Lui, le principal adversaire de la Place de Vérité, était mandaté pour la protéger mieux que quiconque !

D'un côté, il recueillait les fruits d'un travail de longue

haleine en obtenant des pouvoirs étendus, de l'autre il se trouvait pieds et poings liés, incapable d'attaquer de front le bastion dont il désirait tant s'emparer. Fallait-il pour autant renoncer à ses grands desseins et se contenter de devenir un notable thébain aux ambitions limitées ?

Sa complice Serkéta ne le lui pardonnerait pas, et lui-même connaissait l'étendue de ses possibilités qui ne se résumaient pas à des responsabilités locales, fussent-elles majeures. Il devait simplement changer de stratégie pour parvenir à ses fins, et s'emparer de la pierre de lumière et des autres secrets de la Place de Vérité. Mais cette modification exigeait beaucoup de doigté.

Le sort lui souriait de manière presque miraculeuse, le chemin se dégageait devant lui, même si des obstacles d'un nouveau genre risquaient de ralentir sa marche en avant.

— Désirez-vous quelque chose, général ? lui demanda un soldat.

Méhy sortit de la méditation qui l'avait entraîné à marcher au hasard dans le jardin, jusqu'à l'un des postes de garde.

— Non, non…

— Permettez-moi de vous dire combien les militaires thébains sont fiers de servir sous vos ordres.

— Merci, soldat. Grâce à vous, nous continuerons à faire du bon travail.

Méhy éprouvait un mépris souverain pour les militaires mais, depuis le début de sa carrière, il savait les utiliser au mieux en les flattant et en leur offrant les privilèges qu'ils espéraient.

De nombreux notables attendaient la fin de l'entretien du vizir avec Méhy pour féliciter ce dernier et l'assurer de leur complet dévouement. Le général prit le temps d'apprécier leurs compliments ; que leurs lèvres fussent ou non mensongères, elles formulaient d'agréables paroles qu'il était bon de savourer.

De retour dans sa vaste et luxueuse villa, Méhy reçut l'hommage de ses domestiques, fiers de servir un maître aussi puissant.

124

Et son plus beau cadeau fut l'œil aguicheur de son épouse Serkéta, qui l'incitait à la suivre dans leurs appartements.

– N'es-tu pas las de toutes ces mondanités, mon doux amour ?

– Elles m'amusent au plus haut point ! N'est-il pas plaisant de se voir reconnaître à sa juste valeur ?

Serkéta s'allongea sur des coussins et dénuda lentement sa poitrine.

– As-tu rencontré des difficultés pour éliminer cet imbécile d'Abry, ma douce ?

– Aucune, et j'avais raison : il s'apprêtait à nous dénoncer. À l'avenir, dans ta nouvelle position, il faudra nous montrer particulièrement prudents sur le choix de nos alliés... Car tes deux nominations ne t'ont pas fait renoncer à nos grands projets, j'espère ?

– Bien sûr que non... Mais tu viens toi-même d'évoquer la nécessité de la prudence. La première fausse manœuvre, en effet, nous serait fatale.

Offerte, Serkéta s'étira à la manière d'un félin.

– L'aventure devient follement excitante... Et nous possédons de nombreuses armes !

N'y tenant plus, Méhy étreignit sa complice avec rudesse, mais il n'avait qu'une pensée en tête : à condition de ne jamais reculer, même devant le crime, le succès était au bout du chemin.

20.

Comment Claire n'aurait-elle pas été émerveillée par les cadeaux que la confrérie venait d'offrir au maître d'œuvre pour fêter sa reconnaissance par le roi ? L'affaire avait été préparée dans le plus grand secret, et Rénoupé le Jovial, avec sa tête de génie malicieux et son bon gros ventre, avait été désigné pour présenter à la maîtresse de maison les objets que portaient Casa le Cordage, Nakht le Puissant, Karo le Bourru, Païe le Bon Pain et Didia le Généreux.

Il commença par une superbe chaise de maître d'œuvre, avec son dossier haut, ses pieds en forme de pattes de lion reposant sur des cylindres, son paillage si solide qu'il traverserait les siècles et son décor de spirales, de losanges, de lotus et de grenades encadrant un soleil, pour symboliser la perpétuelle renaissance de la pensée de l'architecte. Complément indispensable, un siège pliant dont les extrémités étaient des têtes de canards ; une marqueterie d'ivoire et d'ébène agrémentait ce petit chef-d'œuvre.

Une autre chaise au dossier incurvé et incliné se composait de vingt-huit pièces de bois assemblées par tenons et mortaises ; ses pieds étaient des pattes de lion reposant sur des sabots de taureau pour incarner le rayonnement et la puissance, et son décor se composait d'une treille et de belles grappes de raisin qui évoquaient les rites du pressoir au cours desquels l'on assimilait le vin au sang d'Osiris ressuscité.

Plusieurs tabourets au siège de cuir, des tables basses rectangulaires, des guéridons composés d'un plateau circulaire posé sur un pied central évasé à la base, plusieurs coffres de rangement pour le linge, les vêtements et les outils, des corbeilles à pain, à gâteaux et à fruits, des paniers ovoïdes, oblongs et cylindriques faits de nervures de tiges de palmier ou de jonc, si bien ligaturées que leur solidité était à toute épreuve... Claire assista à une véritable procession !

— C'est trop, beaucoup trop, je...

— Ce n'est pas terminé, dit Rénoupé le Jovial alors que Casa le Cordage apportait une petite armoire en cèdre du Liban.

Reposant sur quatre pieds courts, elle avait la forme d'un naos.

— Tu pourras y mettre tes perruques, indiqua Rénoupé en soulevant le couvercle. Regarde : l'intérieur est équipé de traverses pour les soutenir. La fermeture est assurée par une queue d'aronde dans la partie extérieure du couvercle et une baguette dans la partie postérieure ; autour des deux pommeaux qui servent à le tirer, tu lieras une cordelette avec un sceau pour être certaine que ta femme de ménage ne cédera pas à la curiosité. Ah, il y a encore cette petite chose...

Païe le Bon Pain déposa sur une table basse une cassette à bijoux en cartonnage stuqué et peint. De forme cylindrique et coiffé d'un couvercle conique, le délicat coffret était orné d'un lotus épanoui.

— C'est une folie ! Je ne peux pas...

— Et voici notre dernier cadeau.

Portant sur le dos un lit neuf, Paneb entra, un grand sourire aux lèvres.

— Claire, je sollicite l'autorisation exceptionnelle de pénétrer dans ta chambre à coucher.

L'objet était d'une telle qualité qu'il valait au moins cinq sacs de céréales. Du sommier aux croisillons, en passant par les panneaux de pied et de tête où figurait la face rieuse de Bès, protecteur du sommeil, les artisans avaient atteint la perfection.

— Qu'est-ce qui se passe ici ? interrogea Néfer, figé sur le seuil de sa demeure.

— La confrérie a décidé de transformer notre maison en palais, répondit Claire, émue. Regarde... Nous sommes envahis de cadeaux !

Comme son épouse, le maître d'œuvre fut ébahi.

— C'est comme ça et ce n'est pas autrement, conclut Rénoupé le Jovial. L'important, c'est de respecter la coutume : quand on a un bon chef, on doit s'occuper de lui parce qu'il pense trop aux autres.

— Vous accepterez quand même un verre de vin !

— Voici une preuve de plus que nous avons fait le bon choix.

Paneb fit le service.

— Mérenptah a définitivement approuvé l'emplacement de sa tombe dans la Vallée des Rois où nous avons passé la matinée, confia Néfer à Claire. Ce soir, le couple royal désire te voir.

— Moi ? Mais pourquoi...

- Pour couronner la femme sage.

Claire aurait aimé se préparer paisiblement à la cérémonie, mais elle n'en eut pas le loisir. Troublée dans cette demeure peuplée de nouveaux meubles, sa femme de ménage lui fit perdre un temps précieux ; puis vinrent la consulter une fillette souffrant d'un début de bronchite, un tailleur de pierre atteint d'une rage de dents, et une mère de famille qui perdait ses cheveux. La femme sage parvint à calmer leurs maux qu'elle connaissait et qu'elle guérirait. Mais les heures s'étaient écoulées, et la nuit n'allait plus tarder à tomber.

Claire songea à celle qui l'avait précédée et qui lui avait tant appris avant de disparaître dans la montagne en s'unissant à la déesse du silence. Elle la sentait auprès d'elle, exigeante et protectrice.

Néfer revenait en hâte de la Maison de Vie où il avait étudié les plans des tombes royales afin d'élaborer un projet et de le proposer à Mérenptah. Absorbé par ses recherches, il ne s'était interrompu qu'au moment où les lueurs du couchant avaient illuminé les papyrus.

— Pardonne-moi, je suis en retard.

— Moi, c'est pire !

Ils volèrent tout de même un instant pour s'embrasser avant de revêtir leurs habits de cérémonie.

Le couple royal reçut la femme sage dans le temple du *ka* de Ramsès le Grand. Par respect envers son père, dont le règne avait duré soixante-sept années, Mérenptah ne construirait pas d'édifice semblable au cœur de la Place de Vérité avant d'avoir affronté l'épreuve du pouvoir pendant une longue période. Comme son âge rendait peu crédible une telle éventualité, il se contenterait de ce sanctuaire à la fois modeste et splendide pour mieux s'associer à la destinée posthume de l'immense pharaon.

À la gauche du monarque, la grande épouse royale, Iset la Belle ; à sa droite, le maître d'œuvre Néfer le Silencieux. Assises sur les banquettes de pierre courant le long des murs, les prêtresses d'Hathor, vêtues d'une longue robe blanche.

— Que l'on aille chercher la femme sage, ordonna Mérenptah.

Turquoise s'inclina devant le couple royal, sortit de la salle à colonnes et rejoignit Claire qui venait d'être purifiée par deux prêtresses. Elle la vêtit d'une robe de lin plissé blanc et rose descendant jusqu'aux chevilles, l'orna d'un collier large en or et de fins bracelets du même métal, et la coiffa d'une perruque noire retenue par un bandeau surmonté d'un lotus.

Puis Turquoise introduisit Claire dans le lieu sacré où elle se tint face au pharaon et à la reine, les mains croisées sur la poitrine.

— On nomme « Femme » le père et la mère des divinités, la matrice stellaire d'où proviennent toutes les formes de la vie, déclara Iset la Belle. Sans elle, ni l'Égypte ni cette confrérie n'existeraient. Le divin ne s'incarne que si la femme des origines est capable de l'attirer et de le fixer. C'est mon rôle au sommet de l'État et c'est le tien, Claire, dans la Place de Vérité. Si cette dernière disparaissait, le pays serait en péril. À toi de perpétuer la vie qui coule dans les veines de cette communauté, d'entretenir le feu qui lui permet de créer.

Iset la Belle se leva pour poser sur la perruque un fin cercle d'or.

— Grâce à ta présence, femme sage, le soleil se lève et la mort s'éloigne. Sache nouer les paroles et les sons de sorte que les rituels soient célébrés et les offrandes consacrées, sache lier les êtres pour qu'ils forment un corps dont la cohérence sera inébranlable.

Le maître d'œuvre remit à la reine une queue d'aronde en or qu'elle appliqua sur le cœur de Claire.

— Sois la mère de la confrérie, nourris-la et guéris-la. Maintiens la paix et l'harmonie entre les humains et les dieux, lesquels sont prompts à s'irriter contre nos faiblesses et à nous accabler de maladies et d'accidents ; sache déchiffrer au bon moment les messages de l'invisible, identifie l'origine des maux, prépare les remèdes, maîtrise les venins, sois « celle qui connaît et qui sait ».

Alors que la reine regagnait son trône, Claire vacillait. La simple énumération des devoirs qui lui incombaient leur donnait soudain une ampleur dont elle n'avait pas encore pris conscience. Elle eut peur, peur au point de renoncer et d'avouer au couple royal qu'elle était une femme simple, incapable de remplir une telle fonction.

Mais son regard croisa celui de Néfer qui, à cet instant, ne la contemplait pas seulement comme un mari mais aussi comme le maître d'œuvre de la Place de Vérité. Et elle découvrit dans ses yeux tant de confiance, d'amour et d'admiration qu'elle voulut se montrer digne de lui.

– Sur la recommandation de la grande épouse royale et avec l'accord unanime des initiées présentes en ce temple, déclara le pharaon, nous te nommons supérieure de la communauté des prêtresses d'Hathor de la Place de Vérité.

21.

Mérenptah et Iset la Belle vivaient des moments heureux dans le petit palais de la Place de Vérité. Loin de la cour, des flatteurs et des solliciteurs, le couple royal célébrait les rites, visitait les ateliers, invitait à sa table le maître d'œuvre, la femme sage, le scribe de la Tombe et le chef de l'équipe de gauche pour les entendre parler des travaux et des jours de la confrérie.

Kenhir se montrait intarissable sur l'histoire de la communauté et il fit plusieurs fois sourire le roi en évoquant les travers des artisans et la floraison, à certaines époques de l'année, des motifs d'absence au travail qu'il examinait un à un avec la dernière sévérité.

Les musiciennes d'Hathor jouèrent pour le couple royal, qui s'intéressa aux techniques des spécialistes et se rendit sur le site où serait édifié le temple des millions d'années de Mérenptah ;

Néfer emmena Iset la Belle dans la Vallée des Reines pour lui montrer l'emplacement de sa demeure d'éternité, magiquement reliée à celle du pharaon.

On célébrait un banquet à la mémoire des rois qui avaient protégé la confrérie lorsque le vizir, la mine sombre, se présenta devant le monarque.

— Puis-je vous parler en particulier, Majesté ?

— Ne peux-tu attendre la fin de ce repas ?

— J'aimerais obtenir votre avis au plus vite pour transmettre immédiatement vos instructions à la capitale.

L'entretien dura un long moment. Quand Mérenptah fut de retour, son visage était soucieux.

— Dès demain, je repars pour Pi-Ramsès, annonça-t-il.

— Aurai-je le temps de vous montrer le premier plan que j'ai préparé pour votre tombe, Majesté ?

Le roi, Néfer et Kenhir consultèrent le document déposé dans la Maison de Vie. Le maître d'œuvre s'était conformé aux règles en vigueur sous la dix-neuvième dynastie, celle de Séthi et de Ramsès.

— Ce plan me convient, et je ne désire aucune innovation, jugea le monarque. En ce qui concerne le choix des textes et des figures, et leur répartition sur les parois, tu m'adresseras d'autres plans, très détaillés. Et n'oublie pas, maître d'œuvre : aucune erreur. Que chaque élément soit à sa juste place.

Néfer savait qu'une tombe royale ne ressemblait à aucun autre monument et qu'elle devait être conçue comme un fourneau alchimique dont le feu produisait de l'éternité. En s'inspirant de l'exemple de ses prédécesseurs et en assimilant toutes les dimensions de la science sacrée, le Silencieux devrait composer une partition sans aucune disharmonie.

Entrevoyant les difficultés extrêmes d'une telle œuvre, Néfer fut pris de vertige. Afin de dissiper cette sensation, il se mit au travail en consultant les papyrus où avaient été conservées les paroles des dieux.

Accablé de travail, Méhy devait partager son temps entre ses deux bureaux : celui du quartier général des forces armées, sur la rive est, et celui de l'administration principale de la rive ouest. Dans un cas comme dans l'autre, il avait exigé que les locaux fussent repeints et meublés de manière luxueuse. Comme les travaux n'avançaient pas assez vite, il avait réclamé et obtenu davantage d'ouvriers.

Faite de déplacements d'une rive à l'autre, de rendez-vous, d'études de dossiers, de prises de décision, cette existence trépidante convenait parfaitement à Méhy dont l'énergie paraissait inépuisable. Pour locales qu'elles fussent, ses responsabilités s'exerçaient cependant dans le cadre d'une région aussi riche que prestigieuse et lui permettraient de devenir l'un des personnages importants du pays, surtout s'il parvenait à être admis à la cour de Pi-Ramsès.

Condamné à réussir dans ses fonctions officielles afin d'acquérir une stature d'homme d'État, Méhy apparaîtrait comme l'un de ces hauts dignitaires satisfaits d'eux-mêmes et de leur fortune. Qui se douterait de son véritable but ?

Un officier supérieur le salua.

— Général, vous êtes demandé d'urgence à l'embarcadère.

— Un incident ?

— Il semble que le roi s'apprête à quitter Thèbes. Toutes les forces de sécurité doivent être déployées.

— Je m'en occupe immédiatement.

De fait, la flottille royale ne tarderait plus à lever l'ancre ; Méhy prit les dispositions nécessaires pour tenir les badauds à l'écart.

Il s'inclina devant le roi quand ce dernier embarqua, l'air préoccupé. Le vizir l'attendait sur le pont, et les deux hommes s'isolèrent aussitôt dans la cabine centrale.

Méhy conversa avec plusieurs dignitaires thébains pour tenter d'obtenir des informations, mais personne ne savait rien, et chacun s'interrogeait avec anxiété sur les causes de ce départ précipité. Seul un vieillard s'appuyant sur une canne émit un avis qui sembla digne d'intérêt.

— Ou bien une faction opposée à Mérenptah essaie de prendre le pouvoir dans la capitale, ou bien une tentative d'invasion se prépare. Quelle que soit la vérité, le ciel d'Égypte s'obscurcit.

Paneb avait assimilé l'enseignement de Gaou le Précis et il ne commettait plus d'erreur dans la mise aux carreaux, sans pourtant être l'esclave d'une géométrie rigide qui aurait desséché sa main.

À plusieurs reprises cependant, Gaou avait corrigé des détails et reproché au jeune peintre ses calculs approximatifs. Paneb avait discuté, s'était parfois incliné, mais il avait souvent prouvé la justesse de son point de vue lorsque le motif était mis en couleurs.

Si Païle Bon Pain acceptait volontiers de voir Paneb devenir l'assistant de Ched le Sauveur, qui suivait pas à pas les progrès de son disciple et ne tolérait aucune imperfection, il n'en allait pas de même d'Ounesh le Chacal. Voilà longtemps qu'il avait reconnu le génie de Ched et sa supériorité sur les dessinateurs qui lui préparaient le travail, mais il n'était pas prêt à obéir au jeune Paneb, quels que fussent ses dons.

Avant d'emmener Paneb dans la Vallée des Rois pour y travailler à la décoration de la tombe de Mérenptah, Ched le Sauveur voulait lui faire franchir une étape décisive. S'il échouait, il ne serait jamais un véritable peintre. Aussi avait-il demandé aux trois dessinateurs de préparer l'angle d'une paroi dans le vaste tombeau qu'occuperait Kenhir. Paneb était chargé d'y représenter un artisan vêtu de la robe blanche de prêtre pur et faisant offrande de l'encens au dieu Ptah.

Quand il arriva, avec ses pinceaux, ses brosses et ses couleurs, la paroi n'était pas préparée. Adossé au mur, Ounesh croquait un oignon. Ses traits évoquaient plus que jamais ceux d'un chacal.

— Où sont les autres ?

— Gaou le Précis souffre de l'estomac et Païle Bon Pain d'un mauvais rhume. Moi, je me suis bêtement entaillé un doigt en faisant la cuisine. Il y a des jours, comme ça, où tout va mal. Et malheureusement pour toi, Ched va bientôt examiner ta peinture qui ne sera même pas commencée...

— C'est trop gentil de m'avoir attendu ici pour me prévenir. Tu devrais rentrer chez toi.

— Tu as raison, ma blessure pourrait s'infecter. Je vais me faire soigner.

Paneb aurait dû se résigner et admettre sa défaite, mais il préféra se battre, même vaincu d'avance. Il effectua lui-même le quadrillage après avoir vérifié la bonne qualité de l'enduit, prépara ses couleurs, et il peignit directement le personnage sans dessin préliminaire, en violation des règles. Le temps ne comptait plus et, même si Ched surgissait pour constater l'échec de son disciple, ce dernier aurait lutté jusqu'à épuisement de ses possibilités.

La matinée s'écoula, puis le début de l'après-midi, et toujours pas de Ched ! Paneb eut le loisir de peaufiner son œuvre, d'affiner tel ou tel trait et de vérifier l'équilibre de la scène.

Soudain, mille défauts lui sautèrent aux yeux.

— Content de toi ? interrogea Ched, les bras croisés.

— Non, ce n'est qu'une ébauche.

— Lorsque tu peins, tu dois te situer en même temps de face, de profil et de trois quarts ; supprime les perspectives trompeuses qui ôtent la force vitale, exclus le clair-obscur, associe de multiples points de vue en insistant sur les traits essentiels, le visage de profil, l'œil de face, le torse de face dans toute sa largeur, le bassin de trois quarts avec le nombril visible, les bras et les jambes de profil... Restitue un espace qui n'existe pas et fais-nous voir la réalité cachée. Quand tu crées un faucon, rassemble en une seule image plusieurs moments de son vol ; quand il s'agit d'une figure humaine, que l'ensemble de ses caractéristiques soit dévoilé. Et n'oublie pas que notre œuvre ne s'inscrit pas dans le temps ; ce sont des instants éternels que nous sommes chargés d'incarner. Jamais nous n'évoquons une heure de la journée en particulier, parce que c'est le jour qui compte, comme fruit de la lumière. À toi de vivre dans le mouvement immobile, qu'il soit l'axe de ta main. Et respecte la hiérarchie des êtres : Pharaon est de plus grande taille que les hommes, il est le grand temple qui abrite son peuple ; un maître de domaine est plus grand que ses serviteurs car il exerce davantage de responsabilités qu'eux et doit assurer leur bien-être. Quant au prêtre comme celui que je vois sur ce mur, il devrait avoir le regard légèrement levé vers le ciel.

Paneb buvait les paroles de Ched le Sauveur.

— Pour une peinture exécutée aussi vite, j'ai vu pire... Mais il faudra te montrer capable de la rectifier. Sinon, imagine la tête de Kenhir !

Tout ce qui avait bouillonné dans le cœur de Paneb depuis son adolescence allait enfin pouvoir s'exprimer, puisque le peintre venait de lui ouvrir les yeux sur une autre réalité, plus intense, plus belle et plus vitale que le monde apparent.

Paï le Bon Pain fit irruption dans la tombe.

— Viens tout de suite, Paneb... Ta femme accouche !

22.

La femme sage avait requis six prêtresses d'Hathor pour aider Ouâbet la Pure à accoucher chez elle. Les visages étaient graves, car chacune savait que la venue au monde d'un enfant était un passage périlleux. Il fallait réussir à le séparer du corps de sa mère sans qu'aucun maléfice ne le touche, avec l'espoir que les puissances créatrices l'animent et ne quittent pas son esprit au moment de sa naissance.

Claire avait jeté de la graisse d'oiseau et de l'encens dans le feu, puis disposé deux pierres couvertes de textes magiques selon lesquels Thot fixait la durée de vie et le destin du nouveau-né. Quant à ses assistantes, elles avaient atténué la douleur de la parturiente en lui introduisant dans le vagin une pâte composée de lait, de fenouil, de résine de térébinthe, d'oignon et de sel frais.

LA FEMME SAGE

La frêle Ouâbet, dont le ventre s'était dilaté de manière spectaculaire pendant les derniers jours, ne dissimulait pas son inquiétude.

— Est-ce que tout est normal?

— Rassure-toi, lui dit Claire, l'accouchement est imminent, et tu n'auras même pas besoin d'absorber des drogues pour atténuer tes souffrances. L'enfant se présente au mieux.

— J'ai l'impression que mon bébé est énorme... Ne va-t-il pas me déchirer?

— Non, sois sans crainte. Malgré sa petite taille, ton bassin était fait pour enfanter.

Les contractions s'accélérèrent. Les prêtresses dénudèrent Ouâbet et l'aidèrent à s'accroupir en lui maintenant le buste droit.

Comme l'avait prédit Claire, l'enfant vint à l'existence sans complication. Le cri qu'il poussa fut si puissant qu'il alerta une bonne partie du village.

— Pourquoi ne me laisse-t-on pas entrer? s'insurgea Paneb.

— Parce que le rituel de la naissance est une affaire de femmes, répondit Païle Bon Pain. Ta présence serait inutile et dangereuse.

— C'est mon enfant qui va naître!

— Laisse agir la femme sage et ses assistantes.

— Comment élève-t-on un enfant, Païe?

— Quel qu'il soit, un gamin est un bâton tordu affligé de deux défauts : la surdité et l'ingratitude. Il faut, au plus vite, lui ouvrir l'oreille qu'il a sur le dos*, lui parler de ses devoirs, lui faire comprendre tout ce qu'il doit à ses parents et lui apprendre le respect d'autrui. Alors, il commencera à être droit et pourra s'élever.

— Si mon enfant me ressemble, je ne vais pas avoir la partie belle.

---

* Expression utilisée par les sages, qui estiment que l'enfant non éduqué est un sourd parce que « l'oreille qu'il a sur le dos » n'a pas été ouverte par « le bâton » (*medou*), c'est-à-dire la parole (*medou*) de l'enseignant qui l'équipe du bâton nécessaire pour entreprendre le voyage de la vie.

La porte s'ouvrit. Claire apparut, radieuse.

– Un garçon... Un magnifique garçon qui pèse au moins six kilos !

Paneb entra en trombe dans la pièce parfumée au jasmin où son épouse se reposait dans un lit confortable, tenant son énorme bébé dans ses bras. Il avait une belle masse de cheveux noirs et deux dents sur lesquelles le père passa un index étonné.

– Je n'ai jamais vu cela, avoua la plus vieille des accoucheuses. Le cordon ombilical était si épais que nous avons eu du mal à le couper.

Paneb était émerveillé. À l'évidence, son colosse de fils n'entrerait pas dans la catégorie des malingres et des souffreteux.

– Es-tu content de moi ? lui demanda Ouâbet d'une petite voix fatiguée.

L'Ardent embrassa son épouse sur la tempe.

– Je peux le prendre ?

– Fais attention !

– Ce sera un bagarreur, j'en suis sûr !

La mère donnait la chair de l'enfant, le père son ossature ; et c'était dans les os d'un garçon que se formait son sperme. Étant donné la lourdeur de ceux du nouveau-né, Paneb se sentit rassuré sur ses facultés de géniteur.

Claire offrit à la jeune maman du miel et un gâteau de naissance, « l'œil doux d'Horus ». Une prêtresse broya finement des extrémités de tiges de papyrus pour obtenir une poudre qu'elle mélangea avec du lait de l'accouchée ; elle ferait boire la mixture au bébé avant qu'il ne soit allaité par une nourrice aux seins généreux.

– Toutes les précautions ont-elles été prises ? demanda Paneb.

Claire passa autour du cou du nouveau-né un fin collier de lin à sept nœuds auquel étaient accrochés un petit morceau de papyrus plié contenant des formules de protection contre les forces obscures, une minuscule gousse d'ail et un oignon.

– Seule la lumière sauvera cet enfant de la mort qui vient

comme une voleuse, affirma-t-elle. Nul démon ne surgira dans les ténèbres pour l'emporter, car nous maintiendrons une lampe allumée la nuit durant et nous veillerons sur lui.

Rassuré, Paneb aborda un sujet essentiel.

— Quel nom lui donnerons-nous, Ouâbet?

C'était à la mère de choisir. Elle pouvait en attribuer un qui serait utilisé pendant les premières années de l'existence et en garder un autre secret; ce dernier ne serait révélé qu'au moment où l'enfant mettrait en œuvre la qualité dont il était porteur.

— Un seul nom suffira, décida Ouâbet la Pure : notre fils s'appellera Aperti*, « Celui qui a beaucoup de force ».

Le vacarme débuta au milieu de la nuit. Il n'y eut d'abord qu'une voix grave d'homme ivre, puis une deuxième plus chancelante et enfin une troisième qui tenta de reprendre, en pire, la mélopée graveleuse de ses deux compagnons.

Les trois fêtards hurlèrent si fort leur amour du vin, des femmes et de la liberté qu'ils réveillèrent le village. Des enfants pleurèrent, des chiens aboyèrent.

Excédée, l'épouse de Paï le Bon Pain sortit pour identifier les fauteurs de troubles et leur ordonner de se taire.

Quelle ne fut pas sa surprise de découvrir son mari pantelant accroché à un bras de Paneb, cependant que, de l'autre, le jeune colosse soutenait le sculpteur Rénoupé le Jovial, incapable de tenir sur ses pieds.

Terrorisé à la vue de son épouse, Paï tomba lourdement sur le sol.

— Je peux t'expliquer... Nous avons fêté la naissance du fils de Paneb, et je...

— Rentre immédiatement à la maison!

— On est des hommes libres, déclara fièrement Rénoupé le Jovial, et nous n'avons pas fini de fêter ça!

* En égyptien, *âa-pehty*, « le grand de force, de violence ».

La matrone gifla le sculpteur, dans l'impossibilité de répliquer, et elle empoigna son mari par la peau du cou au point de lui arracher un cri de douleur.

Paneb éclata de rire, recommença à chanter tout en vidant une nouvelle cruche de vin, et s'immobilisa devant la façade de la maison de Turquoise.

Une idée amusante lui traversa l'esprit. Elle éblouirait le village en lui prouvant son talent.

Quand, au matin, la belle Turquoise ouvrit sa porte, il y avait foule pour admirer le portrait en pied que Paneb, endormi au milieu de la ruelle, avait fait de sa maîtresse. Il l'avait représentée nue et jouant du luth. Son seul vêtement était une délicate ceinture de perles dont la finesse ne servait qu'à souligner les formes admirables de la jeune femme.

Les commentaires fusaient, et ils n'étaient pas élogieux. Déjà, Nakht le Puissant commençait à effacer cette œuvrette scandaleuse, et l'on accusait Paneb d'avoir « la bouche en feu » et le cœur trop brûlant.

— Savez-vous quel forfait il a osé commettre pour être dans un état pareil ? clama une prêtresse. Il a volé du vin sur les tables d'offrandes destinées aux morts !

— Cessez d'inventer des idioties, intervint Turquoise. Tout ce que Paneb a bu provient de ma cave. Il n'y a qu'une personne qui pourrait être offensée par sa peinture : moi-même. Et je ne le suis pas. Faire la fête serait-il un délit ?

— La faire de cette manière-là, oui ! objecta l'épouse de Païle Bon Pain. Jusqu'à présent, ce village a vécu dans la tranquillité, et ce n'est pas cet exalté de Paneb qui va la briser !

— N'as-tu pas été jeune ? lui demanda Turquoise.

— Je ne me suis jamais enivrée jusqu'à perdre l'esprit et j'en suis fière ! Ce voyou ne mérite aucune indulgence.

Ched le Sauveur s'approcha. Comme toujours, il était parfumé et impeccablement rasé.

— N'oubliez pas qu'il est devenu mon assistant et qu'un

travail considérable l'attend. Pour ma part, j'estime nécessaire d'oublier cet incident.

Un débat animé s'engagea entre les villageois. Et la conclusion s'imposa d'elle-même, clamée par Casa le Cordage :

— Faisons appel au maître d'œuvre ! Lui, il trouvera la solution.

Néfer le Silencieux, qui avait travaillé tard dans la nuit sur le plan de la tombe de Mérenptah, venait précisément d'arriver sur le lieu du vacarme.

Devant l'accumulation de témoignages contradictoires, le maître d'œuvre eut quelque peine à se forger une opinion. Brève et précise, l'intervention de Turquoise l'éclaira davantage.

— Dispersez-vous, ordonna-t-il, et laissez-moi seul avec Paneb.

Au visage courroucé du Silencieux, l'épouse de Païle Bon Pain fut certaine que le fêtard allait passer un mauvais quart d'heure.

Avec une coupe en terre cuite, le maître d'œuvre prit un peu d'eau dans une grande jarre et en aspergea le visage de Paneb dont le sommeil n'avait pas été troublé par les vociférations.

L'Ardent se réveilla aussitôt et il se redressa, prêt à se défendre.

— Qui a osé...

— Ton chef d'équipe, Paneb. Celui à qui tu dois respect et obéissance.

23.

Malgré sa migraine, Paneb se leva et s'adossa au mur de la maison de Turquoise.

— Pourquoi a-t-on effacé son portrait ? s'indigna-t-il.

— Parce que les façades de nos maisons doivent rester blanches. Souviens-toi : c'est toi-même qui les as restaurées. Tu ne peux pas admettre qu'elles soient souillées par des graffiti.

Paneb jeta son pinceau en l'air.

— Je veux conquérir le ciel, les étoiles et la terre entière, les capturer dans ma peinture, faire apparaître la réalité la plus secrète, la rendre vibrante et chaude comme un corps de femme amoureuse ! Et je le peindrai où je veux, même sur le mur d'une maison !

— Non, Paneb.

LA FEMME SAGE

Le regard encore vacillant du jeune colosse osa cependant défier celui du Silencieux.

— Comment, non ? Ce n'est pas toi qui vas me dicter ma conduite !

— Je suis ton chef d'équipe et j'ai le pouvoir de t'exclure de la confrérie pour faute grave. Refuser d'obéir au maître d'œuvre en serait une.

La menace dessoûla l'Ardent.

— Tu ne parles pas sérieusement...

— Très sérieusement. Quels que soient les événements qui nous touchent, heureux ou malheureux, nous n'avons pas le droit de nous comporter comme des profanes et nous devons nous montrer dignes de la confrérie. C'est pourquoi ton attitude est inacceptable.

— Autrement dit, tu n'es plus mon ami...

— La ruche est plus importante que l'abeille, Paneb. Elle est également plus importante que les relations amicales et les préférences personnelles. C'est toi qui me conduis à agir en tant que maître d'œuvre et, quoi qu'il m'en coûte, je ne me soustrairai pas à ce devoir.

L'Ardent serra les poings.

— La figure de la musicienne nue a été effacée, le mur de la maison redeviendra blanc... Que reste-t-il à me reprocher ?

— Ivresse, tapage et manque de maîtrise de toi-même. Quand comprendras-tu enfin que tu travailles au Grand Œuvre ?

— Ça, c'est ton affaire ! Moi, je ne suis que l'assistant de Ched le Sauveur.

— Tu te trompes, Paneb. Tous les habitants de ce village, à des degrés divers, vivent la même aventure. Quels que soient tes dons, je ne t'autoriserai pas à les utiliser en solitaire.

L'Ardent sentit que le Silencieux ne plaisantait pas.

— Sais-tu au moins ce qui bouillonne au fond de moi ? Des demeures d'éternité, j'en peindrais des dizaines sans m'épuiser !

– Je te le souhaite. En attendant, ou bien tu acceptes la sanction, ou bien tu quittes la Place de Vérité.

Paneb tourna le dos à son juge.

– Cette sanction sera-t-elle infamante ?

– Tu me connais mal, peintre assistant. Même une sanction doit être utile à la confrérie.

Méhy travaillait vite et bien. Grâce à sa profonde connaissance de l'armée et de l'administration, il mettait en place des réseaux de renseignement efficaces afin d'obtenir un maximum d'informations confidentielles et de pouvoir ainsi apprécier l'évolution de la situation sans trop d'erreurs.

Le général exigeait une discipline très stricte et il s'entourait de subordonnés sans états d'âme, auxquels il promettait de substantiels avantages s'ils lui donnaient satisfaction. Promettre, ne pas tenir, expliquer pourquoi l'engagement n'avait pas été tenu, et promettre de nouveau : Méhy était passé maître dans cet art subtil auquel s'ajoutait la calomnie distillée jour après jour. Elle lui permettait d'opposer ses collaborateurs les uns aux autres et d'entretenir un climat de défiance fort utile lorsqu'il s'agirait de faire peser le poids d'un échec ou d'une mauvaise manœuvre sur les épaules de tel ou tel.

Le général mentait avec une assurance et une force de conviction qui emportaient l'adhésion de ses interlocuteurs ; comme il travaillait beaucoup, contrairement à la plupart des dignitaires, il avait une connaissance précise des dossiers et il ne redoutait aucune critique.

Chez certains officiers supérieurs se produisaient encore des poussées d'intégrité, voire de lucidité, qui pourraient se révéler menaçantes. Méhy les surveillait de près et les invitait même à dîner afin de recueillir l'avis de Serkéta, sa douce et tendre épouse. Elle avait pris tant de plaisir à tuer qu'elle n'hésiterait pas un instant à recommencer, si nécessaire. Avec une alliée de ce talent, bien des problèmes seraient résolus avant même de surgir.

De retour de la capitale Pi-Ramsès, le chef de l'escorte thébaine qui avait accompagné la garde royale se présenta à son supérieur.

– Bon voyage?

– Excellent, général. Aucun incident à signaler. Le pays est calme, la flottille de Pharaon a été acclamée tout au long du parcours, et Mérenptah est arrivé à Pi-Ramsès en excellente santé.

– Comment as-tu trouvé la grande cité du Nord?

– Pour être franc, général, moins impressionnante que Thèbes. Les temples et les palais sont grandioses, certes, mais il leur manque encore la durée qui fait la gloire de notre cité. Et rien ne saurait égaler Karnak.

– Es-tu parvenu à te renseigner sur le climat politique?

– Il est plutôt troublé. Nul ne conteste la capacité de Mérenptah à gouverner, mais des ambitions se heurtent déjà en vue d'une succession qui ne devrait pas tarder, en raison de l'âge du roi.

– Oublie-t-on qu'il est le fils de Ramsès le Grand et qu'il pourrait vivre aussi vieux que lui?

– On l'oublie, en effet. Et deux candidats sérieux commencent à échanger des coups : Séthi, le fils de Mérenptah, et Amenmès, le turbulent fils de Séthi que son propre père semble incapable de contrôler.

– Il me faudra un maximum de renseignements sur ces deux personnages, exigea Méhy.

– Nous avons quelques bons amis à Pi-Ramsès, des officiers d'origine thébaine.

– Le retour précipité du roi a-t-il été causé par une tentative de coup d'État?

– Une fausse rumeur s'est propagée à Pi-Ramsès : celle du décès de Mérenptah à Thèbes. Aussitôt, Amenmès a fait dire que son père était si affecté qu'il n'aurait pas le courage de monter sur le trône. Plusieurs démentis sont arrivés par courriers officiels, mais la rumeur a persisté, et il a fallu que le roi revînt en toute hâte pour montrer qu'il était bien vivant. Tout semble rentré dans l'ordre, néanmoins Mérenptah aura de grandes difficultés à asseoir son autorité et à déjouer les intrigues.

« Voilà pourquoi il tient tant à la soumission absolue de la région thébaine, pensa Méhy ; si elle se révoltait, aurait-il les moyens de rétablir l'ordre ? »

— Un autre détail, général : toutes les garnisons des frontières de l'Ouest et du Nord-Est ont été mises en état d'alerte.

Méhy fulmina.

— Mais c'est une information essentielle ! Pourquoi n'as-tu pas commencé par là ?

— Parce que, renseignements pris, il ne s'agissait que d'un exercice. Mérenptah voulait s'assurer que ses ordres seraient correctement transmis et exécutés. Il n'y a eu aucune faille dans le système, semble-t-il.

— Tout de même... Cet exercice ne cache-t-il pas une menace d'invasion ?

— Non, car la situation est paisible, sans aucun affrontement à l'horizon. Néanmoins, certains gradés estiment que le matériel a vieilli, que le nombre de bons soldats a diminué, et que de longues années de paix ont fait oublier à l'armée égyptienne le sens du combat.

— C'est pourquoi j'ai procédé à de nombreuses réformes parmi les troupes thébaines !

— Bien que les régiments d'élite, chargés de défendre les frontières en cas d'attaque, se trouvent à Pi-Ramsès, il est probable que leur entraînement n'est pas assez intense. Mais aucune menace sérieuse ne pèse sur l'Égypte, et la paix instaurée par Ramsès le Grand devrait perdurer.

Tel n'était pas l'avis de Méhy : Ramsès était mort, et sa magie avec lui. Bientôt, les intentions belliqueuses des Libyens, des Syriens et des Asiatiques se réveilleraient, et ce n'était pas un Mérenptah vieillissant qui saurait contrecarrer les menées agressives et revanchardes de ces peuples en mal de guerre que Ramsès avait si bien su placer sous son joug.

À Méhy de savoir utiliser au mieux les dernières années de paix pour rendre l'armée thébaine encore plus puissante ; demain, ne serait-elle pas l'ultime recours et lui, le sauveur ?

— Que dit-on de la reine ? demanda le général.

— Elle est fidèle à son mari et elle n'a aucun motif de dissension avec lui. Leur couple est très solide, et Mérenptah n'a jamais manifesté le moindre intérêt pour les jeunes beautés qui paradent à la cour. Son austérité naturelle l'a entraîné vers un travail assidu et il a rarement honoré un banquet de sa présence. À présent qu'il est roi et que le poids de ses responsabilités s'est accru, il est aisé d'imaginer qu'il ne sacrifiera même plus aux plaisirs d'une promenade en barque dans les marais.

« Dommage, estima Méhy ; une reine médiocre et perfide aurait pu être manipulée avec quelque profit. »

— Et la Maison de la reine ?

— Iset la Belle dirige son personnel avec une poigne de fer. En réalité, elle contrôlait cette Maison depuis plusieurs années, avec l'approbation de Ramsès, et voilà bien longtemps qu'aucun scandale n'a éclaté à la cour. L'épouse de Mérenptah a une réputation d'excellente gestionnaire, et personne ne tenterait de l'abuser.

Aux yeux de Méhy, ce rapport présentait beaucoup de points positifs qu'il devait être prêt à exploiter en fonction des événements ; mais attendre n'était pas une solution. À lui de déceler de nouvelles failles ou d'élargir celles qui existaient déjà, tout en répondant à une question très délicate : quelle attitude adopter envers la Place de Vérité ?

24.

Le chef Sobek aimait son métier et il était un bon policier.
Et comme tout bon policier, il possédait le sens aigu du danger.
Or, il le sentait tout près de lui, à l'intérieur même de la Place
de Vérité. Dix années de vaines recherches n'avaient pas
émoussé son désir de découvrir l'assassin du policier nubien et
l'homme qui voulait nuire à Néfer le Silencieux. Obsédante, la
même hypothèse revenait sans cesse : ce monstre se cachait
dans le village, et il appartenait à l'équipe dont Néfer était le
chef.

Avec la disparition de Ramsès et la nomination du Silencieux comme maître d'œuvre, le criminel avait-il décidé de se
tenir tranquille à jamais ? Sobek ne le croyait pas. Patient et
déterminé, ce démon poursuivait un but précis.

Plus que jamais, Néfer était exposé.

Et le traître avait forcément des complicités à l'extérieur, comme cet Abry qui ne s'était pas suicidé mais que l'on avait supprimé pour l'empêcher de parler. Abry, administrateur principal de la rive ouest, protecteur désigné de la Place de Vérité ! Comment mieux souligner la gravité du mal ? Sa disparition coupait une piste majeure, mais Sobek parviendrait peut-être à renouer les fils du complot en identifiant l'artisan qui avait renié son serment.

Aussi le Nubien venait-il de prendre une décision qu'il ne communiquerait à personne : en utilisant tous les moyens dont il disposait, il allait suivre à la trace chacun des membres de l'équipe de droite. Si une bête immonde se terrait en son sein, elle finirait par commettre une erreur.

C'était sa seule chance de réussir, et il ne la manquerait pas.

— Chef, l'avertit l'un de ses hommes, l'âne est arrivé.

— L'âne... Quel âne ?

— Ben... Celui que vous avez commandé, il paraît.

— Ah oui, c'est vrai ! Dis au vendeur que je le paierai dans la semaine.

Sobek écouta les rapports des policiers nubiens qui ne lui signalèrent aucun incident. La Vallée des Rois était bien gardée, et nul suspect n'avait tenté de s'en approcher. Mais la troupe se plaignait du nombre d'heures de surveillance qu'elle était obligée d'effectuer alors que la situation paraissait calme. De plus, ce surcroît de labeur était fort mal payé.

Le chef Sobek entra dans une violente colère.

— Où vous croyez-vous, bande d'imbéciles ? Vous n'êtes pas chargés d'assurer la surveillance d'un dépôt de grains mais d'assurer la protection de la Place de Vérité ! Servir ici est un honneur, et qui ne le comprend pas peut me donner sa démission sur-le-champ.

La grogne disparut, et chacun retourna à son poste pendant que Sobek examinait son âne.

— Combien le marchand en exige-t-il ?

— Une pièce d'étoffe, une paire de sandales, un sac de seigle et un autre de farine, répondit le planton.

— Il se moque de moi ! Cette pauvre bête est vieille et malade, incapable de parcourir les sentiers de la montagne. Qu'on l'emmène dans une palmeraie où il terminera paisiblement ses jours.

Le marchand d'ânes s'inclina devant Méhy.

— J'ai agi selon vos instructions.

— As-tu bien livré une vieille bête au chef Sobek ?

— Si vieille qu'elle peut à peine avancer.

— En as-tu demandé un bon prix ?

— Celui d'un âne en bonne santé.

— Le bon de livraison a-t-il été enregistré ?

— Bien entendu, mais avec la description d'un animal vigoureux, vu par plusieurs témoins lorsqu'il est sorti de mon enclos.

— Parfait... Sobek est donc obligé de te payer. Surtout, ne le harcèle pas et laisse le temps passer. J'ai une bonne nouvelle pour toi, marchand : l'administration te commande une centaine d'ânes. Que tes bêtes soient résistantes et leur prix modéré, car j'ai le plus grand souci des finances publiques.

Paneb avait travaillé jour et nuit afin de se débarrasser au plus vite de la corvée qui lui avait été imposée par le maître d'œuvre. En fin de compte, il avait eu l'occasion d'apprendre une nouvelle technique, celle de la sculpture des stèles, et de perfectionner un type de dessin qu'il avait peu pratiqué jusquelà.

Comme le vin de Turquoise était excellent, la migraine du jeune colosse n'avait pas duré longtemps ; et comme Aperti et sa mère se portaient tous deux à merveille, Paneb n'avait pas regretté un seul instant la petite fête qui continuait à susciter la réprobation du village. Isolé dans son atelier, le fautif avait la chance de ne pas entendre les commérages.

LA FEMME SAGE

Quand apparut Néfer le Silencieux, le peintre assistant mettait une dernière touche de vert à l'oreille d'un Osiris.

Des oreilles, il en avait façonné plus d'une centaine : des noires, comme celles de l'illustre reine Ahmès-Néfertari, fondatrice de la confrérie féminine de la Place de Vérité ; des jaunes, comme celles de son royal fils, Amenhotep Ier, vénéré par les bâtisseurs ; des bleu foncé pour évoquer le ciel où circulait l'air créé par les dieux ; des oreilles de calcaire, longues de sept centimètres, larges de quatre, épaisses de deux ; d'autres sculptées en ronde bosse ou en creux sur des stèles qui seraient déposées dans les chapelles.

— Je n'avais exigé qu'une dizaine de paires d'oreilles comme offrande au temple, dit le maître d'œuvre.

— J'y ai pris goût... Avec cet ensemble, les dieux devraient entendre les prières du village entier.

— La magie doit opérer dans les deux sens, Paneb ; puissent-ils nous entendre, en effet, mais puissions-nous surtout les écouter, et toi en particulier. As-tu oublié qu'un Serviteur de la Place de Vérité est « celui qui entend l'appel » ? En n'écoutant que toi-même, tu risques de devenir sourd à l'esprit du village.

— « Écouter est meilleur que tout »... Mais je ne fais que ça depuis dix ans !

— D'abord, tu exagères ; ensuite, crois-tu qu'un artisan ait un jour fini d'écouter ?

— Cesse de me faire la morale ! Dois-je distribuer moi-même ces oreilles ?

— En doutais-tu ?

Nakht le Puissant interrompit les deux hommes.

— Une tragédie, articula-t-il avec peine, une horrible tragédie... L'enfant... Il n'a pas survécu !

Paneb sortit de l'atelier comme une flèche et courut jusqu'à sa maison.

Pourquoi le destin le frappait-il d'une manière aussi cruelle ? S'enivrer n'était quand même pas une faute aussi grave contre les dieux ! Oui, il était trop fier de son talent et sa tête avait enflé ces dernières semaines, mais le bambin n'en était pas responsable.

Ouâbet la Pure se reposait dans la première pièce.

— Paneb... Tu as l'air bouleversé !

— Comment est-ce arrivé ?

— De quoi parles-tu ?

Il la prit par les épaules.

— Dis-moi, Ouâbet, je veux savoir !

— Mais... À quel propos ?

— Mon fils... Comment est-il mort ?

— Qu'est-ce que tu racontes ? La nourrice lui donne le sein !

Paneb fonça dans la chambre. Aperti tétait avec avidité, sans reprendre son souffle.

— Il a déjà pris du poids, dit la nourrice ; vous avez vraiment un beau garçon.

Ouâbet la Pure apostropha son mari.

— Tu parlais d'un enfant mort...

— C'est Nakht qui m'a averti.

Affolés, les villageois se rassemblaient sur le lieu du drame. Appelée d'urgence, la femme sage n'avait pu que constater le décès d'un garçonnet qui avait voulu jouer l'équilibriste sur le rebord d'une terrasse pour éblouir une fillette et qui était tombé la tête la première dans la ruelle. Le sort avait voulu qu'il heurtât les marches d'un escalier.

Personne n'osait toucher au cadavre. Ce fut Paneb qui souleva doucement le petit corps désarticulé et le tint contre sa poitrine, comme si le bambin dormait.

Un homme se détacha de l'assistance, le visage creusé par la souffrance.

— C'est mon fils, dit l'orfèvre Thouty. Il n'avait que cinq ans.

— Veux-tu le prendre ?

— Non, Paneb, je n'en ai pas le courage... Merci pour ton aide, merci de tout cœur.

La mère s'était évanouie, la femme sage s'occupait d'elle.

Le maître d'œuvre avait revêtu la robe étoilée du prêtre de résurrection et demandé à plusieurs artisans de se purifier pour l'assister lors des rites funéraires.

Bouleversés, les villageois se dirigèrent en procession vers le cimetière de l'Est où, dans la partie basse, étaient inhumés les enfants morts en bas âge. Des amphores abritaient les fœtus et les bébés mort-nés, des corbeilles rondes ou ovales les nourrissons que la mort ravisseuse avait dérobés en se jouant des protections magiques.

Pour le fils de l'orfèvre, Didia le Généreux avait offert un petit coffre rectangulaire en sycomore au couvercle plat qu'il gardait en réserve dans son atelier.

Pendant que Néfer le Silencieux célébrait un court rituel annonçant le retour du bambin dans le corps immense de sa mère céleste, Paneb enveloppait le petit cadavre dans une toile de lin et le couchait dans le sarcophage où Turquoise avait déposé deux vases contenant du pain, des raisins et des dattes qui lui serviraient de provisions sur le chemin de l'au-delà.

Puis le cercueil fut descendu dans une fosse, et le dieu de la terre l'absorba pour le transformer en une barque qui voguerait dans les étendues d'eau du cosmos.

Conformément à leur règle, les artisans de la Place de Vérité étaient leurs propres prêtres et ils n'avaient besoin d'aucune aide extérieure. Le village entier porterait le deuil, et personne n'oublierait les larmes de Paneb qui, jusqu'au moment où il avait dû se séparer du garçonnet, avait voulu croire que sa chaleur et son énergie le ramèneraient à la vie.

25.

– Cette fois, Méhy, ma patience est épuisée, et vous ne trouverez aucune bonne raison pour m'obliger à attendre davantage !

Le petit homme gras et barbu qui osait apostropher ainsi le général se nommait Daktair, fils d'un mathématicien grec et d'une chimiste perse. Avec ses yeux noirs agressifs, ses poils roux et ses jambes trop courtes, il ne payait pas de mine et n'avait rien pour séduire.

Placé à la tête du laboratoire central de Thèbes installé sur la rive ouest, non loin de la Place de Vérité, Daktair avait conçu un grand projet : faire entrer la vieille Égypte dans l'ère de la science et du progrès, l'arracher à ses croyances désuètes et utiliser enfin son formidable potentiel. Après avoir pillé les idées d'autrui pour devenir un savant reconnu et écouté, Daktair voulait imposer ses vues et mettre enfin la nature au service de l'homme.

Pour réussir, il lui manquait encore deux éléments décisifs : l'appui d'un homme politique de premier plan et la connaissance des secrets de la Place de Vérité. Or Méhy était le seul Égyptien capable de lui donner pleine et entière satisfaction. À sa spectaculaire ascension correspondait son désir de s'emparer des trésors de la confrérie dont il affirmait, pour les avoir vus, qu'ils n'étaient pas une légende.

Pourtant, ce protecteur et cet allié l'avait laissé croupir lui, Daktair, dans une existence banale où, malgré sa position, il n'avait pu déployer ses talents.

Méhy regardait Daktair en souriant.

— Tu t'es senti oublié, n'est-il pas vrai ?

— C'est exact !

— Tu t'es trompé. J'avais simplement d'autres priorités.

— Mais la science…

— La science n'est pas indépendante du pouvoir et elle ne le sera jamais ! Vois-tu, la disparition de Ramsès et ses conséquences me paraissent beaucoup plus importantes que tes desiderata.

— Je veux bien l'admettre, mais vous êtes à présent général et administrateur principal de la rive ouest… Qu'est-ce qui vous empêche d'agir ?

— Tu es une sorte de génie, Daktair, et nous mènerons à terme tes projets grandioses. Pourtant, tu connais mal l'Égypte. Certes, je suis non seulement le maître occulte de la riche et puissante région thébaine, mais aussi le protecteur désigné de la Place de Vérité. Et le pharaon en personne me demandera des comptes.

— Cela signifie-t-il… que nous sommes pieds et poings liés ?

— Pas du tout, mon cher Daktair ! Mais nous devrons nous montrer prudents et rusés comme des fauves.

Dépité, le savant se tassa sur lui-même.

— Les secrets de cette maudite confrérie sont donc hors de portée...

— Pour un homme qui s'est montré si patient, tu te désespères bien vite !

— Je suis lucide... Vos nominations vous réduisent à l'impuissance !

— Sache que je ne renonce jamais et que j'utilise les circonstances mieux que quiconque. Les pouvoirs dont je dispose sont des avantages, non des inconvénients.

— Mais... comment comptez-vous agir ?

— D'abord, me débarrasser d'un personnage gênant, le chef Sobek, que je n'ai pas réussi à corrompre ; une procédure légale aboutira à sa destitution et elle privera enfin le village de son infranchissable cordon de sécurité. Ensuite, contraindre le scribe de la Tombe et le maître d'œuvre à remplir leurs obligations. Ne m'as-tu pas parlé d'une expédition très particulière qui doit être organisée à intervalles réguliers ?

— Si, et j'ignore pourquoi les artisans de la confrérie y sont toujours associés.

— La fin du règne de Ramsès et le début de celui de Mérenptah ont bouleversé les habitudes, mais il m'appartient de les rétablir. En tant que directeur du laboratoire central, je suppose que tu manques de galène et de bitume ?

Le visage ingrat de Daktair s'épanouit.

— Vous aurez un rapport circonstancié dès demain et une demande urgente d'approvisionnement !

— Aimes-tu les voyages, mon ami ?

— Ils ne m'effraient pas.

— Tu seras le patron de cette expédition, Daktair. Ainsi, tu pourras tout contrôler.

Les artisans de la Place de Vérité étaient divisés en deux catégories : ceux qui pratiquaient une technique poussée à sa perfection sans être « introduits auprès de Dieu » et ceux qui, comme Néfer le Silencieux, avaient vécu les mystères de la

Demeure de l'Or et pouvaient donc officier à la manière des grands prêtres de Karnak.

À la fois artisan et ritualiste, le maître d'œuvre se rendait chaque jour au temple pour y effectuer le travail primordial, à savoir le dévoilement de la lumière divine qui rendait vivants le bois, la pierre et les autres matériaux.

En se purifiant avant d'entrer dans le sanctuaire, Néfer songeait aux qualités exigées d'un sage : accomplir ce qui est droit et juste, être cohérent, silencieux et calme, avoir un caractère ferme capable de supporter le bonheur comme le malheur, un cœur vigilant et une langue capable de trancher. Comme il était loin de posséder toutes ces vertus, alors qu'elles lui eussent été si nécessaires pour remplir sa fonction sans faillir !

Il n'avait d'autre solution que d'avancer, jour après jour, en se préoccupant de la confrérie plutôt que de lui-même. La célébration des rites du matin lui redonnait de l'énergie, alors qu'il se demandait comment assumer ses multiples charges.

Vêtu du tablier d'or remis par Pharaon, Néfer pénétra dans le temple principal de la Place de Vérité, dédié à Maât, la règle éternelle de l'univers, et à Hathor, l'amour créateur. Deux chemins qui n'en faisaient qu'un, deux visages d'une même puissance divine.

Premier îlot émergé de l'océan des possibles, le sanctuaire était l'œil de Dieu qui regardait le monde. Être vivant en perpétuelle métamorphose, il se nourrissait de sa propre substance, la lumière cachée dans les pierres.

Ici, tout était résonance, musique céleste, nombres et proportions harmoniques ; ici étaient abolis le hasard et le destin pour laisser place à une vie sublimée que nulle imperfection n'entachait. Semblable au ciel en toutes ses parties, le temple était la demeure de la Mère des bâtisseurs, qu'elle s'appelât Maât, Hathor ou déesse du silence ; c'est là qu'elle faisait renaître ses enfants en esprit.

Après avoir accompli l'offrande de Maât à elle-même, à l'instant où Pharaon célébrait le même rite dans le grand temple de Pi-Ramsès, Néfer se rendit dans la salle de la barque qui, sur ce site, avait une importance particulière. La Place de Vérité n'était-elle pas comparée à une grande embarcation où prenaient place les deux équipages ?

En ce jour de deuil pour l'orfèvre Thouty, son compagnon d'aventure, le maître d'œuvre voulait associer son fils au grand voyage de la confrérie. Aussi traça-t-il un soleil sur une coupe neuve qu'il déposa à l'avant de la barque sacrée dont les rameurs étaient les étoiles impérissables. Elles emmèneraient avec elles l'âme du garçonnet.

Quand le maître d'œuvre sortit du temple, le soleil du petit matin brillait déjà avec générosité. Les prêtresses d'Hathor garnissaient de fleurs les autels des ancêtres, les maîtresses de maison allaient puiser de l'eau fraîche et l'on entendait des rires d'enfants qui abolissaient le drame et traçaient l'avenir.

De part et d'autre de la porte ouverte dans l'enceinte, deux stèles à oreilles installées par Paneb. Leur présence arracha un sourire à Néfer qui se rendait à l'atelier de sculpture.

À sa grande surprise, il trouva porte close.

Rénoupé le Jovial accourut.

— Surtout, ne t'inquiète pas ! Tout va bien.

— Pourquoi cet atelier n'est-il pas ouvert ?

— Simple contretemps.

— Ouserhat le Lion serait-il souffrant ?

— Lui, souffrant ? Non, je ne crois pas.

— N'aurait-il pas dû te confier la clé ?

— Si, sans doute, mais… Mais il l'a perdue ! Alors, forcément, il la cherche, et c'est pourquoi il est en retard. Dès qu'il l'aura retrouvée, il ouvrira la porte et nous nous mettrons au travail.

— Tu mens très mal, Rénoupé. Pourquoi ne pas me dire la vérité ?

Le sculpteur força sa jovialité naturelle.

160

– Il n'y a rien de bien grave, je t'assure... Un simple malentendu qui se dissipera très vite, j'en suis sûr.

– Pourrais-tu être plus clair ?

– Tu connais Ouserhat, il n'est pas d'un caractère facile... De temps en temps, il pique une colère impressionnante.

– Quelle est la cause de son mécontentement ?

– Disons... Un léger différend avec notre collègue Ipouy l'Examinateur. Mais ce n'est pas dramatique, je t'assure !

– Pourquoi cette querelle empêche-t-elle Ouserhat d'ouvrir l'atelier de sculpture ?

Rénoupé n'osa pas regarder en face le maître d'œuvre.

– Eh bien... Ouserhat refuse de reprendre le travail.

26.

Dans la première pièce de sa confortable demeure, Ouserhat le Lion avait rendu hommage aux ancêtres en déposant des fleurs sur la table d'offrande et il s'amusait à transformer un morceau de sycomore en canard aux ailes articulées avec lequel ses deux filles joueraient pendant des heures.

— J'attendais ta visite, dit-il au maître d'œuvre.

— Et moi, j'attends tes explications.

Ouserhat reposa le ciseau et le canard inachevé, puis il fit face à Néfer le Silencieux. Le torse puissant de l'artisan frémissait d'indignation.

— Je suis le chef sculpteur de l'équipe de droite, et même mes confrères de l'équipe de gauche me considèrent comme leur maître. Est-ce bien exact?

— C'est bien exact.

– En ce cas, je ne saurais admettre le comportement inju-
rieux d'Ipouy l'Examinateur à mon égard ! Depuis qu'il a tenu
un éventail pour donner de l'ombre au pharaon, ce prétentieux
se croit tout permis. Dans ces conditions, ma décision est prise :
tant qu'il ne sera pas exclu de la confrérie, je ne reprendrai pas
le travail et l'atelier de sculpture sera fermé.

Le maître d'œuvre aurait pu, lui aussi, s'indigner de
manière véhémente et rappeler à Ouserhat que son attitude
n'était pas conforme à la règle de la confrérie, et qu'elle ne
valait guère mieux que celle de Paneb. Mais c'eût été jeter de
l'huile sur le feu et risquer d'aggraver la situation au moment
où le Silencieux avait besoin d'une équipe cohérente pour
entreprendre deux chantiers majeurs.

Aussi Néfer préféra-t-il s'asseoir sur un tabouret et tenter
de vider l'abcès.

– Que reproches-tu à Ipouy ?

Le chef sculpteur s'assit à son tour.

– Connais-tu le prix d'un beau porc ?

– Environ deux paniers ordinaires, estima le maître
d'œuvre.

– Je comptais en acheter trois et j'en offrais un excellent
prix : un panier de luxe ! L'affaire semblait conclue, mais le vendeur m'a prévenu qu'il avait un meilleur client qui lui offrait...
un lit ! Un lit simple, mais tout de même... Une offre exorbi-
tante sans rapport avec la valeur réelle de trois porcs ! Et
sais-tu quel est le malhonnête qui s'amuse à provoquer cette
inflation ? Ipouy l'Examinateur, mon collègue sculpteur. Il
savait fort bien que ces porcs m'étaient destinés, mais il les a
acquis à n'importe quel prix pour me narguer !

– Admettons... Mais pourquoi cette rivalité ?

– Parce que nous ne sommes pas d'accord sur le prix de
vente d'une statue en calcaire que nous devons livrer au supérieur des greniers de Karnak. Ipouy en exige beaucoup trop, à
mon goût, et il refuse d'admettre mon point de vue. Si je suis
bien son supérieur, qu'il m'obéisse ! Sinon, plus de sculpture.

— Tu as raison.

Le visage d'Ouserhat s'illumina.

— Je t'ai toujours soutenu, Néfer, et je ne le regrette pas ! Quand réuniras-tu le tribunal pour prononcer l'exclusion d'Ipouy ?

— Il y a plus urgent.

— Ah... Quoi donc ?

— Prévenir le vendeur de porcs qu'il n'effectuera plus aucune transaction sur des bases insensées. S'il persiste, plus personne ne lui achètera ses bêtes ; et si c'est Ipouy seul qui persiste, il se ruinera.

— Bien, bien... Mais pour le prix de la statue ?

— Je te l'ai dit, tu as raison : plus de sculpture. La commande est annulée, vous ne livrerez aucune statue au supérieur des greniers. Ipouy aura tout perdu, et ton honneur sera sauf.

— Certes, mais c'est un gros manque à gagner... On pourrait peut-être transiger.

— Toi, transiger avec Ipouy ?

— Non, bien sûr, mais tout de même... Avec ton autorité, tu pourrais lui parler et lui faire admettre son erreur. On achèverait la statue et on la vendrait au prix que tu aurais déterminé.

— À ces conditions-là, accepterais-tu de te réconcilier avec Ipouy ?

Ouserhat le Lion offrit une coupe d'eau fraîche au maître d'œuvre.

— Au fond, ce n'est pas un mauvais bougre... Mais le chef sculpteur, c'est moi !

— Si nous allions ouvrir l'atelier ?

Ouserhat bomba le torse.

— C'est mon devoir, et je suis fier de l'accomplir. Dis-moi, Néfer... Ne me juges-tu pas un peu prétentieux, moi aussi, et peut-être plus stupide qu'Ipouy ?

— L'important, c'est l'œuvre que nous avons à accomplir. Je n'ai envie de vous juger ni l'un ni l'autre.

LA FEMME SAGE

Sous le regard de Néfer le Silencieux, Rénoupé le Jovial coupait du bois pendant qu'Ipouy l'Examinateur affinait un pilier « stabilité » avec une herminette. Dans un coin de l'atelier, un masque funéraire et un sarcophage.

Ouserhat le Lion avait terminé l'ébauche de la statue représentant un dignitaire agenouillé, les mains posées à plat sur les cuisses, le regard levé vers le ciel. Il achevait le premier polissage au moyen d'une pâte abrasive à base de poudre de quartz qu'il appliquait avec douceur.

Le regarder travailler était fascinant : il caressait la statue, lui murmurait des confidences sur la manière dont il allait la rendre vivante et gardait un rythme si régulier qu'il exigeait une totale maîtrise de son souffle et de sa main.

Ouserhat tendit une scie à Ipouy.

– À ton tour.

Leurs regards s'affrontèrent. Dans celui d'Ouserhat, une rigueur dépourvue d'animosité ; dans celui d'Ipouy, du respect et de l'amitié.

L'Examinateur repéra les lignes rouges qu'Ouserhat avait tracées sur le calcaire pour définir les contours de la statue. Avec une remarquable sûreté d'exécution, il découpa les morceaux de pierre inutiles afin d'obtenir la silhouette que désirait le chef sculpteur.

La figure de l'homme en prière commençait à naître.

Ce fut Rénoupé le Jovial qui se chargea avec enthousiasme du deuxième polissage, trop heureux de voir ses collègues réconciliés.

– Quand tu auras terminé, annonça Ouserhat, je percerai les oreilles, les yeux et les mains avec un foret en silex ; Ipouy séparera les jambes à l'aide d'un tube creux en cuivre qu'il tournera entre ses mains, et je procéderai moi-même au dernier polissage, le plus délicat, car il fixera à jamais le modelé du visage et du corps. Ce sera une belle statue, compagnons, je vous le promets !

— Hâtez-vous de la finir, exigea le maître d'œuvre, car vous n'allez pas manquer de travail dans les mois à venir. Nous aurons besoin de nouvelles statues de bois pour la fête d'Amenhotep Ier, notre fondateur, et de plusieurs statues de culte du pharaon Mérenptah.

Les trois sculpteurs auraient dû s'attendre à cette décision, mais l'entendre de la bouche même du maître d'œuvre lui donnait une autre dimension. Soudain, l'ampleur et la difficulté de l'œuvre à réaliser leur sautaient au visage.

— Il nous faudra une grande quantité de pierres de première qualité, prévint Ouserhat le Lion.

— J'envoie des messages aux principales carrières dès aujourd'hui, promit Néfer. Vous disposerez également d'outils neufs et de tout le matériel nécessaire.

— Faudra-t-il rogner sur nos jours de vacances?

— Pour être franc, ce n'est pas impossible. La Place de Vérité devra se montrer à la hauteur de sa réputation, et j'ai le sentiment qu'il faudra éviter de perdre du temps.

— Nous ne risquons pas de nous ennuyer, constata le Jovial en se grattant la tête. Quand disposerons-nous d'un portrait officiel du roi?

— Le voici, dit le maître d'œuvre en dévoilant un modèle en plâtre qui représentait un Mérenptah austère, dont la noblesse de traits était digne de celle de Ramsès le Grand.

— Tu n'as pas perdu la main, constata Ouserhat; le véritable maître sculpteur, c'est toi.

— Tu m'as tout appris... Je compte sur vous pour créer des colosses, des statues debout en Osiris, des statues assises et d'autres dans la posture de l'offrande.

Ched le Sauveur pénétra dans l'atelier et jeta un œil intéressé aux travaux en cours.

— Il est agréable d'avoir des collègues compétents, reconnut-il avec un léger dédain. Puis-je vous enlever le maître d'œuvre quelques instants?

Dans le langage du peintre, il s'agissait d'une urgence.

Pourtant, Ched ne se départit pas de son allure élégante pour grimper vers la tombe de Kenhir.

– Il fallait que je te montre au plus vite le dernier exploit de Paneb l'Ardent.

Un souci de plus... Le maître d'œuvre se demandait combien de surprises lui réservait encore cette journée harassante.

Ched le Sauveur s'immobilisa devant la paroi sur laquelle Paneb avait repris et modifié la représentation du prêtre faisant offrande au dieu Ptah. Elle était éclairée par une lumière douce qui mettait en valeur la finesse du trait et la beauté des couleurs.

– Mais... C'est splendide ! jugea Néfer.

– N'est-ce pas ? Un grand peintre est né.

27.

Le coup de balai de Niout la Vigoureuse ne faiblissait pas. À plusieurs reprises, elle avait tenté de prendre d'assaut le bureau de Kenhir qui éprouvait de plus en plus de difficultés à préserver son domaine. La petite peste prenait de l'assurance, discutait les ordres et n'en faisait parfois qu'à sa tête. Mais comme sa cuisine demeurait excellente, le scribe de la Tombe ne voyait plus comment se passer d'elle.

— Le facteur vient d'apporter cette lettre pour vous, dit-elle en lui remettant un papyrus marqué au sceau de Méhy, administrateur principal de la rive ouest.

Kenhir le lut aussitôt.

Formulée en termes polis, il ne s'agissait pas moins d'une convocation impérative pour le lendemain.

— Je dois sortir, dit le scribe à sa servante.

— Le déjeuner est presque prêt.

— Je ne serai pas long.

Kenhir trouva le maître d'œuvre à l'atelier de sculpture où il étudiait quelques modèles de statues proposés par Ouserhat le Lion.

— Je suis convoqué par Méhy, lui apprit-il.

— Est-ce anormal? demanda Néfer.

— Non, il ne fait que se conformer aux devoirs de sa charge. Qu'il désire s'entretenir avec moi n'a rien d'illégal, mais je ne suis pas obligé de répondre à sa demande.

— En éconduisant ce Méhy, ne risquez-vous pas de créer des tensions inutiles?

— On peut le craindre. D'après mes renseignements, ce personnage exerce ses fonctions avec beaucoup de compétence et de sérieux. De plus, il devrait être notre principal protecteur contre d'éventuels tracas administratifs et il vaudrait mieux s'attirer ses bonnes grâces.

— Vous ne semblez pourtant guère désireux de le rencontrer.

— C'est vrai, reconnut Kenhir, car je redoute d'éventuelles exigences de sa part. Comme la plupart des hauts fonctionnaires, il ne peut pas comprendre le rôle de notre confrérie et il voudra sans doute restreindre ce qu'il considère comme des privilèges. En ce cas, notre conversation s'interrompra de manière brutale. Ce Méhy devra admettre qu'il n'a aucune prise sur nous et qu'il n'obtiendra aucune concession.

Le portier de la somptueuse villa de Méhy s'inclina devant le scribe de la Tombe et fit appeler l'intendant qui accourut.

— Mon maître vous attend, dit-il en s'inclinant à son tour. Si vous voulez bien me suivre...

L'intendant laissa à sa droite l'entrée des domestiques pour s'engager dans une allée dallée et bordée de caroubiers. Elle se prolongeait par un grand jardin au centre duquel avait été aménagée une pièce d'eau.

Dès qu'il eut franchi le seuil de l'imposante demeure, Kenhir fut convié par deux serviteurs à s'asseoir sur un siège bas. Ils lui lavèrent les mains et les pieds, les essuyèrent avec des linges parfumés et lui offrirent une belle paire de sandales.

Puis l'intendant fit traverser au scribe de la Tombe une antichambre dont le plafond orné d'entrelacs végétaux était supporté par deux colonnes de porphyre, et il l'introduisit dans une vaste salle à quatre colonnes décorée de scènes de chasse et de pêche dans les marais.

— Maître, votre invité.

Vêtu d'une chemise plissée à la dernière mode et d'un pagne long maintenu par une ceinture de cuir, Méhy posa son écritoire et vint à la rencontre de son hôte.

— Mon cher Kenhir, quel plaisir de vous rencontrer ! J'ai préféré que nous conversions en privé, chez moi, plutôt que dans le cadre un peu guindé de mes bureaux. Et je vous ai réservé une petite surprise...

Sur une table basse, une amphore rouge portait la mention : « Vin blanc de l'oasis de Khargeh. Ramsès, an 5 ».

L'échanson remplit deux coupes et s'éclipsa.

— Un cru exceptionnel datant de l'année où Ramsès le Grand a vaincu les Hittites à Kadesh ! Entre nous, il ne m'en reste que trois jarres... Goûtons-le, voulez-vous ?

Kenhir prit place dans un siège à pattes de lion d'une excellente facture, comme l'ensemble du mobilier. Le nouveau général aimait la richesse et il ne se privait pas de l'étaler. Enjoué, chaleureux, il savait mettre ses hôtes à l'aise. Mais son charme n'opérait pas sur Kenhir le Bougon qui, cependant, apprécia à sa juste mesure l'exceptionnel vin blanc dont le fruité était digne d'admiration.

— Souhaitez-vous des fruits ou des gâteaux ?

— Je me contenterai de ce grand cru. Une merveille, vraiment.

— Faire plaisir à un ami est une des joies de l'existence ! Par chance, nous vivons dans un pays où l'on sait produire des vins de cette qualité-là. Me permettez-vous de m'enquérir de votre santé ?

— Je ne suis plus un jeune homme, mais la bête est solide et aucun mal sérieux ne l'affecte.

— Buvons à notre longévité !

La deuxième coupe était aussi délicieuse que la première.

« S'il tente de me soûler, pensa Kenhir, il risque d'être déçu, à moins de vider une bonne partie de sa cave. Et ce n'est pas la crainte de la goutte qui me fera reculer. »

— Vous savez peut-être que Pharaon m'a confié deux fonctions, celle de général des forces armées thébaines et celle d'administrateur principal de la rive ouest. Dans son esprit, elles sont liées, car j'ai le devoir d'assurer la sécurité de cette région aux innombrables richesses ; et j'ai bien l'intention de remplir ma mission sans faillir. Elle vous concerne d'ailleurs directement, puisque la Place de Vérité fait partie des entités administratives de mon territoire.

— Elle se situe bien sur la rive ouest, rectifia Kenhir d'un ton rogue, mais elle ne dépend que de Pharaon.

— Certes, mon cher, et c'est la règle depuis sa fondation ! Mon rôle consiste simplement à la protéger de toute atteinte, en ajoutant mes compétences à celle de Sobek, le chef de la sécurité du village. Sachez que le roi Mérenptah, comme ses prédécesseurs, tient votre confrérie en haute estime et qu'il souhaite la voir œuvrer dans la plus parfaite sérénité.

— Tant que l'Égypte sera elle-même, dit Kenhir, il en ira ainsi.

Méhy ne parvenait pas à dérider ce vieux scribe dont la résistance au vin blanc des oasis avait de quoi surprendre. Sans doute serait-il un adversaire plus redoutable qu'il ne l'avait supposé.

— Je dois vous poser une question indiscrète, mon cher.

— Pour tout ce qui concerne les activités de la Place de Vérité, je suis tenu au secret absolu.

— Il ne s'agit évidemment pas de cela, mais de mon

prédécesseur, Abry. Son horrible fin me trouble beaucoup, je vous l'avoue. Lui qui était chargé de veiller sur la tranquillité de la confrérie n'a songé qu'à la combattre, et il est allé jusqu'à la rédaction d'un rapport mensonger pour abuser le roi ! Après un tel forfait, il ne lui restait plus, en effet, qu'à se supprimer, mais je retiens une leçon de ce drame : il pourrait exister une coterie de dignitaires plus ou moins influents qui chercheraient à vous nuire.

L'hypothèse ne sembla pas émouvoir le scribe de la Tombe.

— Ce n'est pas nouveau, estima-t-il, et c'est inévitable. Comme les secrets de la Place de Vérité sont bien gardés depuis son origine, les imaginations s'égarent et les convoitises se nourrissent de ces illusions.

— Ce pourrait être un grave danger !

— Il est heureux que vous ne le mésestimiez pas, Méhy. Grâce à vous, nous dormirons tranquilles.

— Vous pouvez compter sur moi, en effet ; et moi, j'aimerais pouvoir compter sur votre aide.

— Une fois encore, je ne rends compte de ma gestion qu'au pharaon ou à son représentant, le vizir.

— J'entends bien, mais je veux parler de notre bonne entente pour lutter contre tout péril qui menacerait la confrérie. C'est pourquoi je vous pose ces questions : avez-vous souvent rencontré Abry, l'avez-vous soupçonné et croyez-vous qu'il ait agi seul ou qu'il était membre d'un complot ?

— Je l'ai rarement rencontré mais, la dernière fois, il a plus ou moins tenté de me corrompre.

— Triste personnage... Que cherchait-il, au juste ?

— Abry était un faible et un opportuniste, il croyait aux vertus de l'augmentation constante des impôts et du pouvoir coercitif de l'administration. La notion de liberté lui était étrangère, et il ne supportait pas que la Place de Vérité échappât à son contrôle. Pour le reste, je suis incapable de vous répondre. Le chef Sobek, quant à lui, croit à l'existence d'un complot et il ne baissera pas la garde de sitôt. Ni moi non plus, d'ailleurs.

– J'espérais des paroles plus rassurantes... Je comprends mieux, à présent, l'inquiétude que j'avais cru ressentir chez le roi. Heureusement, un fait nouveau modifie la situation de manière radicale : Abry est mort, et c'est moi qui le remplace. Qui tenterait de s'en prendre à la confrérie se heurterait forcément à moi. Avec vous-même et le chef Sobek, nous formerons un rempart efficace.

– Puissent les dieux vous entendre, Méhy.

– Nous ne devons décevoir ni le roi ni l'Égypte. Au moindre soupçon, à la moindre alerte, n'hésitez pas à me prévenir et j'interviendrai.

Kenhir préféra ce discours à celui d'Abry. À l'évidence, le général prenait ses fonctions au sérieux, et la Place de Vérité n'avait pas perdu au change.

– Je dois vous demander une faveur, Kenhir.

Le scribe de la Tombe se raidit.

– Oh, rassurez-vous, il ne s'agit pas d'une faveur personnelle, mais d'une obligation administrative que je souhaite résoudre au mieux.

– Je vous écoute.

– Pouvez-vous me faire rencontrer le maître d'œuvre de la confrérie ?

28.

Le regard du scribe de la Tombe devint franchement hostile.

– C'est tout à fait impossible, d'autant plus que l'identité du maître d'œuvre doit rester inconnue.

Méhy appela son échanson pour lui demander une deuxième amphore de vin blanc de Khargeh, du même millésime.

– En théorie, c'est exact. Mais lors de la visite du roi à la Place de Vérité, tous les membres de la délégation officielle demeurés à l'extérieur de l'enceinte ont entendu acclamer les noms de Mérenptah et de... Néfer. Chacun sait que ce dernier a été consacré comme maître d'œuvre par le couple royal et qu'il est le véritable patron de la confrérie dont vous assumez la gestion. Je vous rassure tout de suite : ce sont les deux seuls petits secrets qui ont franchi les murs du village, dont ils ne remettent pas en cause la sécurité.

– Pourquoi souhaitez-vous rencontrer le maître d'œuvre ?

– Il peut m'aider à résoudre un problème administratif.

– Ne suis-je pas un meilleur interlocuteur ?

– Je crains que non, mon cher Kenhir, car il existe un aspect technique à cette affaire urgente, et seul le maître d'œuvre de la Place de Vérité pourra prendre la décision qui convient. Il m'est malheureusement impossible de vous en dire davantage, car il s'agit d'un dossier confidentiel. Si Néfer désire vous en informer, libre à lui.

– Vous savez qu'il peut refuser votre... invitation.

– Je le sais, mais je vous prie de plaider ma cause avec conviction. S'il m'était impossible de recueillir son avis, je me trouverais dans une situation embarrassante. J'ignore tout des solutions à préconiser, lui les connaît probablement. Acceptez-vous de le solliciter ?

– J'accepte, mais je ne peux rien vous promettre. La décision lui revient.

– Je me considère comme votre obligé, Kenhir.

– J'ai le sentiment que cette deuxième jarre est encore meilleure que la première...

– Eh bien, terminons-la ensemble à la gloire de la confré-rie !

Aussitôt après le départ du scribe de la Tombe, Serkéta vint s'asseoir aux genoux de son mari.

– Je n'ai pas perdu un mot de votre passionnant entretien.

– Que penses-tu de ce Kenhir, mon doux amour ?

– Un vieux roublard, têtu, méfiant et difficile à corrompre. Cet imbécile d'Abry n'était pas de taille.

– Crois-tu que je l'ai convaincu ?

– Convaincu et... inquiété. Et tu as eu l'intelligence de ne pas lui offrir une jarre de ce vin qu'il apprécie tant. Il te tendait un piège pour voir si, toi aussi, tu allais tenter de le corrompre. Je ne crois pas que Kenhir détienne de grands secrets, mais il défendra la confrérie bec et ongles.

— Inquiété, disais-tu ?

— Il a senti que tu ne serais pas aussi passif qu'Abry, bien que tu n'aies officiellement aucun pouvoir sur la Place de Vérité. Mais je crois que la fermeté de ton engagement l'a rassuré : qui n'apprécierait pas un protecteur de ta trempe ?

— Sois sincère, doux amour : estimes-tu nécessaire de nous débarrasser de ce vieux scribe ?

— Surtout pas ! Nous allons apprendre à bien le connaître, et je te conseille de manœuvrer pour qu'il reste en place le plus longtemps possible. Si je le supprimais, ce qui ne serait d'ailleurs pas facile, il serait immédiatement remplacé et nous pourrions nous heurter à un homme plus intraitable. Je suis persuadée que Kenhir a des failles et qu'elles nous seront utiles.

Méhy agrippa sa femme par les cheveux.

— Tu m'as convaincu. À son insu, le scribe de la Tombe deviendra notre allié.

Casa le Cordage s'était absenté pour aller voir son bœuf malade, Féned le Nez fabriquait un tabouret pour ses beaux-parents, Karo le Bourru un coffre à linge pour sa grand-mère, Didia le Généreux un chevet pour sa nièce, tandis que les autres membres de l'équipe de droite s'occupaient, eux aussi, à des travaux divers destinés à l'extérieur.

Convoqués par le maître d'œuvre dans le local de la confrérie, au pied de la colline du Nord, à la limite de la nécropole, ils s'étaient purifiés avant de prendre place sur les banquettes de pierre.

A l'orient, Néfer s'assit sur la chaise qu'avaient occupée avant lui les chefs de l'équipe de droite. Son regard se posa sur la stalle à jamais vide de toute présence humaine car réservée au *ka*, à la puissance créatrice qui animait le cœur et la main des artisans.

— J'ai une proposition à vous faire, annonça le maître d'œuvre. Elle risque de vous déplaire, mais je souligne l'ampleur des deux chantiers que nous allons ouvrir, le creusement de la demeure d'éternité du pharaon Mérenptah dans la Vallée des Rois et la construction de son temple des millions d'années. Comme toutes nos énergies doivent être rassemblées pour l'accomplissement de ces deux tâches prioritaires, je vous demande d'interrompre les travaux extérieurs.

Un lourd silence succéda à cette déclaration. Karo le Bourru fut le premier à oser le rompre.

— C'est une ancienne coutume qui n'a jamais été remise en question... Ces travaux nous permettent de compléter nos salaires et de procurer une aisance certaine à nos familles.

— J'en suis conscient, mais vous devez comprendre qu'il n'est plus possible d'éparpiller nos efforts.

— Pourquoi tant d'exigences ? demanda Casa le Cordage. Progressons tranquillement sur ces deux chantiers et poursuivons nos activités complémentaires.

— Impossible pour deux raisons, expliqua le maître d'œuvre. En premier lieu, j'ai la certitude que nous n'avons pas de temps à perdre.

— À cause de l'âge du roi ? s'enquit Nakht le Puissant.

— C'est un réel souci, en effet. Inutile de nous voiler la face : la succession de Mérenptah s'annonce difficile, des troubles peuvent survenir, et nous devrons avancer comme si les délais imposés étaient courts.

— As-tu des informations précises sur ce qui se passe à la cour de Pi-Ramsès ? interrogea Gaou le Précis.

— Malheureusement non, mais je vous prie de m'accorder votre confiance. D'ordinaire, je n'aime pas me hâter et j'aurais préféré prendre beaucoup de temps pour concevoir et réaliser la tombe et le temple ; mais j'ai la conviction que ce luxe ne nous est pas permis. Quant à la seconde raison, elle tient à la nature même de notre mission. Notre équipe a participé à l'achèvement de la tombe de Ramsès le Grand, mais elle avait été menée presque à terme voilà longtemps. Celle de Mérenptah sera notre Grand Œuvre, la première tombe royale que nous allons créer ensemble pour qu'elle produise de l'éternité, comme ses devancières. Quant au temple, il préservera le *ka* du roi et nécessitera donc de notre part un travail de haute précision. L'aventure est exaltante, mais elle ne sera pas facile ; c'est pourquoi je requiers de votre part des efforts exceptionnels. À nous d'aller au-delà des limites de nos talents respectifs afin de justifier une nouvelle fois l'existence de la Place de Vérité.

— Une rumeur prétend que nos périodes de congé pourraient être diminuées, avança Païr le Bon Pain. Si c'était le cas, nos épouses seraient très mécontentes.

— Nécessité fera loi, répondit le maître d'œuvre.

— S'il faut refuser le travail pour l'extérieur et, en plus, réduire nos journées de repos, protesta Ounesh le Chacal, l'existence va devenir impossible !

— Le scribe de la Tombe m'a donné son accord pour vous verser des primes correspondant aux heures supplémentaires.

— Moins de temps libre, insista Ounesh, c'est moins de loisirs, moins de moments agréables en famille, moins de visites à l'extérieur.

Les deux autres dessinateurs l'approuvèrent, de même que Rénoupé le Jovial et Karo le Bourru.

— C'est lamentable ! explosa Paneb. Le maître d'œuvre vous convie à participer à une aventure enthousiasmante, à l'œuvre la plus essentielle qui s'accomplit sur le sol d'Égypte, et vous gémissez sur vos avantages acquis en ne vous préoccupant que de votre médiocrité et votre paresse ! Bel équipage, en vérité... A-t-il vraiment envie de naviguer ou ne préfère-t-il pas rester au port à jamais en sommeillant sous un vent tiède ? Si le bateau est à ce point décrépi, usé et sans âme, mieux vaut qu'il coule !

La plupart des membres de l'équipe de droite étaient blêmes, à l'exception de Païr le Bon Pain et de Rénoupé le Jovial dont le teint avait viré au rouge vif.

— Tu n'as pas le droit de nous parler sur ce ton, estima Ouserhat le Lion.

— Et vous, avez-vous le droit de vous comporter comme

des ouvriers d'État, plus occupés à compter les heures qu'à travailler et dont la seule ambition est d'allonger la durée de votre sieste ? Si c'est ça, la Place de Vérité, elle ne tardera pas à disparaître.

Ched le Sauveur demanda la parole.

– Mon assistant n'a aucun sens de la diplomatie et sa manière de s'exprimer manque de nuances, mais sur le fond il n'a pas tort. En raison du long et heureux règne de Ramsès le Grand, et surtout à cause de notre goût inné pour la facilité, nous avons vécu sur notre technique et nos connaissances. La création d'une tombe royale et celle d'un temple des millions d'années sont des entreprises périlleuses qui, aujourd'hui, nous font peur parce que nous sommes englués dans la routine. Pourtant, nous avons l'inestimable chance de pouvoir participer ensemble au Grand Œuvre. Face à un tel horizon, oserons-nous poser des conditions indignes de l'esprit de la confrérie et des ancêtres qui nous regardent agir ? Que le maître d'œuvre décide, et nous obéirons.

À l'unanimité, l'équipe approuva la position du peintre.

29.

Claire et Néfer s'étaient aimés comme au premier jour, avec la même fougue, à présent teintée d'une tendresse et d'une complicité qui embellissaient jour après jour. L'usure du temps n'avait aucune prise sur leur union, comme si elle existait de toute éternité sans être la proie des aléas des sentiments.

Amoureuse et nue, Claire ne se départait pas de cette noblesse innée qui avait conquis le cœur de tous les villageois. Le maître d'œuvre admirait la femme sage, le mari son épouse.

— Tu as des soucis, n'est-ce pas ?

— L'équipe a accepté mes propositions, mais les langues sont-elles sincères ?

— La perfection ne se trouve pas chez les hommes, Néfer,

mais dans l'œuvre. Si tu leur donnes un idéal et si tu leur permets de l'accomplir, ils surmonteront leurs faiblesses.

— Surmonterai-je les miennes ? Je ne suis pas fait pour cette fonction, Claire. Sculpter me suffisait... Et comme il était agréable de n'avoir qu'à suivre les directives du chef d'équipe !

— Oublies-tu qui t'a choisi ? Ruer comme un cheval fougueux est inutile, nous interroger sur nous-mêmes encore plus. Je suis la première à savoir que ni toi ni moi ne sommes à la hauteur des tâches à accomplir, mais il faut cependant les mener à bien et, chaque jour, recommencer à gravir la montagne.

— Tant de tracas, tant de petits soucis, tant de réclamations dérisoires de la part des uns et des autres... Voilà ce qui m'épuise, bien davantage que l'ampleur de l'œuvre !

— Crois-tu que je sois mieux lotie ? Il y a la pierre et le bois, éternellement prêts à recevoir la lumière, mais il y a aussi les êtres humains, toujours prêts à mentir, à paresser et à rivaliser de vanité et d'égoïsme. C'est ainsi, et il n'en sera jamais autrement, mais la Place de Vérité les transforme en équipage capable de voguer vers des paysages qu'aucun d'eux, s'il avait voyagé en solitaire, n'aurait pu découvrir.

Néfer embrassa son épouse avec passion.

— Je suis toute à toi, concéda-t-elle, mais n'oublie pas que nous avons un invité.

Kenhir mangeait avec appétit de succulents rognons au vin blanc, accompagnés de lentilles à l'ail et d'un caviar d'aubergines.

— C'est un repas tout simple, reconnut Claire. La jeune fille qui m'aide à la maison prend ses jours de congé, et je n'ai guère le temps de faire de la grande cuisine.

— Tu es douée pour tout, Claire... Grâce à toi, ma goutte a presque disparu.

— Peut-être serait-il raisonnable de boire moins de vin et davantage d'eau, suggéra la femme sage.

— À mon âge, il est mauvais de changer ses habitudes.

— Êtes-vous satisfait de Niout la Vigoureuse ?

— Une petite peste, insolente et têtue... mais efficace. Elle traque la poussière, ne bouscule pas trop mon mobilier et cuisine convenablement. Je vais être obligé de l'augmenter... Ce que je redoute, c'est son intrusion dans ma bibliothèque ! Elle profite sans doute de mon absence pour y faire le ménage. Enfin, si elle remet chaque pinceau à sa place et ne touche à aucun papyrus...

— Comment s'est déroulée votre entrevue avec Méhy ? demanda Néfer.

— Plutôt bien. Un homme dynamique, fermement décidé à remplir sa fonction et surtout très ambitieux. C'est la raison pour laquelle il devrait être un excellent protecteur de la Place de Vérité. Telle est la mission que lui a confiée Pharaon, et il n'a pas l'intention d'échouer. De plus, il n'a pas tenté de me corrompre, même de manière superficielle... Mais il m'a adressé une curieuse demande.

— Laquelle ?

— Il souhaite te voir, Néfer.

— Pour quelle raison ?

— D'après Méhy, seul le maître d'œuvre peut l'aider à résoudre un problème administratif urgent.

— N'est-ce pas de votre compétence, Kenhir ?

— En l'occurrence non, car il s'y ajoute, paraît-il, un aspect technique qui relève de la tienne. J'ai bien invoqué le secret, mais ta reconnaissance officielle par le couple royal a fait circuler ton nom. Que Méhy sache qui tu es n'a d'ailleurs guère d'importance, et tu n'es pas obligé de lui donner satisfaction.

— Puisqu'il nous est favorable, pourquoi le rejeter ?

— Je partage ton point de vue.

– Je le rencontrerai au premier fortin. Et si je peux réellement l'aider, je le ferai.

L'artisan de l'équipe de droite qui trahissait la confrérie avait pris de multiples précautions pour se rendre à l'entrepôt de Tran-Bel. Par chance, plusieurs collègues avaient profité de la semaine de congé exceptionnelle accordée par le maître d'œuvre avant le début des grands chantiers pour quitter le village. Les uns s'occupaient de leurs champs et de leurs troupeaux, d'autres rendaient visite à des parents sur l'une ou l'autre rive, d'autres encore faisaient des emplettes.

Au regard appuyé du chef Sobek, le traître avait senti que le policier devenait de plus en plus suspicieux. Il se rassura en pensant que le Nubien, s'il avait disposé d'indices sérieux, n'aurait pas hésité à l'arrêter et à l'interroger. Néanmoins, son attitude venait de se modifier, comme s'il soupçonnait un homme de l'intérieur.

L'artisan devait donc redoubler de prudence, surtout si Sobek avait ordonné des filatures. En ce cas, il risquait de mener son suiveur à l'entrepôt et de provoquer sa propre chute. Sans doute aurait-il dû rester au village et ne prendre aucun risque, mais il devait s'entretenir d'urgence avec la femme qui le rendrait riche.

Aussi n'emprunta-t-il pas le bac sur lequel pouvait se trouver un policier à la solde de Sobek et loua-t-il les services d'un pêcheur qui le traversa en échange d'un pain rond. Pour le retour, il en choisirait un autre.

Aucune barque ne l'avait suivi.

Après avoir accosté un endroit désert, loin du débarcadère principal, l'artisan était resté tapi dans les roseaux pendant une bonne heure.

Personne ne s'approcha de sa cachette.

Rassuré, il escalada la berge et se dirigea vers la ville, sans omettre de se retourner fréquemment.

À deux reprises, il s'engagea dans des ruelles sans issue et il revint sur ses pas pour surprendre un éventuel traqueur, en pure perte. Si filature il y avait eu, elle était rompue.

L'artisan s'engouffra à pas pressés dans l'entrepôt et il pénétra dans le bureau où Tran-Bel faisait ses comptes.

— Ah, c'est toi! Heureux de te voir. Nos affaires marchent à merveille.

— Préviens qui tu sais que je suis ici.

— Tout de suite, tout de suite... As-tu conçu de nouveaux modèles de chaises?

— Oui, mais tu devras patienter avant de les obtenir.

— C'est fâcheux, très fâcheux... La clientèle réclame!

— Ma sécurité avant tout. Préviens-la, et vite!

— J'y vais, j'y vais...

Tran-Bel songeait déjà à fabriquer des imitations, mais elles auraient des défauts. Il lui faudrait donc, au moins pendant quelque temps, se rabattre sur des nouveaux riches.

— As-tu progressé? demanda Serkéta, méconnaissable, à son informateur.

— Le maître d'œuvre a pris la décision de creuser la tombe du roi et de construire son temple des millions d'années en mobilisant toutes les énergies.

— Médiocre information... As-tu repéré la cachette de la pierre de lumière?

— Pour le moment, impossible.

— Tu me déçois.

— Je ne dispose d'aucune information sérieuse et je ne peux pas fouiner partout sans être repéré.

— N'es-tu pas libre d'aller où tu veux, à l'intérieur du village?

— Certains locaux sont fermés à clé, et seuls le scribe de la Tombe et le maître d'œuvre peuvent les ouvrir. Toute tentative d'effraction serait vouée à l'échec.

— Il te faudra quand même trouver une solution!

— Mon équipe va travailler de manière intense et, pour une

longue période, je n'aurai plus de possibilité d'entrer en contact avec l'extérieur.

Le regard de Serkéta devint féroce.

— Tenterais-tu de t'enfuir en te réfugiant dans ton maudit village ?

— Vous ne comprenez pas ! Les chantiers qui vont débuter engagent l'avenir de la confrérie, et le maître d'œuvre se montrera intransigeant. Il nous faudra faire des heures supplémentaires et accepter la réduction de nos périodes de congé si des difficultés techniques se présentent. Et ce n'est pas tout : le chef Sobek se montre de plus en plus suspicieux.

— À quel propos ?

— Je suis persuadé qu'il soupçonne l'un d'entre nous d'être lié à un complot contre la Place de Vérité, peut-être même d'avoir assassiné un policier. Ce Sobek est redoutable, il est capable d'organiser des filatures et de guetter la faute en permanence. C'est pourquoi j'ai pris de multiples précautions pour venir jusqu'ici.

— Judicieuse initiative... Mais ne deviens-tu pas trop craintif ?

— Je ne crois pas.

Serkéta tourna lentement autour de l'artisan.

— Tu ne m'apportes que des mauvaises nouvelles. Quel dommage... Moi, j'en avais d'excellentes ! Pendant que tu végètes dans ta confrérie, ton patrimoine s'accroît. Une vache laitière en plus, un terrain en bord du Nil, un champ... Quand tu prendras ta retraite, tu seras un homme riche. Mais, auparavant, tu devras devenir un bien meilleur informateur.

L'artisan s'imaginait étendu sur des coussins, dans la salle fraîche d'une belle demeure où il passerait son temps à énumérer ses biens et à les énumérer encore.

Mais il y avait loin du rêve à la réalité... Et le traître ne livrerait pas tous les secrets qu'il possédait sans avoir la certitude qu'il jouirait sans danger des fruits de sa démarche.

— Je n'ai pas changé d'avis, affirma-t-il, mais je vais être

réduit au silence jusqu'à ce que les chantiers soient suffisamment avancés.

— N'oublie pas que notre alliance ne saurait être brisée,
avertit Serkéta. Quand nous nous reverrons, je suis certaine que
tu auras beaucoup à dire.

30.

Claire avait été appelée d'urgence au chevet de l'épouse d'Ouserhat le Lion qui se plaignait de violentes douleurs dans la poitrine. Après un examen approfondi, la femme sage avait écarté l'hypothèse d'une crise cardiaque et donné un traitement pour réguler le système neurovégétatif, non sans avoir procédé à une manipulation vertébrale, car le mauvais état du dos de sa patiente était à l'origine de nombreux troubles.

Lorsqu'elle rentra chez elle, au milieu de la matinée, Claire trouva sur le seuil un Paneb inquiet.

— Je désirais parler à Néfer d'un problème de fournitures pour l'atelier de peinture, mais personne ne sait où il se trouve. On l'a vu sortir du temple, après le rituel du matin, mais où est-il allé ensuite ?

— Il devait se rendre chez les sculpteurs.

— J'y suis passé, ils n'ont pas reçu sa visite.

— Ne s'entretient-il pas avec Ched le Sauveur ?

— Non, j'en viens.

Claire et Paneb interrogèrent les voisins, sans résultat. Des enfants fournirent des témoignages contradictoires, la plupart croyant qu'il s'agissait d'un nouveau jeu qui demandait de montrer un maximum d'imagination.

Chaque villageois prit rapidement part au débat, et il fallut se rendre à l'évidence : le maître d'œuvre avait disparu.

Comme un vent de panique commençait à souffler, Claire se recueillit pour ne plus rien entendre. Son esprit s'emplit du visage de Néfer le Silencieux afin de le rendre aussi présent que s'il touchait le sien.

— Ne soyez pas inquiets, dit-elle d'une voix apaisante. Je sais où il est allé.

Beaucoup de palmiers-dattiers aimaient vivre la tête au soleil et les pieds dans l'eau. Formant des murs végétaux contre le vent, ils devenaient volontiers centenaires et, à l'automne, offraient avec générosité leurs fruits au goût de miel. Certains se regroupaient au milieu des oliveraies et des vignes, d'autres formaient des bosquets à l'écart des chemins, mais tous étaient des modèles de générosité, car chaque partie de l'arbre était utile. Ne fournissait-il pas du bois pour la construction et le mobilier, des fibres pour fabriquer des sandales et des paniers, alors que ses palmes recouvraient les ruelles afin d'y préserver la fraîcheur ?

Mais c'était à l'ombre d'un très vieux palmier solitaire, à l'orée du désert, que Néfer avait choisi de méditer. C'était là, prétendait la légende, que Thot, le dieu de la connaissance, avait écrit des paroles de sagesse et que le pharaon Amenhotep Ier, le fondateur de la confrérie, était venu les recueillir. L'arbre ne puisait-il pas sa sève dans l'océan d'énergie qui baignait l'univers où, lors de « la première fois », la terre était apparue comme un îlot ?

Le maître d'œuvre était venu implorer l'aide du dieu pour apaiser le feu qui le dévorait. Si l'Ardent était capable de lutter avec les flammes, lui n'y parviendrait sans doute pas. Et ce brasier douloureux avait pris la forme d'une question aussi dévastatrice qu'un acide : était-il capable de mener la confrérie au succès ?

Accomplir le Grand Œuvre lui apparaissait à présent comme un objectif hors d'atteinte, et il n'avait pas le droit de mentir à ceux qui l'avaient choisi comme guide.

Le vrai silencieux, disaient les sages, ressemblait à un arbre au feuillage abondant et aux fruits doux qui allait paisiblement à son terme dans un jardin bien entretenu. Le cœur de Néfer n'était plus qu'un paysage aride où l'angoisse et l'incertitude avaient fait pousser des herbes folles. Aussi venait-il prier Thot de le préserver de paroles inutiles et de lui offrir l'eau de son puits, scellé pour les bavards. Si son appel demeurait sans réponse, il mourrait de soif, et la confrérie se donnerait un meilleur maître.

— As-tu découvert la source ? demanda une voix de femme d'une douceur merveilleuse.

— Claire ! Tu connaissais cet endroit ?

— Je l'ai vu et je t'ai vu prosterné devant ce palmier.

— Le dieu se tait, et je n'ai pas la force nécessaire pour continuer ma tâche.

— Écoute mieux, Néfer, et crée ce qui te manque.

La femme sage s'agenouilla et creusa le sable avec ses mains. Apparut la margelle d'un petit puits circulaire. Son mari l'aida et atteignit la terre humide.

— Au pied d'un palmier de Thot, indiqua-t-elle, il y a toujours une source cachée. Fais dégager ce puits et bois son eau qui provient des étoiles. Elle éteindra le feu qui te brûle et révélera l'énergie que tu possèdes sans le savoir. Rien ne t'écartera de ta tâche, maître d'œuvre, car ton chemin a été tracé par les dieux.

Enlacés, ils s'offrirent le luxe inouï d'un après-midi de

méditation et de silence à l'ombre des palmes. Et le maître d'œuvre comprit que, sans la femme sage, la confrérie n'eût été qu'un groupe d'hommes stériles, incapables de façonner le Grand Œuvre.

Un vent puissant balayait le poste de garde, soulevant des nuages de sable qui attaquaient les yeux des policiers nubiens. Ils virent cependant arriver un char lancé à vive allure et, aussitôt, pointèrent leurs lances tandis que le chef de poste bandait son arc.

Le char freina brusquement, les deux chevaux se dressèrent en hennissant. Du véhicule descendit un homme robuste, au torse large. Sûr de lui, il marcha en direction des gardes comme si leurs armes n'existaient pas.

— Je suis le général Méhy, administrateur principal de la rive ouest. Prévenez le maître d'œuvre que je suis arrivé à notre point de rendez-vous.

Un Nubien courut jusqu'au cinquième fortin pour alerter Sobek qui déciderait de la conduite à adopter.

Le chef de la sécurité ordonna au gardien de porte d'informer Néfer, qui abandonna le tracé du plan de la tombe de Mérenptah pour aller à la rencontre de ce visiteur d'importance.

Accompagné de Noiraud, ravi de cette promenade imprévue, le maître d'œuvre n'avait fait aucun frais de toilette. Tête et pieds nus, il n'était vêtu que d'un simple pagne et ressemblait à un modeste ouvrier, face à Méhy dont l'élégance ostentatoire traduisait la richesse.

— Merci d'avoir accepté cette entrevue, Néfer.

— Que voulez-vous ?

— Pourrions-nous parler à l'abri de toute oreille indiscrète ?

— Suivez-moi.

Le maître d'œuvre s'éloigna du poste de garde ; ensemble, ils parcoururent une centaine de mètres dans le lit desséché d'un oued. Méhy, qui détestait le désert, prit soin de ne pas abîmer ses belles sandales de cuir. Quant au chien noir, d'ordinaire si démonstratif, il se tenait à bonne distance du général qu'il observait avec méfiance.

— Ici, dit Néfer, nous serons tout à fait tranquilles, mais je n'ai d'autre siège à vous offrir qu'un bloc de pierre.

— Je m'en contenterai... Vous rencontrer est un tel privilège que les conditions matérielles importent peu.

— Votre temps est aussi compté que le mien, Méhy. Si vous en veniez au fait ?

— Il s'agit d'un dossier délicat et confidentiel que je suis incapable de traiter sans votre aide... Daktair, le directeur du laboratoire central, vient d'établir une liste de produits dont il a besoin. Pour la plupart d'entre eux, aucune difficulté. Mais il n'en va pas de même pour le bitume et la galène qu'il réclame de toute urgence, parce que les stocks sont épuisés. D'après lui, cette pénurie s'explique par l'absence d'une expédition qui aurait dû être organisée si Ramsès le Grand ne nous avait pas quittés.

— À supposer que je dispose de tels produits, ils seraient exclusivement réservés à la Place de Vérité.

— Nous sommes tout à fait d'accord sur ce point, bien entendu !

— En ce cas, l'entretien est terminé.

— N'allez pas si vite ! Vous savez certainement que, lors de ces expéditions, un artisan de la Place de Vérité était toujours associé aux mineurs pour fournir des indications techniques et prélever la part réservée à la confrérie.

— Vous êtes bien informé.

— J'ai simplement consulté les rapports officiels, et nous voici au cœur du problème : Daktair me demande l'autorisation de conduire une troupe de soldats et de mineurs jusqu'aux sites où l'on récolte ces produits, et je ne vois aucune raison de la lui refuser. Mais impossible de mener cette entreprise à bien sans la présence d'un membre de la confrérie que vous seul pouvez désigner.

Pendant que le maître d'œuvre prenait le temps de la

réflexion, Méhy l'observait avec acuité afin de prendre sa mesure. Sans nul doute, l'homme était de la race des grands. Gravité du visage, profondeur du regard, puissance de la personnalité, détermination du caractère, rigueur de la parole... La confrérie avait placé à sa tête un véritable chef qui serait un redoutable adversaire.

Ce fut à cet instant, dans ce désert hostile, face au maître d'œuvre qu'il voyait pour la première fois, que Méhy prit pleinement conscience du combat à mener. À l'idée de remporter la victoire sur un ennemi digne de lui et d'asservir enfin cette orgueilleuse confrérie qui avait osé le rejeter, le général sentit ses forces décupler.

— Ne peut-on retarder cette expédition ? demanda Néfer.

— D'après Daktair, non ; mais je me soumettrai à votre décision.

Le maître d'œuvre ne pouvait priver la région thébaine de ces produits, et il en avait lui-même besoin pour un usage très particulier.

— Je désignerai un artisan, annonça-t-il ; que l'expédition soit prête à partir dans cinq jours. Prévoyez des ânes nombreux et solides.

— Vous me retirez une épine du pied !

— Je désire que la durée du travail sur les sites d'exploitation soit réduite au minimum et que l'artisan revienne au plus vite.

— Je donnerai des directives dans ce sens. Encore une fois, merci... Me ferez-vous l'honneur d'accepter une invitation à dîner ?

— Désolé, j'ai banni de mon existence toute mondanité.

Aussi habile qu'un bouquetin, Noiraud sauta de pierre en pierre pour regagner le village. Néfer le suivit.

S'il avait été armé d'un arc et certain de pouvoir agir en toute impunité, Méhy aurait volontiers abattu le maître d'œuvre d'une flèche dans le dos. Car il était préférable de ne pas affronter de face un guerrier de cette trempe.

31.

À quatre heures de l'après-midi, un gardien de porte succéda à l'autre, en poste depuis quatre heures du matin. Il s'installa dans la hutte construite près de l'entrée principale de la Place de Vérité.

Le travail n'était pas trop pénible, et le salaire complété par les livraisons de bois de chauffage dont les deux gardiens avaient la responsabilité. Ils touchaient aussi une modeste rémunération quand ils servaient de témoins au cours de transactions commerciales entre artisans ou lors de la conclusion de contrats.

Un petit homme s'approcha.

– Je suis marchand d'ânes.

– Tant mieux pour toi, l'ami.

— Les auxiliaires m'ont dit que tu pouvais jouer le rôle d'huissier et réclamer les créances impayées.

— De quel artisan te plains-tu ?

— Il ne s'agit pas d'un artisan.

— Alors, va voir ailleurs !

— Tu dois quand même pouvoir m'aider... Je veux porter plainte contre le chef Sobek.

— Le chef Sobek ! Pour quelle raison ?

— Parce qu'il ne me donne pas ce qu'il me doit.

— Es-tu bien sûr de ce que tu avances ?

— J'ai toutes les preuves nécessaires et je te demande de porter ma plainte au tribunal du village.

— Mais Sobek est le chef de la sécurité !

— Sais-tu à quoi l'on reconnaît un policier ? À ce qu'il ne paie jamais ses dettes, qu'il s'agisse d'un pot de graisse ou d'un âne.

Le tribunal de la Place de Vérité avait pour nom symbolique « l'assemblée de l'équerre et de l'angle droit * », et il pouvait se réunir à n'importe quel moment, y compris un jour de fête, si le cas était urgent. Il se composait généralement de huit membres, un des deux chefs d'équipe, le scribe de la Tombe, le chef de la sécurité, un gardien, deux artisans chevronnés et deux femmes. Traitant des affaires privées comme publiques, cette assemblée enregistrait les déclarations de succession et les acquisitions comme les ventes des propriétés foncières.

Totalement indépendant, le tribunal avait le pouvoir d'ordonner des enquêtes approfondies et il prononçait des condamnations, quelle que fût la faute commise. S'il estimait l'affaire trop complexe, il la transmettait directement à la plus haute instance juridique du pays, le tribunal du vizir.

Ne pouvant ignorer la plainte du vendeur d'ânes, Kenhir le reçut à l'extérieur du village, dans le petit bureau qu'il s'était aménagé dans la zone des auxiliaires.

---

* En égyptien : *qenbet*.

– Porter une accusation contre le chef de la sécurité est très grave, signifia-t-il au marchand. Sa réputation de probité est fermement établie.

– La réputation est une chose, les faits une autre. Moi, j'ai la preuve que Sobek est un voleur et je veux qu'il soit condamné.

– Tu sais ce que tu risques... Si cette preuve n'est pas valable, c'est toi qui seras lourdement condamné.

– Quand on est dans son bon droit, on n'a rien à redouter de la justice.

– Tu maintiens donc ta plainte?

Le marchand hocha la tête affirmativement.

Sous la présidence du scribe de la Tombe, le maître d'œuvre, le gardien qui avait reçu la plainte, la femme sage, Ouâbet la Pure, un policier nubien, Thouty le Savant et Ouserhat le Lion formèrent le tribunal qui, exceptionnellement, se tint devant la grande porte de l'enceinte. D'ordinaire, il siégeait dans la cour du temple principal de la Place de Vérité pour y entendre accusateur et accusé lorsqu'ils appartenaient à la confrérie.

Dans le cas présent, l'un et l'autre étaient des extérieurs, et ils ne pouvaient donc être reçus au cœur du village. Comme la fonction de chef de la sécurité était placée sous l'autorité du scribe de la Tombe, Sobek devait néanmoins être jugé par le tribunal local.

Pour la circonstance, les jurés avaient revêtu de lourdes robes empesées et ils portaient d'amples perruques qui modifiaient leur allure et leur physionomie. Si le plaignant avait espéré identifier un artisan, il en serait pour ses frais.

Selon le système judiciaire en vigueur, l'accusé et l'accusateur devaient comparaître en personne devant le tribunal et formuler leur point de vue en prenant le temps nécessaire. Assis sur des tabourets, le marchand et le chef de la sécurité évitaient de se regarder. L'un comme l'autre semblaient confiants.

– La partialité est l'abomination de Dieu, déclara Kenhir.

Ce tribunal agira envers celui qui lui est proche de la même manière qu'envers celui qu'il ne connaît pas. Il ne se montrera pas injuste envers un faible pour avantager un puissant, et il saura protéger le faible du fort en distinguant la vérité du mensonge. Implorons le dieu caché qui intervient pour le malheureux dans la détresse, afin qu'il éclaire ce tribunal et le rende capable de prononcer la bonne sentence à l'unanimité.

Le scribe de la Tombe fixa l'accusateur, puis l'accusé.

— J'exige un langage clair, compréhensible par tous, sans arguments spécieux ni explications embrouillées. Formule ton accusation, marchand.

— Le chef Sobek m'a commandé un âne. Nous nous sommes mis d'accord sur le prix, et il lui a été livré. Pourtant, il refuse de me payer la somme convenue, à savoir une pièce d'étoffe, une paire de sandales, un sac de seigle et un sac de farine. La facture a été dûment enregistrée et elle ne saurait être contestée.

— Qu'as-tu à répondre, Sobek ? interrogea Kenhir.

— Ce marchand est un voleur et un menteur. Un âne m'a été livré, certes, mais il s'agissait d'une vieille bête malade ! Je n'avais donc rien à payer, et c'est moi qui aurais dû porter plainte.

— C'est faux, rétorqua le marchand. L'âne que j'ai livré était un jeune mâle vigoureux, en parfaite santé. Voici d'ailleurs un document signé par des témoins au moment où j'ai établi la facture.

Le marchand remit au président du tribunal une tablette de bois sur laquelle une inscription en caractères cursifs décrivait l'âne et indiquait son prix. Y figuraient les noms de trois témoins certifiant la validité de ces indications.

— J'ai un témoin, moi aussi, objecta Sobek : le policier qui a vu cette vieille bête et auquel j'ai ordonné de l'emmener dans une palmeraie pour y terminer paisiblement ses jours.

— As-tu un document écrit ?

— Bien sûr que non! Pourquoi aurais-je pris une telle précaution?

— Qu'Ouserhat le Lion aille chercher ce policier et qu'il témoigne, exigea le scribe de la Tombe.

Le subordonné de Sobek comparut devant le tribunal. Très impressionné, il avait du mal à trouver ses mots.

— Te souviens-tu d'un âne qui a été livré au chef Sobek et à propos duquel il t'aurait donné un ordre?

— Ah oui, oui... C'était bien un âne.

— Jeune ou vieux?

— Très vieux... Il marchait avec peine.

— Que t'a ordonné le chef Sobek?

— Il n'était pas content, parce qu'il avait commandé une bête jeune et vigoureuse. Alors, il m'a ordonné de l'emmener dans une palmeraie. Après m'être conformé au règlement de sortie, j'ai observé la consigne.

Le président du tribunal se tourna vers la femme sage dont il attendait l'intervention, mais elle demeura muette. Kenhir poursuivit.

— La vérité sera donc facile à établir. Va immédiatement chercher cet âne et amène-le-nous.

Grâce à la protection des parasols et aux boissons fraîches, patienter n'avait pas été une trop rude épreuve. Le marchand affichait un bel optimisme, comme s'il n'avait rien à redouter de cette démarche décisive. Son assurance commençait à troubler Sobek, pourtant certain d'obtenir son acquittement et une sévère condamnation du tricheur. Fallait-il qu'il fût inconscient pour se moquer ainsi du tribunal!

C'est un policier essoufflé qui se présenta de nouveau devant Kenhir.

— Où est l'âne?

— Je... je l'ai cherché et je ne l'ai pas trouvé.

— Ne t'es-tu pas trompé de palmeraie?

— Ça non, j'avais choisi la plus proche! Et puis son

propriétaire possède plusieurs ânes... Mais le vieux, il n'était pas là où je l'avais laissé.

Le marchand triomphait.

– Il est certain que le chef Sobek et son subordonné ont inventé cette histoire pour ne pas payer un âne en pleine santé qu'ils ont caché quelque part. Le chef Sobek pensait qu'un modeste commerçant comme moi n'oserait jamais l'attaquer en justice et qu'il pourrait bientôt jouir de son larcin en toute impunité. Mais la vérité vient d'être établie, et je demande à la fois réparation, indemnisation, pénalités et destitution de ce policier malhonnête.

– Qu'as-tu à répondre pour ta défense ? demanda Kenhir au Nubien.

– Ce marchand est un menteur !

– À mes accusations, ajouta le vendeur d'ânes, j'ajoute la diffamation dont tous les membres de ce tribunal sont témoins.

– Avez-vous, l'un et l'autre, quelque chose à ajouter ?

– Que la justice soit rendue ! réclama le marchand.

– Je suis innocent et victime d'une machination ! protesta Sobek, furieux. Laissez-moi interroger ce bandit, et il vous la dira, la vérité !

– Il suffit, chef Sobek ! Des policiers vont vous accompagner dans un fortin où vous attendrez notre verdict.

32.

Prisonnier dans ses propres locaux, Sobek était effondré. Tombé dans un piège aussi simple que diabolique, il n'avait aucune chance de s'en sortir. Reconnu coupable de vol et de mensonge, il serait condamné à plusieurs mois de prison et perdrait son poste. Étant donné les responsabilités qu'il avait exercées, le tribunal se montrerait d'une sévérité exemplaire ; un chef de la sécurité n'aurait-il pas dû se montrer d'une honnêteté au-dessus de tout soupçon ?

Tel était pourtant le cas, mais le collet qui se resserrait autour de son cou menaçait de l'étrangler ! La colère ne l'empêchait pas d'y voir clair : ceux qui voulaient la destruction de la Place de Vérité avaient soudoyé le vendeur d'ânes et organisé cette machination, destinée à écarter Sobek et ses Nubiens de manière définitive. Ils feraient nommer un autre chef de la sécurité, une autre équipe de policiers et, sans s'en douter, le village ne serait plus protégé.

Le crime leur était interdit, car la mort brutale de Sobek aurait déclenché une enquête et fait soupçonner l'existence d'un complot. Dans ce cas le scribe de la Tombe exigerait un renforcement des effectifs et verrouillerait davantage l'aire sacrée. La méthode idéale consistait donc à le discréditer, lui, le policier intègre et gênant.

— Le tribunal va rendre sa sentence, lui annonça l'un de ses hommes, navré.

La fin de soirée était douce et tranquille. Sobek marcha d'un pas lent pour mieux apprécier ses derniers instants dans ce lieu d'apparence si austère mais qu'il avait tant aimé. La Place de Vérité était devenue sa patrie, un espace d'harmonie qu'il avait su préserver en demeurant toujours sur le qui-vive. Et il échouait à cause d'un vieil âne...

Le marchand était déjà assis sur son tabouret, le sourire aux lèvres. Sobek remarqua que la femme sage n'avait pas regagné sa place.

— Je préfère rester debout pour entendre la sentence.

— La voici, dit Kenhir.

Le Nubien ferma les yeux.

À un long silence succéda un bruit de sabots heurtant le sol, comme si un âne s'approchait lentement du tribunal.

Sobek rouvrit les yeux, se retourna et vit la femme sage qui conduisait un vieux quadrupède au poil usé en lui caressant la tête.

— C'est... c'est bien lui ! s'exclama Sobek. Demandez le témoignage de mon subordonné, il le reconnaîtra comme moi !

— C'est déjà fait, précisa Claire.

— Comment l'avez-vous retrouvé ?

— Je suis allée à la palmeraie et j'ai interrogé les paysans, avec bien peu d'espoir car je redoutais que ce vieil âne eût été supprimé. Heureusement pour toi, l'appât du gain a été le plus fort. Le complice du marchand avait gardé l'animal pour tenter de piéger un nouvel acquéreur.

Le scribe de la Tombe regarda l'accusateur avec sévérité.

— Qu'as-tu à répondre ?

— Qu'est-ce qui prouve que ce vieil âne a bien été livré au chef Sobek ? Vous pouvez le sortir de n'importe où !

— Justement pas, rétorqua la femme sage. J'aurais pu l'expliquer après les dépositions contradictoires, mais il était préférable de garder cette information secrète jusqu'à maintenant.

La voix du marchand devint moins assurée.

— Que voulez-vous dire ?

— À quelle date précise a été livré l'âne que vous avez vendu au chef Sobek ?

— Très exactement dix-huit jours.

— L'âne est un animal indispensable, rappela la femme sage ; sans lui, l'Égypte ne serait pas devenue un pays riche. Mais il est parfois animé par l'exaltation de Seth ; c'est pourquoi tout âne qui pénètre dans le domaine de la Place de Vérité doit être magiquement apaisé. Comme il est de coutume, le policier a sollicité l'intervention d'une prêtresse d'Hathor pour lui peindre un hiéroglyphe à l'intérieur de la cuisse avant gauche, et il ne l'a conduit à la palmeraie qu'après l'accomplissement de cette exigence rituelle. Ce hiéroglyphe varie en fonction des saisons et des fêtes. Il y a dix-huit jours, comme toute la confrérie peut en témoigner, le signe choisi était une mèche de cheveux bouclée. Le tribunal peut le vérifier.

Ouserhat le Lion souleva délicatement le pied du vieil âne et il montra au marchand le signe, peint à l'encre rouge.

— Je t'avais prévenu, lui rappela Kenhir. Tu as porté une fausse accusation contre le chef de la sécurité du village et tu as accumulé des mensonges pour le faire condamner. Reconnais-tu les faits ?

— Non, non... Je ne suis pas responsable...

— Tu oses encore nier ?

Le vendeur d'ânes baissa la tête.

— Non, j'implore votre pardon… Je voulais simplement des gains faciles.

— Dans un premier temps, le tribunal te condamne à offrir cinq ânes au chef Sobek.

— Cinq ! C'est énorme, je…

— Ce n'est pas tout. Tu lui offriras également deux jours de travail par semaine pendant cinq ans ; si tu manquais une seule fois à ce devoir, ta peine serait immédiatement doublée. Désires-tu faire appel devant le tribunal du vizir ?

— Non, non…

— Alors, jure de respecter ce jugement.

Le condamné prêta serment d'une voix presque éteinte.

— Décampe et amène les cinq ânes dès demain matin.

Brisé, le marchand s'éloigna.

— Il fallait l'arrêter ! estima Sobek.

— Si tu as d'autres chefs d'accusation, nous organiserons un nouveau procès.

— N'avez-vous pas compris que les ennemis de la confrérie ont tenté de m'éliminer ?

— Te rends-tu compte de la gravité de tes propos et de ce qu'ils impliquent ?

— Ouvrons les yeux ! Moi destitué, qui aurait-on nommé pour vous protéger ?

— Calme-toi, Sobek. Oublies-tu que c'est le vizir qui nomme le chef de la sécurité ?

— Pourquoi ne serait-il pas manipulé, lui aussi ?

— Ce procès t'a épuisé et il te fait perdre l'esprit. Va te reposer, nous ferons le point plus tard.

Pendant que le Nubien, dépité, regagnait ses quartiers, Kenhir posa à la femme sage la question qui lui brûlait les lèvres.

— Je n'avais pas entendu parler de cette coutume magique…

— Consultez Ouâbet la Pure, répondit Claire en souriant ; c'est elle qui en a eu l'idée. Mais l'important n'était-il pas de retrouver l'âne et d'obtenir les aveux du complice du vendeur ?

— Bien joué... Mais faut-il croire aux obsessions de Sobek ?

La femme sage prit la main du maître d'œuvre.

— Le ciel se couvrira de sombres nuages, et la foudre pourrait bien nous frapper... Mais les prêtresses de la Place de Vérité ne sont-elles pas capables de conjurer le mauvais sort ?

Le vendeur d'ânes ne trouvait pas le sommeil. Alors qu'il espérait triompher sans difficulté, il venait de vivre la journée la plus affligeante de son existence.

Ce soir même, il attendait l'émissaire du général Méhy qui lui réglerait son dû, mais ce serait une maigre compensation au regard de ses ennuis. La sévère sentence du tribunal n'allait pas seulement l'appauvrir mais aussi ruiner sa réputation.

Méhy devait l'indemniser et empêcher toute autre condamnation que ne manquerait pas de réclamer le chef Sobek. Ulcéré, ce dernier s'acharnerait sur son accusateur et, s'il parvenait à le faire arrêter, il l'interrogerait sans ménagement et finirait par obtenir ses aveux.

Tout bien réfléchi, il devait se rendre immédiatement chez le général et se placer sous sa protection.

En sortant de la cabane qui jouxtait l'écurie, le marchand se heurta à une paysanne.

— Que fais-tu ici ?

— Je suis l'épouse de Méhy.

— Mais... vous êtes habillée comme une pauvresse !

— Je ne souhaitais pas être reconnue.

— Vous... vous êtes l'émissaire ?

— Tu as travaillé pour nous et tu dois être récompensé, comme prévu.

— Le tribunal n'a pas condamné Sobek ! Le vieil âne a été retrouvé, et les juges ont démonté toute la machination... À présent, il faut me protéger.

— As-tu parlé de Méhy ?

— Non, ils croient que je suis le seul responsable... Mais si Sobek m'arrête, j'avouerai tout pour sauver ma peau !

– Nous n'en sommes pas là, le rassura Serkéta. Cet échec est regrettable, mais toute peine mérite salaire. C'est pourquoi tu recevras ce qui t'était promis.

– Ensuite, vous me protégerez ?

– Là où tu iras, tu n'auras plus rien à craindre du chef Sobek.

Rassuré, le vendeur d'ânes admira les deux plaques d'argent que la femme venait de poser sur un coffre à linge. Une véritable petite fortune ! Malgré ses déboires, il avait eu raison d'accepter la proposition du général.

Pendant que le marchand s'emplissait le regard, Serkéta se plaça derrière lui.

Sortant de la poche intérieure de sa robe grossière une longue et fine aiguille, elle l'enfonça d'un coup sec dans la nuque du couard, juste entre deux vertèbres. Après s'être exercée sur des animaux et une maquette de tête humaine, Serkéta réussit à merveille sa première expérience sur le terrain.

Le vendeur d'ânes tira la langue, émit une sorte de râle, tendit les bras pour n'agripper que le vide et s'effondra, mort.

Serkéta ôta l'aiguille qui avait fait perler un peu de sang. Elle l'essuya avec soin, de manière à ne laisser aucune trace de son crime. Comme sa victime ne bénéficierait pas d'une momification de première classe, personne ne remarquerait le trou minuscule.

Puis elle détacha les ânes et, avec l'une des cordes, pendit le vendeur à l'extrémité de la poutre faîtière de l'écurie. Le marchand ne pesait pas plus lourd mort que vivant.

Avant de disparaître dans la nuit, Serkéta n'oublia pas de récupérer les deux plaques d'argent.

33.

À l'équipe de droite réunie dans le local de la confrérie, le scribe de la Tombe rappela que celle-ci avait besoin de produits rares comme la galène et le bitume, et le maître d'œuvre précisa qu'au moins un artisan devait faire partie de l'expédition. Doté d'instructions précises, il rapporterait au village les quantités nécessaires pour l'accomplissement d'un travail secret.

D'ordinaire, c'était Thouty le Savant qui se chargeait de cette corvée; mais en raison de son deuil récent, le maître d'œuvre ne pouvait pas la lui imposer. Aussi faisait-il appel à un volontaire qui serait prêt à partir dès le lendemain matin.

De retour à son bureau où, comme il le redoutait, Niout la Vigoureuse avait passé son balai, Kenhir n'eut pas le temps de s'emporter, car un message du chef de la sécurité le requérait d'urgence au cinquième bastion. Détestant être bousculé de la sorte, le scribe de la Tombe délaissa pourtant ses chers papyrus.

Le chef de la sécurité maîtrisait mal ses nerfs.

— Vous connaissez la nouvelle, Kenhir ?

— Je suis ici pour l'apprendre.

— Le marchand d'ânes…

— Aurait-il osé bafouer le tribunal en ne t'amenant pas les cinq animaux qu'il te doit ?

— On vient de le retrouver mort, chez lui. Il s'est pendu.

— Ce lamentable menteur n'a pas supporté sa déchéance.

— Un nouveau suicide, après celui d'Abry ! s'exclama le Nubien.

— Comment oses-tu comparer un administrateur principal de la rive ouest avec un vendeur d'ânes ? Ce dernier a eu peur de toi et d'éventuelles représailles.

— Je suis persuadé qu'on l'a assassiné pour l'empêcher de parler. Exactement comme Abry.

— Dans l'un ou l'autre cas, possèdes-tu des preuves ? interrogea Kenhir, irrité.

— Malheureusement non.

— Que tu voies des complots partout n'est pas mauvais, Sobek, car cette déformation professionnelle maintient ta vigilance. Mais qu'elle ne t'obsède pas au point de troubler ta raison ! Pourras-tu au moins récupérer les ânes ?

— Quelqu'un les a détachés, et ils sont partis en vadrouille.

— Pourquoi ne serait-ce pas le marchand lui-même qui les aurait mis en liberté avant de se donner la mort ?

— Ce serait si simple, en effet.

— Et ça l'est, Sobek ! N'as-tu pas droit à quelques jours de congé ?

— J'y ai renoncé.

— Tu as tort. Un peu de repos te ferait le plus grand bien.

— La sécurité du village est mon unique préoccupation. Et ceux qui s'en sont pris à moi ont eu tort de me rater.

LA FEMME SAGE

La page du Journal de la Tombe que Kenhir avait à rédiger serait aussi longue qu'exceptionnelle. Casa le Cordage ne pouvait pas se porter volontaire parce qu'il souffrait de troubles oculaires; Féned le Nez, parce qu'il portait des offrandes sur la tombe de ses parents; Karo le Bourru, parce qu'il réparait la porte de sa maison; Nakht le Puissant, parce qu'il brassait de la bière pour la prochaine fête; Ouserhat le Lion, parce qu'il avait été piqué par un petit scorpion; et tous les autres avaient également de bons motifs pour ne pas quitter le village et partir à l'aventure.

Tous, sauf Paneb.

— Tu es le père d'un bambin, lui rappela Kenhir.

— Il grossit à vue d'œil, et Ouâbet s'en occupe très bien. Mais... Je ne suis quand même pas le seul volontaire?

— J'ai bien peur que si. Allons voir le maître d'œuvre.

Néfer le Silencieux ne dissimula pas son embarras.

— Merci pour ton courage, Paneb, mais je ne pensais pas à toi... Tu ne connais ni les sites ni les produits à rapporter.

— Qui les connaît?

— Le plus compétent serait l'orfèvre Thouty, mais son deuil...

— Fait-il partie de la confrérie, oui ou non? Lorsqu'une mission nous est confiée, il faut savoir oublier joies et chagrins. J'ai participé à sa détresse mais aujourd'hui, nous avons besoin de lui. Car je suppose qu'il ne s'agit pas d'une simple promenade dans le désert... Les produits à rapporter nous sont indispensables, n'est-ce pas?

— Même si le laboratoire et l'administration de la rive ouest n'avaient pas réclamé cette expédition, nous aurions été obligés de l'organiser. La Demeure de l'Or utilise le bitume et la galène pour des raisons précises que je ne peux te dévoiler.

— Je vais voir Thouty et je le convaincrai de partir. À deux, le voyage sera moins pénible.

Daktair ne tenait plus en place. Tripotant sans cesse les poils de sa barbe, il comptait et recomptait les deux cents ânes et les

cent mineurs prêts à partir, encadrés par une trentaine de prospecteurs spécialisés dans la recherche de minerais et de pierres
précieuses. Habitués au danger, durs au mal, ils avaient dressé
leurs propres cartes et joueraient aussi le rôle de protecteurs
contre d'éventuelles attaques des « coureurs des sables »,
nomades cruels et pillards. Comme Daktair avait requis le maximum de sécurité, vingt soldats expérimentés leur prêteraient
main-forte en cas d'agression.

La piste était jalonnée de puits, mais l'on avait largement
calculé les réserves d'eau et de nourriture. L'état de santé de
chaque âne avait été examiné avec soin, les paniers étaient
neufs et les sangles aussi.

Il ne manquait plus que l'artisan de la Place de Vérité.

— Combien de temps va-t-il encore nous faire perdre !
s'indigna Daktair. Nous n'allons tout de même pas passer la
journée à l'attendre !

— Désirez-vous que je me rende au village ? demanda l'un
des prospecteurs.

Les regards se fixèrent sur un petit bateau qui tentait
d'accoster. Manœuvré de manière hésitante, il échoua à deux
reprises avant d'atteindre enfin la rive.

De l'embarcation sautèrent deux passagers fort différents,
un jeune colosse et un homme sans âge, presque malingre, qui
semblait fragile à se briser.

Aussitôt, des soldats les encadrèrent et les menacèrent de
leurs gourdins.

— Qui êtes-vous ? interrogea Daktair, agressif.

— Ça ne se voit pas ? s'étonna le jeune colosse. Un marin
amateur qui apprend à naviguer... Pour ma première traversée,
je ne m'en suis pas trop mal tiré.

— Retourne d'où tu viens, mon garçon. Ici, c'est une zone
militaire.

— N'est-ce pas le point de départ d'une expédition ?

Daktair fut troublé.

— Tu es bien renseigné... Qui t'a informé ?

— Le maître d'œuvre de la Place de Vérité.

— J'attendais un artisan, pas deux !

— Je m'appelle Paneb, et voici mon compagnon, Thouty.

— J'ai besoin d'en savoir plus sur vos grades et vos compétences.

— Il faudra pourtant te contenter de ça.

— Sais-tu à qui tu t'adresses ? Je suis Daktair, le directeur du laboratoire central de Thèbes et le chef de cette expédition ! Tu me dois totale obéissance et je te somme donc de satisfaire à mes exigences.

À voir Paneb dévisager les soldats un à un, Thouty comprit que son compagnon se préparait à foncer dans le tas et qu'il ne serait pas forcément vaincu.

— Paneb, non... lui murmura-t-il. Souviens-toi que nous avons une mission.

— C'est vrai, je n'ai pas le droit de me laisser aller. Bon... Il ne nous reste plus qu'à rentrer chez nous.

Le jeune colosse tourna les talons en direction du petit bateau.

Daktair se précipita vers Paneb et lui saisit le poignet.

— Où vas-tu ?

— Lâche-moi immédiatement, ou je ne réponds plus de rien.

L'œil menaçant de Paneb contraignit le savant à obéir.

— Thouty et moi, nous regagnons le village.

— Mais... ne devez-vous pas partir avec moi ?

— Avec toi, mais pas sous tes ordres. Nous sommes des hommes libres et nous savons ce que nous avons à faire.

Daktair se congestionna.

— Je te rappelle que je suis le chef de cette expédition et qu'elle ne pourra réussir sans une discipline très stricte.

— Applique-la à tes subordonnés ; nous, nous ne dépendons que de la Place de Vérité. Si tu n'es pas capable de le comprendre, tu seras responsable de l'échec.

— Me dévoileras-tu au moins notre destination ?

– Tu la connaîtras bien assez tôt. Donc, nous sommes bien d'accord : Thouty prendra la tête et indiquera le chemin.

– Tu bafoues mon autorité, Paneb !

– Que vas-tu imaginer ? Je ne m'en occupe pas, voilà tout.

– Je n'ai pas l'habitude qu'on me parle sur ce ton. Que tu le veuilles ou non, cette expédition est placée sous ma responsabilité, et je ne saurais tolérer ton attitude.

– Alors, pars sans moi.

Daktair se tourna vers Thouty.

– J'espère que tu es plus raisonnable.

– Conformément à la volonté de notre maître d'œuvre, dit l'orfèvre d'une voix tranquille, je guiderai cette expédition jusqu'aux mines, mais à une condition non négociable : appliquer les directives que j'ai reçues. Quels que soient tes titres et tes prérogatives, ou bien tu t'inclines, ou bien tu restes à Thèbes.

Abasourdi, Daktair comprit pourquoi il était si difficile de lutter contre cette confrérie.

– Cessons ces vaines discussions, décréta Paneb, et partons.

34.

L'expédition descendit le Nil de Thèbes à la hauteur de Coptos où bêtes et hommes débarquèrent pour prendre la piste du désert qui menait à la mer Rouge et à la péninsule du Sinaï, riche en mines de turquoise et de cuivre, exploitées depuis l'Ancien Empire. Sous la conduite de Thouty, qui connaissait bien les lieux, elle délaissa la piste qui menait à une carrière de granit et se dirigea vers le Gebel el-Zeit.

Bien que la pluie ne tombât presque jamais dans la région, elle bénéficiait néanmoins d'une certaine humidité due à la mer Rouge, et des îlots de verdure s'épanouissaient çà et là, notamment au pied d'une impressionnante chaîne de montagnes aux pics hauts de mille mètres.

La plupart des Égyptiens redoutaient le désert, peuplé de créatures étranges et dangereuses; mais chacun savait qu'il préservait les corps pour l'éternité et qu'il contenait d'immenses trésors, de l'or, de l'argent, et toutes « les pierres pures engendrées dans le ventre des montagnes ». On pouvait traverser le désert, non y habiter, car il était l'au-delà présent sur terre. Et il fallait des guides expérimentés pour ne pas tomber dans ses multiples pièges.

Paneb marchait à côté de Thouty qui, en dépit de sa fragile constitution, imprimait un bon rythme à la troupe.

— J'ai l'impression que ce voyage te plaît.

— Encore plus que ça ! s'exclama l'Ardent. Quels magnifiques paysages... Le sable ressemble à du feu, et il est doux à mes pieds. Par bonheur, notre village est situé dans le désert ; il faut sa puissance pour secouer les hommes et les délivrer de leur mollesse.

— Que penses-tu de ce Daktair ?

— Pour moi, il n'existe pas. Un petit fonctionnaire trop gras que ses privilèges rendent ivre de vanité.

— Méfie-t'en quand même. Lorsque je travaillais à Karnak, j'ai croisé des individus de ce genre-là, certes moins dangereux. Qu'il ne nous aime pas n'a rien d'étonnant, pourtant j'ai le sentiment qu'il y a peut-être plus grave.

Paneb considéra Thouty avec étonnement.

— As-tu résidé dans le domaine d'Amon ?

— J'y ai appris à travailler le bois précieux, l'or et l'électrum, à ciseler des décors, à revêtir d'or des portes, des statues et des barques, et j'aurais atteint un haut degré dans la hiérarchie si Kenhir n'avait pas fait appel à moi. La Place de Vérité avait besoin d'un orfèvre expérimenté : je n'étais que le troisième sur la liste, mais le tribunal d'admission avait rejeté les deux premiers.

— Pourquoi ne pas être resté à Karnak ?

— Je n'avais jamais osé frapper à la porte de la confrérie, mais je savais qu'elle détenait des secrets de métier qui n'étaient dévoilés nulle part ailleurs. Y avoir accès me semblait impossible. Alors, quand l'occasion s'est présentée, j'ai tenté ma chance.

— Aurais-tu entendu l'appel ?

— Depuis le premier instant où j'ai tenu de l'or entre mes mains... Mais j'ignorais que c'était lui et qu'il me rendait différent des autres orfèvres. La confrérie l'a reconnu comme tel et m'a admis dans l'équipe de droite. Quel jour merveilleux... Maintenant, il faut supporter la souffrance.

— Tu pourrais avoir un autre enfant.

— Non, je préfère garder intact le souvenir de mon fils, de son enfance rieuse, de ses jeux, de ce bonheur que je n'ai pas su retenir... Et je te remercie de m'avoir fait sortir de ma torpeur pour prendre part à cette expédition. Seul, j'aurais été désemparé ; avec toi, il sera possible de remplir cette mission difficile.

— Pourquoi redoutes-tu Daktair ?

— Parce que nous allons recueillir un produit dangereux dont des règles strictes ont fixé l'utilisation. En tant que directeur du laboratoire central, il pourrait avoir l'intention de les violer.

— Ne sommes-nous pas chargés de les faire respecter ?

— C'est la raison pour laquelle nous pourrions devenir gênants. A priori, cette expédition n'avait rien de périlleux ; depuis que j'ai rencontré Daktair, je n'en suis plus si sûr.

Paneb eut un sourire gourmand.

— Puisse-t-il avoir la bonne idée de s'en prendre à nous !

— Nous ne sommes que deux, Paneb.

— D'après ce que j'ai pu comprendre, tu ne manques pas d'amis parmi les mineurs et les chercheurs de minerais.

— Avoir traversé plusieurs fois ce désert avec les mêmes hommes crée des liens, c'est vrai. La plupart d'entre eux ne se retourneront pas contre nous.

— Sois tranquille, Daktair n'a aucune chance.

Daktair était le seul à se déplacer sur le dos d'un âne robuste et, malgré ce privilège dû à son rang, il buvait bien plus que les marcheurs. Se doutant que ce voyage ne serait pas une partie de plaisir, il n'avait pourtant pas prévu que ces étendues désertiques lui feraient horreur à ce point.

D'une humeur massacrante, le savant avait vainement tenté d'élaborer un plan pour se débarrasser du jeune colosse. Il sentait ce dernier plus méfiant qu'un fauve et capable de réagir avec violence. Et comment l'éliminer sans attirer les soupçons de l'orfèvre ? Si Paneb refusait de continuer, Daktair ne mettrait pas la main sur l'un des secrets majeurs de la confrérie.

Il lui fallait donc attendre que les produits fussent récoltés. Ensuite, il aviserait.

Devant lui, les mineurs ralentirent.

— Je n'ai pas donné l'ordre de stopper !

— Ça n'avance plus.

Énervé, Daktair remonta la colonne.

À l'avant, Thouty s'était assis sur un bloc, le dos au soleil. Les hommes et les bêtes buvaient à petites gorgées.

— Que se passe-t-il ?

— Une halte imprévue, répondit l'orfèvre. Ce ne devrait pas être long, et un peu de repos ne fera de mal à personne.

— Où est ton compagnon ?

— Il est parti vers le monticule, là-bas, avec deux chercheurs de pierres précieuses.

— Mais… ce n'est pas le but de l'expédition !

— Va dormir un peu.

— Rappelle ces hommes immédiatement.

— Attendons tranquillement leur retour. Plus tu t'agites, plus tu auras soif.

Thouty offrit une figue à Daktair qui la refusa et reprit place à l'arrière de la troupe. Aucun mineur ne lui témoignait de la sympathie, alors que beaucoup d'entre eux venaient partager avec l'orfèvre les souvenirs des expéditions antérieures.

— Fabuleux ! s'exclama Paneb en revenant du monticule. Regarde un peu ce que les prospecteurs m'ont permis de récolter.

Sous les yeux de Thouty, il étala des cristaux en forme de

dodécaèdres qui dissimulaient des cornalines, des jaspes rouges et des grenats. Certains gros grenats étaient déjà dégagés de leur gangue et se présentaient comme des chapelets de sphères.

— Ils ne se sont pas moqués de toi, jugea l'orfèvre.

— Nos amis estiment qu'il n'est pas nécessaire de montrer ces pierres à Daktair et de les faire enregistrer par un scribe. Après tout, ce ne sont que de gros cailloux.

— D'un point de vue profane, c'est exact. Et il y a déjà tellement de paperasses à remplir...

— On pourrait peut-être repartir? Daktair doit s'impatienter.

Un soldat accourut vers les deux artisans.

— On a repéré trois coureurs des sables sur la colline... Ils nous ont observés pendant quelques instants avant de disparaître. Des éclaireurs, sans nul doute.

— Faut-il prévoir une attaque? demanda Paneb.

— Pas forcément... Ces pillards sont des lâches, et ils ne s'attaquent qu'à des caravanes mal protégées. Néanmoins, nous allons prendre les précautions nécessaires. Des archers vont demeurer à vos côtés et, la nuit, nous établirons des tours de garde.

On repartit d'un pas plus lourd, non sans observer les alentours avec la peur de voir surgir une bande armée.

Au fil des heures, la crainte s'estompa, d'autant plus qu'aucun des puits jalonnant la piste n'avait été obstrué ou souillé.

L'intendance était bien assurée, le moral de la troupe excellent. Paneb, qui avait porté sur son dos un jeune mineur victime d'une insolation, s'était attiré toutes les sympathies, et nul ne se plaignait de l'allure imprimée par Thouty.

Les prospecteurs vérifiaient leurs cartes et remplissaient leurs bourses en cuir d'échantillons de minerais qu'ils étiquetaient avec soin.

— Ce sera notre dernier bivouac avant l'arrivée sur le site, demain, en fin de matinée, annonça Thouty. Ce soir, festin pour tous : bœuf séché et vin rouge.

Alors que les mineurs entonnaient des chants à la gloire du pharaon et de la déesse Hathor, souveraine des métaux précieux, Daktair s'approcha des deux artisans.

— Nous n'avons pas échangé un seul mot au cours de ce voyage... Peut-être serait-il temps de conclure la paix, suggéra le savant.

— Pourquoi pas ? répondit Thouty. Assieds-toi et bois.

— Jamais d'alcool, merci.

— Ça te rendrait de meilleure humeur, suggéra Paneb.

— Nous nous mettrons au travail dès demain, je suppose ?

— Exact, approuva l'orfèvre.

— Ne serait-il pas temps de me révéler comment vous comptez procéder ? Je suis ici pour vous aider et vous faire profiter de ma science.

— Nous n'en doutons pas, Daktair, mais il vaut mieux que tu te préoccupes de notre sécurité.

— Les soldats s'en chargent ! Ce qui m'intéresse, c'est la nature et la quantité des matériaux que nous rapporterons à Thèbes.

— Il est l'heure de dormir, décida Thouty.

35.

Le Gebel el-Zeit était un petit massif montagneux à l'écart des pistes caravanières. À trois cents kilomètres de Thèbes, dominant l'accès au golfe de Suez, très isolé, le site n'était exploité qu'assez rarement, lorsque se faisaient sentir les besoins en galène. Daktair avait entendu certains mineurs prétendre qu'elle était aussi précieuse que l'or, et cette perspective le faisait saliver. Il comprenait mieux pourquoi l'orfèvre Thouty était venu plusieurs fois dans cet endroit perdu, mais il ignorait encore l'usage que faisait la confrérie de ce matériau rare.

— Rendons d'abord hommage à la déesse Hathor et demandons-lui sa protection, ordonna Thouty.

Daktair pesta contre cette perte de temps, mais il savait qu'éradiquer les vieilles superstitions ne serait pas une entreprise facile. Tous les membres de l'expédition se recueillirent devant de sobres stèles dressées en face de petits sanctuaires en pierre sèche édifiés parmi les habitats sommaires qu'occupaient les mineurs pendant leur séjour au Gebel el-Zeit. Chacun fit une offrande à la déesse, qui une amulette, qui un scarabée en faïence, qui une statuette de femme en terre cuite, qui un morceau d'étoffe de lin, et l'on vénéra aussi les dieux Min, protecteur des explorateurs du désert, et Ptah, le patron des artisans.

Le rituel achevé, Thouty répartit les tâches. Il envoya cinq prospecteurs chasser la gazelle, cinq autres pêcher et ramasser des coquillages, et il désigna deux intendants qui formèrent des équipes de nettoyage pendant que l'on commençait à décharger les ânes et que les soldats se mettaient en position pour assurer la protection du site.

Paneb fut chargé de distribuer des outils de pierre, pics et percuteurs, la plupart en basalte, et de choisir une vingtaine de mineurs dont le voyage n'avait pas entamé l'énergie pour se rendre à la mine, distante de trois kilomètres des habitations et des sanctuaires.

Surpris par l'efficacité des deux artisans, Daktair ne savait plus où donner de la tête pour ne rien perdre de leurs mouvements. À un moment ou à un autre, ils devraient bien dévoiler le but de leur mission et, par là même, le secret dont le savant désirait tant s'emparer.

– Allons-y, décida Thouty ; que le repas soit prêt quand nous reviendrons.

Daktair se joignit à l'escouade qui se dirigea vers la mine ; ni Thouty ni Paneb ne lui prêtèrent attention.

Plus on approchait du but, plus le savant remarquait l'abondance de minéraux étranges, les uns gris bleuâtre, les autres très foncés. Il n'avait jamais rien vu de semblable et il eut une autre surprise en découvrant la mine, dont une partie était à ciel ouvert et l'autre souterraine. Orientés nord-sud, les filons de galène avaient été détectés en surface, puis l'on avait creusé des galeries jusqu'à trente mètres de profondeur. L'un des points d'attaque d'un filon particulièrement riche se trouvait même à cent mètres au-dessous de l'air libre et il se présentait sous la forme d'un étroit boyau que seul un mineur peu corpulent pouvait emprunter.

Daktair était excité comme au seuil d'une grande découverte.

– Ces roches... c'est de la galène ?

– La galène est un sulfure de plomb gris bleuâtre, précisa Thouty. Les roches qui varient du brun foncé au noir sont du bitume. Tu veux visiter une galerie ?

– Bien sûr que oui !

– Tu risques de te salir... Vu ta corpulence, nous ne pourrons entrer que dans une salle suffisamment large.

Fasciné, Daktair aurait suivi l'artisan jusqu'au bout de la terre, mais la descente ne fut pas facile, et Paneb dut même le rattraper par la taille alors qu'il entamait une glissade dangereuse.

La précédente expédition avait bien travaillé en créant des salles assez hautes pour que l'on s'y tînt debout. Des orifices de ventilation, d'un diamètre d'une trentaine de centimètres, étaient disposés de manière à produire un courant d'air permanent.

Avec un pic, un mineur arracha un peu de minerai qu'il concassa pour extraire de leur gangue des pépites de galène.

– Voici ce que nous rapporterons à Thèbes, révéla Thouty.

– Pour quels usages ?

– Le bitume sert à imperméabiliser les silos, à calfater certains types de bateaux, à sceller des couvercles de jarre et à emmancher des outils. Appliqué en cataplasmes, il se révèle efficace contre la toux. Quant à la galène, elle nous offre un produit précieux entre tous : le cosmétique qui permet à nos élégantes de farder leurs yeux. Nos épouses en sont friandes et, à lui seul, il justifie notre voyage.

Tant de cachotteries pour si peu... Daktair était cruellement déçu. Mais il ne pouvait écarter l'hypothèse la plus vraisemblable : les deux artisans se moquaient de lui et lui mentaient de manière éhontée.

Se gardant bien de manifester sa méfiance, il assista au travail des mineurs, se déplaça à sa guise dans les galeries accessibles et se risqua même dans un boyau qui venait d'être creusé, sans parvenir à y découvrir quoi que ce soit d'insolite.

Se désintéressant des affreuses pépites de galène, il épia les faits et gestes de l'orfèvre et de son compagnon qui, malheureusement, se répartissaient les tâches et ne se retrouvaient qu'à la nuit tombée dans leur petite cabane pour y dormir sur deux solides nattes de voyage. Comment savoir ce que faisait Paneb quand Daktair observait Thouty, et réciproquement ? Le savant avait bien réussi à soudoyer deux mineurs, mais ils ne lui fournissaient que des renseignements sans intérêt.

Sous la direction de Thouty, on extrayait de la galène ; sous celle de Paneb, on inventoriait les pépites, on les rangeait dans des paniers en prévision du transport, on nettoyait et on réparait les outils.

À chaque instant, les deux Serviteurs de la Place de Vérité utilisaient leur expérience d'hommes de chantier. Ils organisaient le travail en s'adaptant aux conditions particulières de chaque journée et en économisant au maximum les efforts des ouvriers, ce qui leur valait une popularité croissante.

Dans le cas où le secret ne concernerait qu'un produit de beauté et un adhésif d'un emploi restreint, les efforts déployés n'étaient-ils pas dérisoires ? Daktair refusait d'admettre qu'il s'était trompé. La Place de Vérité était une institution trop importante pour se livrer à des activités aussi futiles. Si les deux artisans encadraient cette expédition avec des consignes précises de leur maître d'œuvre, s'ils avaient quitté leur village en sachant que leur visage et leur nom seraient désormais connus, ce ne pouvait être sans raison sérieuse.

Aussi Daktair changea-t-il de stratégie. Pendant la journée, il s'accorda de longues périodes de repos ; la nuit, il resta éveillé pour observer la cabane des deux artisans, avec l'espoir qu'ils se trahiraient enfin.

Après trois veillées interminables, sa patience fut récompensée.

Alors que le campement était plongé dans le sommeil, Paneb et Thouty s'en éloignèrent sans bruit et ils prirent la direction de la mine.

Daktair les suivit.

Ils contournèrent l'un des postes de garde et ils bifurquèrent vers une butte qui ne se trouvait pas dans la zone exploitée.

Daktair hésita. Il risquait de trébucher et de se faire repérer. Incapable de se défendre contre le jeune colosse, le savant serait une proie facile. Mais c'était sa seule chance de découvrir ce que tramaient les artisans.

Par bonheur, ils ne hâtaient pas l'allure, comme s'ils hésitaient sur le chemin à suivre. En réalité, ils devaient éviter les sentinelles. Les deux hommes passèrent loin derrière la dernière qui ne les aperçut pas et ils commencèrent l'ascension de la butte.

Daktair les imita.

Soudain, ils s'immobilisèrent comme s'ils se heurtaient à un adversaire invisible. Paneb s'écarta de Thouty et il ramassa une pierre. Quand il leva le bras, Daktair crut que le jeune colosse allait assommer son compagnon. Avait-il décidé de se débarrasser de lui pour s'emparer seul du trésor ?

Paneb jeta avec violence la pierre devant lui, et les deux hommes continuèrent.

Quand le savant passa à l'endroit où l'incident s'était produit, il vit le cadavre d'un cobra noir, la tête fracassée. La peur lui serra la gorge. D'ordinaire, personne ne se déplaçait la nuit dans le désert, domaine des reptiles et des scorpions.

Ses pieds portaient Daktair malgré lui. S'il persistait, c'était parce qu'il se sentait incapable de retrouver son chemin jusqu'au campement. Il n'osait plus regarder autour de lui et fixait le dos des artisans, avec la crainte d'entendre un sifflement sinistre.

L'ascension de la butte fut pénible. À deux reprises, Daktair faillit glisser sur des roches humides.

Parvenus au sommet, les deux hommes disparurent.

«L'entrée d'une mine, pensa le savant; ils ont dû s'engouffrer dans une galerie où est caché le trésor qu'ils doivent rapporter à la confrérie.»

Oubliant les serpents, les pierres glissantes et le désert hostile, Daktair se hissa jusqu'au sommet.

À plat ventre, il les aperçut.

Il n'y avait pas d'entrée de mine, mais une sorte de cratère qu'observaient Thouty et Paneb. Mais qu'y avait-il donc à voir?

Daktair écarquilla les yeux en pure perte. Les deux hommes ne s'étaient-ils pas égarés?

Ce ne fut pas un sifflement de serpent qui glaça le sang du savant, mais celui d'une flèche qui lui frôla la tempe en traçant un sillon sanglant.

À peine se retournait-il que Daktair vit se précipiter vers lui trois hommes armés de poignards.

– Au secours! hurla-t-il.

36.

Paneb bondit.

Atteignant le rebord du cratère, il vit les agresseurs, éclairés par la lumière de la lune. Trois coureurs des sables, hirsutes, venaient de plaquer au sol un Daktair qui ne cessait de hurler.

– Occupez-vous de moi, bande de lâches !

Les pillards délaissèrent leur première proie pour attaquer Paneb.

Au lieu de se déployer, ils eurent le tort de foncer ensemble vers l'insensé qui les défiait, persuadés de pouvoir planter leurs poignards dans sa poitrine sans aucune difficulté.

Au dernier moment, Paneb se baissa pour percuter du front le bas-ventre de l'assaillant du centre et soulever les deux autres en les empoignant par les testicules.

Ne laissant pas le temps à ses adversaires de se relever et

de reprendre leur souffle, l'Ardent se déchaîna. Il fracassa le crâne du premier avec une pierre, brisa la nuque du deuxième et trancha la gorge du troisième avec son propre poignard.

— Ne me fais pas de mal ! supplia Daktair en se relevant.

— Que fais-tu ici ?

— Je ne suis pas leur complice... Je... je me suis égaré.

— Avoue que tu nous suivais.

Le savant porta la main à sa tempe.

— Du sang... Je suis blessé, gravement blessé !

— On te soignera si tu nous dis la vérité.

— Vous n'avez pas le droit de me traiter ainsi ! Si je ne suis pas soigné immédiatement, je vais mourir.

— Ramenons-le au campement, dit Thouty à Paneb. Si Daktair portait plainte contre toi, tu aurais de graves ennuis.

À contrecœur, le jeune colosse souleva Daktair d'une main et le porta sur ses épaules comme un sac de grains.

Le savant se reposait sous une tente. Quoique spectaculaire, sa blessure n'était que superficielle et ne mettait pas sa vie en danger. Quant aux trois hommes abattus par Paneb, il s'agissait de redoutables bandits ; un soldat reconnut deux d'entre eux, coupables de plusieurs crimes. Ils attaquaient les bivouacs au cœur de la nuit, tuaient, violaient et pillaient. Leurs cadavres furent abandonnés aux chacals.

L'incident avait assombri l'atmosphère, et les mineurs étaient pressés de repartir pour l'Égypte. Quand Thouty annonça qu'il ne restait que deux jours de travail, chacun se sentit réconforté.

— Ta ruse a été très efficace, dit Paneb à Thouty. Daktair nous a suivis en croyant que nous allions le mener à un trésor. Puisque nous sommes débarrassés de ce cafard, sois sincère : il existe vraiment, ce trésor ?

— Galène et bitume nous sont effectivement indispensables, mais pas seulement pour les usages que j'ai révélés à Daktair. Je dois en rapporter une certaine quantité au maître d'œuvre.

— Est-ce en rapport avec la pierre de lumière ?

– Ce n'est pas impossible... Je n'en sais pas davantage.

Ou bien Thouty mentait, ou bien le respect du secret scellait ses lèvres.

– Le cratère où nous avons conduit Daktair n'était qu'un leurre, poursuivit l'orfèvre, et il pourra y retourner cent fois sans rien trouver ; mais il y a un autre endroit que je dois te montrer.

Les deux hommes marchèrent au-delà du site minier et s'assurèrent qu'ils n'étaient pas suivis. Paneb remarqua que les roches devenaient de plus en plus noires.

– Avance prudemment, recommanda Thouty ; le sol semble glissant.

– On jurerait que la pierre est huileuse !

– Elle l'est. Nous sommes sur le mont de l'huile de pierre, le pétrole, qui sourd des failles. Regarde cette source de près.

À la surface, Paneb nota la présence d'une pellicule de graisse flottant sur l'eau et ne se mélangeant pas avec elle.

– À quoi sert cette étrange substance ?

– Elle est animée par une énergie dangereuse que les Anciens nous ont interdit d'utiliser. Ce pétrole brûle aisément, mais il souille et il empeste. Dans les tombes, il noircirait les murs et les plafonds. À cause de la puissance de destruction qu'il porte en lui, il ne peut être transformé qu'en onguent rituel, lors de certaines momifications, et dans la préparation de la pierre mystérieuse de la Place de Vérité où il subit une telle transformation que toute nocivité est écartée. Si des ambitieux et des avides comme Daktair réussissaient à exploiter le pétrole et à répandre son usage, de terribles malheurs s'abattraient sur notre pays. Les hommes deviendraient fous, peut-être même les coureurs des sables déferleraient-ils sur l'Égypte et les pays environnants pour prendre le pouvoir, accumuler des richesses et asservir l'humanité. Dans sa sagesse, Pharaon a ordonné qu'aucun technicien profane ne soit autorisé à utiliser cette substance, un poison terrifiant. À présent, Paneb, tu fais partie de ceux qui savent.

LA PIERRE DE LUMIÈRE

Se plaignant de douleurs au crâne, Daktair était transporté sur une civière par quatre soldats. L'expédition avançait aussi vite que possible sur la route du retour, désireuse de retrouver les rives du Nil et leurs paysages verdoyants après être sortie de la zone dangereuse où, à n'importe quel moment, pouvait surgir une troupe de coureurs des sables décidée à venger ses morts.

Dans cette contrée hostile et désolée, Paneb avait senti sa force s'accroître. Les génies qui habitaient le sable et les roches brûlées de soleil effaçaient en lui toute fatigue et décuplaient son ardeur. Il songeait aux premiers bâtisseurs qui avaient osé s'aventurer dans le désert pour y maîtriser le feu des pierres. L'Égypte n'était-elle pas un miracle accompli jour après jour, parce qu'elle savait célébrer les noces de la terre noire, fertile et généreuse, avec la puissance du désert ?

— Daktair désire nous parler, annonça Thouty.

Les deux artisans se portèrent à la hauteur de la civière.

— Vous m'avez sauvé la vie... Je voulais vous remercier. Sans l'intervention de Paneb, ces bandits m'auraient tué.

— Pourquoi nous suivais-tu ? demanda Thouty.

— J'étais persuadé qu'un trésor était caché sur ce site et que vous aviez pour mission de le rapporter au village. Mon intention n'était nullement de m'en emparer, mais de satisfaire ma curiosité.

— À notre arrivée, fais donc fouiller tous les paniers réservés à la Place de Vérité : tu n'y trouveras que des boules de bitume. C'est cela, le trésor : un matériau rare, difficile à exploiter et que tes techniciens utiliseront pour isoler des silos où l'on conserve du grain en prévision des mauvaises années. Je te le répète, il assurera une meilleure fixation des manches de certains outils. Et nous garderons, bien entendu, la quantité nécessaire de galène pour la fabrication du fard que Pharaon offre généreusement à nos épouses et à nos filles.

— Mais... Votre présence dans cette expédition de routine...

– Un décret royal la rend obligatoire.

– Je ne comprends pas pourquoi.

Thouty sourit.

– Oh, c'est tout simple ! Nous n'avons qu'une confiance très limitée dans l'administration que tu représentes. C'est la raison pour laquelle il est préférable que l'un de nous vérifie la quantité de galène à laquelle nous avons droit. Et comme tu l'as peut-être remarqué, nous savons organiser et diriger un chantier.

Le savant était perdu.

Les arguments que développait Thouty semblaient cohérents, et ils ne laissaient subsister aucune zone d'ombre. Pourtant, au fond de lui-même, Daktair se sentait berné.

– Me pardonnerez-vous mon attitude ?

– Certainement, répondit l'orfèvre. On raconte tellement d'histoires absurdes à propos de notre village... Si l'on croyait les bonimenteurs, on finirait par être persuadé que nous détenons tous les secrets de la création ! La réalité est beaucoup plus simple : nous appartenons à une confrérie au service de Pharaon, et c'est là notre fierté et notre raison d'être.

Convaincu, Daktair but une gorgée d'eau et s'assoupit.

On éteignait les feux du dernier bivouac allumés dans la zone à risques et l'on se préparait à emprunter la grande piste, en direction de Coptos. Depuis la veille, Thouty avait retrouvé un peu d'appétit et, malgré la fatigue du voyage, son visage était moins émacié.

– Ce voyage m'a été profitable, confia-t-il à Paneb. La souffrance ne disparaîtra jamais, mais je suis plus robuste pour la supporter. C'est à toi que je le dois, comme si tu m'avais donné un peu de ta force. Du fond du cœur, je t'en remercie.

– Entre frères, on n'a pas à se remercier. Quand un membre de l'équipage est en difficulté, les autres ne doivent-ils pas l'aider pour que le bateau ne soit pas en péril ? Le maître d'œuvre ne cesse de le répéter, et je me demande si ce secret-là n'est pas aussi important que celui de la Demeure de l'Or.

Une sentinelle souffla dans sa trompette d'alarme.

– Les coureurs des sables ! cria un mineur, affolé.

– Du calme ! ordonna la voix puissante de Paneb. Les soldats et les prospecteurs vont former un cercle à l'intérieur duquel vous serez protégés. Nous avons des armes et nous saurons vous défendre.

L'assurance de l'Ardent apaisa les angoisses, et la manœuvre fut promptement exécutée, sans panique. Paneb brisa le cercle pour voir l'ennemi.

Ils étaient une centaine, armés d'arcs et de poignards, et leur chef montait une mule noire. Barbus, chevelus, vêtus de robes aux couleurs criardes, ils étaient prêts à combattre.

Il y aurait de nombreuses victimes de part et d'autre, et l'issue du combat s'annonçait défavorable aux Égyptiens.

Paneb s'avança, une pierre dans chaque main.

Un archer décocha une flèche. L'Ardent attendit qu'elle plongeât vers lui pour lancer sa première pierre et la briser en deux ; puis il expédia la seconde en direction du cavalier.

À cette distance-là, le pillard ne risquait pas d'être atteint, et ses hommes s'amusèrent de la vantardise de l'Égyptien.

La pierre s'éleva haut dans le ciel sans perdre de la vitesse et elle s'abattit sur le crâne du chef des coureurs des sables qui s'écroula sur le sol. Comme il ne se relevait pas, l'un d'eux s'empara de ses armes et de la mule, et il prit la fuite, aussitôt imité par ses camarades.

Des hourras saluèrent l'exploit de Paneb.

37.

Daktair se laissait masser par une jeune Syrienne aux mains très douces lorsque Méhy fit irruption dans sa chambre.

– Depuis quand es-tu revenu?

– Depuis hier soir... et en mauvais état.

Le général fit signe à la masseuse de s'éclipser. Le savant se tourna avec peine sur le côté et il s'assit en gémissant.

– J'ai failli être tué par un coureur des sables pendant cet horrible voyage. La chaleur, le désert, les bandits qui rôdent... Ne comptez plus sur moi pour participer à ce genre d'expédition! La prochaine fois, j'enverrai l'un de mes adjoints.

Le pansement qui recouvrait la tempe droite de Daktair confirmait ses dires.

– Tu es bien vivant et tu te remettras de cette mésaventure... Passons à l'essentiel : qu'as-tu découvert?

– Rien.

– Comment, rien ? Je déteste qu'on se moque de moi, mon ami !

– Loin de moi cette intention… Mais je pense qu'il n'y avait rien à découvrir. Le Gebel el-Zeit n'est qu'un site minier d'où l'on extrait de la galène et du bitume dont je connais à présent les usages. J'ai rapporté les mêmes quantités que mes prédécesseurs et je tirerai un bon prix de la vente aux marchands de fards. Il n'y a là-bas ni trésor ni secret, croyez-moi !

– Alors, pourquoi la Place de Vérité est-elle associée à cette expédition ?

– Pour une raison que ni vous ni moi n'avions envisagée : obtenir un produit fixateur pour les manches d'outils. Ces gens sont plus simples que nous ne le supposions. Pour les avoir côtoyés, je peux affirmer que leur seul horizon est la bonne marche d'un chantier et le bien-être des ouvriers.

Méhy gifla Daktair à toute volée. À moitié assommé, le savant mit longtemps à reprendre ses esprits. Sa joue gauche était en feu, sa tête vibrait.

– Qu'est-ce qui vous prend, général ?

– Tu raisonnes comme un imbécile et tu perds la mémoire ! On t'a berné, mon pauvre Daktair, on a tenté de t'endormir, et moi, je te réveille ! Oublies-tu que j'ai vu la pierre de lumière ? Les secrets que nous devons percer se trouvent bien dans la Place de Vérité et nulle part ailleurs. Nos adversaires ne sont ni des imbéciles ni des êtres simples, mais des gens rusés qui savent se défendre. Ceux qui t'ont manipulé ont obéi aux ordres de leur maître d'œuvre. Et cet homme-là, crois-moi, ne laisse rien au hasard.

Les ânes s'immobilisèrent devant la grande porte de la Place de Vérité. Assisté de quelques auxiliaires, Paneb déchargea les paniers remplis de pépites de galène que Thouty compta une à une pour en indiquer le nombre exact sur le rapport détaillé qu'il remettrait au scribe de la Tombe. Puis le précieux chargement fut transporté à l'intérieur du village par Nakht le Puissant et Karo le Bourru, au terme de longues et chaleureuses congratulations avec les deux voyageurs.

— Comme tu veillais sur notre orfèvre, nous n'étions pas trop inquiets, dit Karo à Paneb. Mais tout de même... on préfère que vous soyez rentrés.

— Pas de problèmes, au village ?

— On n'a pas le temps de s'ennuyer, je t'assure ! Le maître d'œuvre nous a fait réparer les outils en vue de l'ouverture des chantiers, et les sculpteurs sont déjà au travail.

Néfer le Silencieux vint à la rencontre des arrivants et leur donna l'accolade.

— Tout s'est bien passé ?

— Plus ou moins, répondit Thouty. Les coureurs des sables nous ont attaqués à deux reprises, mais les interventions de Paneb furent décisives. Et puis Daktair a tenté de comprendre notre rôle exact dans cette expédition... sans succès !

— En es-tu certain ?

— Se montrer trop confiant serait sans doute une erreur... Ce gaillard-là ne nous aime pas, et il me paraît particulièrement retors. Il faudra se méfier de ses initiatives.

— As-tu rapporté le nécessaire ?

— La récolte fut excellente... Tu auras même de la réserve.

— Paneb a-t-il été informé ?

— Je lui ai montré le pétrole et il connaît ses dangers. En sa présence, je tiens à souligner que son comportement fut en tout point remarquable.

Thouty alla rejoindre son épouse.

— Si je comprends bien, dit Néfer à Paneb, le désert reste ton allié.

— Lui et moi, on se ressemble et on se comprend ; et sans lui, notre village n'existerait pas. Quand attaquons-nous les grands chantiers ?

— Après-demain.

— Tant mieux ! Je fais partie de l'équipe de départ ?

– Je n'y étais pas favorable mais Thouty m'a fait changer d'avis.

Paneb sauta de joie.

– Je cours embrasser ma femme et mon fils.

Le jeune colosse s'élança mais il n'alla pas loin.

Ravissante dans sa courte robe rouge, parée d'un fin collier de perles, Turquoise coiffait ses longs cheveux sur le seuil de sa porte.

– L'épouse qui gouverne bien sa maison est une richesse irremplaçable, murmura-t-elle : il ne te reste qu'à l'admirer et à la féliciter pour les multiples tâches qu'elle accomplit sans faillir. Pourquoi t'arrêtes-tu devant ma maison ?

– Me laisses-tu entrer ?

– Es-tu conscient du danger ?

– Imagines-tu le sort d'un malheureux privé de femme au cœur d'un désert torride ?

Turquoise s'écarta. Paneb la saisit par la taille et il la souleva délicatement pour la déposer sur le lit d'amour de la première pièce. Jamais il ne pourrait résister à son charme et à sa beauté, d'autant plus qu'il n'en avait pas la moindre envie.

Lorsqu'elle fut nue, il dénoua le lacet qui fermait un sac de cuir, en sortit les grenats qu'avait taillés l'orfèvre Thouty, et les posa sur le ventre de sa maîtresse.

– Ne sont-ils pas superbes ?

– Deviendrais-tu délicat, Paneb ?

– Sûrement pas !

Ne laissant pas le temps à Turquoise d'admirer les merveilles, il l'embrassa avec la fougue d'un jeune mâle privé d'amour depuis trop longtemps. Elle non plus n'avait pas envie de résister, et elle offrit à son amant de plus émouvantes splendeurs que les pierres précieuses du désert.

Assise sur un siège haut garni d'un coussin, Ouâbet la Pure prenait un peu de repos. Une servante lui massait les pieds, tandis qu'un petit singe qui avait élu domicile dans le village dégustait une figue dans la cuisine. Il batifolait de maison en maison, séjournait quelques jours dans l'une ou dans l'autre, et personne ne le chassait car il s'amusait avec les enfants qui l'appréciaient plus que n'importe quel jouet.

Face à la jeune femme, une plantureuse nourrice donnait le sein à l'énorme rejeton de Paneb qui tétait avec avidité.

— Je n'ai jamais vu ça, avoua la nourrice. Tu auras bientôt deux colosses sous ton toit !

La nourrice buvait du suc de figuier et mangeait beaucoup de poisson frais pour assurer les montées de lait à la douce odeur de farine de caroube, mais cet aliment de base ne suffisait plus à éteindre la faim d'Aperti qui absorbait déjà des nourritures solides.

Parfois, Ouâbet se demandait si elle aurait suffisamment d'énergie pour remplir ses devoirs de prêtresse, entretenir sa maison et éduquer cet enfant ; mais elle se rassurait en pensant que le gamin passerait le plus clair de la journée à l'extérieur et que son père ne manquerait pas de l'entraîner à la lutte et à des activités similaires.

— Ma voisine prétend qu'elle a vu Paneb à la grande porte, dit Ouâbet ; sais-tu s'il est vraiment rentré, nourrice ?

Gênée, l'interpellée évita de regarder la jeune maman.

— Je ne suis pas passée par là, ce matin.

— Il est donc allé voir Turquoise, conclut Ouâbet, et c'est mieux ainsi. Quand il nous reviendra, avant la tombée de la nuit, son feu dévorant sera apaisé.

Le petit singe jaillit hors de la cuisine et il bondit sur l'épaule de Paneb qui venait de franchir le seuil de sa demeure.

Agrippé au géant, l'animal paraissait minuscule.

— J'espère que tout le monde se porte bien... Viens me saluer, mon fils !

La nourrice tendit Aperti à son père qui le berça avec délicatesse tandis que le petit singe touchait sa chevelure noire d'un doigt hésitant.

– Quel beau garçon ! s'exclama Paneb. Tout le mérite t'en revient, Ouâbet. Mais dis-moi... tu as une petite mine.

– Je suis fatiguée, c'est vrai.

Le jeune colosse redonna son fils à la nourrice et posa un sachet de cuir sur les genoux de son épouse.

– Qu'est-ce que c'est ?

– Ouvre-le.

Ouâbet dénoua le cordon et regarda à l'intérieur.

– Des cornalines... et du jaspe rouge !

– Je compte sur toi pour porter des colliers qui feront pâlir de jalousie bien des femmes.

– J'ai quelque chose de moins onéreux à te demander : il nous faudrait plus de poisson frais pour la nourrice. À cause de la voracité de ton fils, elle doit se nourrir davantage, et sa ration ne lui suffit plus.

– Je m'en occupe.

Paneb embrassait son épouse sur le front quand le scribe assistant Imouni frappa à la porte laissée ouverte.

– Désolé d'interrompre ces retrouvailles familiales... Le scribe de la Tombe veut voir Paneb d'urgence.

38.

Paneb aurait volontiers assommé l'avorton, mais il ne pouvait pas négliger les ordres de Kenhir, d'autant plus que cette convocation imprévue l'intriguait. Aussi suivit-il Imouni dont l'attitude compassée l'exaspérait.

– Je te préviens, Paneb, le scribe de la Tombe est de très mauvaise humeur.

– Ça ne le change guère.

– Si c'est à cause de toi, je n'aimerais pas être à ta place.

– Aucun risque, Imouni.

L'Ardent hâta le pas, le scribe assistant fut contraint de courir.

Niout la Vigoureuse balayait le seuil de la belle maison de Kenhir.

– Il t'attend, dit la jeune fille à Paneb.

Imouni tenta de le suivre, mais Niout mit son balai en travers de la porte.

— Pas toi. Il a dit : « Paneb, et personne d'autre. »

Vexé, Imouni tourna les talons pendant que l'Ardent pénétrait dans le bureau où l'avaient précédé le maître d'œuvre et la femme sage.

— Suis-je convoqué devant un tribunal ?

— Au lieu de proférer des stupidités, répondit Kenhir, assieds-toi et sois attentif.

Cette fois, le scribe de la Tombe semblait vraiment préoccupé.

— Je dois vous informer d'une catastrophe et vous demander l'engagement formel de garder le silence sur ce que je vais vous révéler.

Néfer, Claire et Paneb donnèrent leur parole.

— Les outils les plus précieux sont conservés dans une chambre forte dont le maître d'œuvre et moi-même possédons une clé, précisa Kenhir. Pour éviter les vols, nous avons gardé un système de fermeture qu'avait mis au point un maître charpentier sous le règne d'Amenhotep III.

— Des vols ? s'étonna Paneb. Des vols, ici, dans le village ?

— Les hommes ne sont que des hommes, et je viens encore d'en avoir la preuve : quelqu'un a tenté de pénétrer dans notre chambre forte.

— Ce n'est pas croyable…

— Hélas ! si. Le voleur a brisé le cachet d'argile sur lequel j'avais imprimé le sceau de la nécropole, puis il a tenté de scier la première barre de bois. À ce moment, il s'est rendu compte qu'il déclenchait un deuxième dispositif de fermeture et il a dû redouter l'existence d'un troisième. Craignant d'être surpris, il a renoncé. Mais la trace de son passage est bien visible.

— Si ce n'était pas le scribe de la Tombe qui portait une telle accusation, déclara le maître d'œuvre, je n'en croirais pas un mot. Puisqu'il faut se rendre à l'évidence, il existe un artisan malhonnête parmi nous. Ou, du moins, quelqu'un d'assez avide pour envisager de s'approprier les biens de la confrérie.

– C'est un délit très grave, estima Kenhir. Ne devrait-on pas alerter le chef Sobek ?

– Cette affaire ne concerne que nous ! protesta Paneb. Réglons-la sans intervention extérieure.

– Je n'ai confiance qu'en vous trois, avoua le scribe de la Tombe. Le maître d'œuvre et la femme sage sont le père et la mère de cette confrérie, et toi, Paneb, tu étais absent du village lors de cette tentative d'effraction.

– Thouty aussi...

– C'est vrai, mais il pourrait être complice du voleur.

– Pas moi ?

– Jamais tu n'aiderais un malfaiteur.

– Peut-être ne faut-il pas dramatiser cet incident, jugea Néfer. Qu'il y ait eu tentation et faute n'est pas douteux, mais le coupable n'osera pas recommencer.

– N'es-tu pas trop optimiste ? demanda Kenhir.

– Demain, je réunis tous les membres de l'équipe de droite après avoir consulté le chef de l'équipe de gauche pour répartir les tâches sur nos deux grands chantiers, et je veux croire que la grandeur de l'œuvre à laquelle nous sommes appelés élèvera l'esprit de chacun.

« Il faut des hommes comme Néfer pour toucher le ciel, pensa Kenhir, et il en faut d'autres comme moi pour garder les pieds sur terre. »

– Quel est l'avis de la femme sage ? demanda-t-il.

– Confiance en l'œuvre et vigilance vis-à-vis des hommes.

Paneb se rendit d'abord au vivier aménagé dans un étang où des spécialistes élevaient des perches, des muges, des chromis, des mormyres et des poissons-latès réservés à la confrérie. Quelles que fussent les conditions de pêche dans le Nil, les villageois étaient ainsi assurés de pouvoir toujours déguster du poisson frais. Bordé de saules et de sycomores qui préservaient la fraîcheur en toutes saisons, le vivier de la Place de Vérité était sévèrement contrôlé par l'administration de la rive ouest.

À côté de l'étang, un entrepôt de sel qu'utilisaient les poissonniers. Ils ouvraient le dos des belles pièces sur toute leur longueur, les vidaient et les faisaient sécher au soleil avant de les saler. Friture et petits poissons étaient entassés dans des paniers, alors que les gros étaient suspendus à des bâtons portés par deux livreurs.

Paneb se dirigea vers un poissonnier qui, avec un grand couteau bien tranchant, attaquait une énorme perche pendant qu'un de ses collègues préparait de la boutargue, un mets délicieux composé d'œufs de mulet salés.

— Salut, l'ami. Je suis Paneb, le mari d'Ouâbet la Pure. Il me faudrait un panier de poissons frais et une jarre de poissons séchés pour la nourrice de mon fils.

— Qui que tu sois, tu n'auras rien. Nous, on a des ordres précis : livrer les poissons du vivier au village et faire noter les quantités exactes par l'assistant du scribe de la Tombe. Interdit de fournir de la nourriture directement à un artisan.

— Pas d'exception pour une nourrice ?

— Aucune exception.

Paneb était capable de terrasser le poissonnier et ses collègues, mais il jugea préférable de ne pas semer le trouble dans cette paisible assemblée qui présentait l'avantage de bien travailler pour le village.

— Va jusqu'au fleuve, lui conseilla son interlocuteur ; là-bas, les pêcheurs se montreront plus compréhensifs.

Assis à l'ombre d'un sycomore, un vieux pêcheur réparait les mailles de son filet, tandis que ses collègues utilisaient diverses techniques pour capturer les poissons, à la chair si savoureuse. Les uns se servaient du haveneau, une grande épuisette composée de deux tiges croisées et renforcées par une traverse ; l'engin était facile à manœuvrer mais, lorsqu'il était rempli de poissons, il fallait des bras musclés pour le sortir de l'eau.

— Dis-moi, grand-père, on vend des poissons, ici ?

— Ici, non ; mes gars travaillent pour les prêtres du temple de Ramsès le Grand.

— Où puis-je trouver ceux qui pêchent pour la Place de Vérité ?

— Au canal, à une centaine de mètres vers le nord.

Six hommes, répartis en deux équipes, l'une sur la berge, l'autre dans une barque, avaient tendu en travers du canal poissonneux un long filet terminé en pointe de chaque côté et prolongé à ses deux extrémités par un câble solide.

— Serrez fort, fainéants ! ordonna le patron, un barbu au gros ventre.

— Tu crois qu'on s'amuse ? rétorqua un collègue encore plus laid.

— Allez, on ramasse !

Mulets, anguilles, carpes blanches et oxyrhynques : l'opération fut une belle réussite.

— Videz-moi le filet, tuez les poissons qui remuent encore et mettez-les dans les paniers que j'ai posés au pied du saule. Et ne traînez pas !

Le jeune colosse s'approcha.

— Je m'appelle Paneb et je voudrais t'acheter du poisson frais.

Le patron le regarda par en dessous.

— Mon nom, c'est Nia... Et quel prix es-tu prêt à payer ?

— Le prix normal : une amulette pour un panier de muges pêchés aujourd'hui.

Nia se tâta le ventre.

— Correct... Tu l'as sur toi, cette amulette ?

— La voici.

Taillée dans une cornaline que Paneb avait rapportée du désert, la figurine représentait une tige de papyrus épanoui, symbole de prospérité.

Nia la soupesa et referma la main sur elle.

— Superbe, vraiment superbe... Ton amulette mérite bien un panier de muges.

— Alors, donne-le-moi.

— J'aurais bien voulu, mais ce n'est pas possible. Faut te faire une raison, mon gars... Je ne vends pas mes poissons à n'importe qui. Mais ce qui est acquis le reste. Et puis tous mes employés sont témoins : tu ne m'as jamais donné d'amulette. Décampe, ça vaudra mieux.

Les cinq pêcheurs se massèrent derrière leur patron.

— C'est comme ça que vous traitez un artisan de la Place de Vérité ?

Nia éclata de rire.

— Décampe, je te dis... Sinon, on va te faire passer le goût du poisson.

Le poing de Paneb s'enfonça avec une telle violence dans le ventre de Nia que ce dernier fut projeté en arrière et percuta ses alliés. Les deux premiers qui se relevèrent furent assommés par le jeune colosse, les autres prirent la fuite.

Paneb coiffa le patron pêcheur d'un panier vide et lui botta le derrière.

— Je prends mes poissons frais et je te laisse l'amulette, Nia. Puisse-t-elle t'apprendre à devenir plus honnête.

39.

Pendant le voyage de Paneb et de Thouty, les artisans de l'équipe de droite avaient remis à neuf le local de la confrérie. Quand le jeune colosse y pénétra, après le rite de purification, il remarqua les deux amphores neuves fichées dans le sol, le beau crépi sur le plafond et sur les murs, et il respira la douce odeur d'encens.

Le maître d'œuvre invoqua les ancêtres, prit place sur son siège et convia ses frères à s'asseoir.

– Paneb et Thouty ont rapporté du Gebel el-Zeit des matériaux indispensables à l'élaboration de la pierre divine, révéla-t-il. L'œuvre secrète de la Demeure de l'Or pourra donc être poursuivie et menée à son terme, et sa lumière continuera à éclairer notre chemin. Le moment est venu de creuser la demeure d'éternité du pharaon Mérenptah et de bâtir son temple des millions d'années. En accord avec le chef de l'équipe de gauche, j'ai décidé de vous confier la première des tâches alors qu'elle terminera les travaux en cours.

Pendant quelques instants, chaque artisan retint son souffle. Enfin, la grande épreuve !

— L'emplacement définitif de la tombe a-t-il été choisi ? demanda Ounesh le Chacal.

— Le roi a donné son accord à notre proposition.

— À travail exceptionnel, outillage exceptionnel, souligna Gaou le Précis de sa voix éraillée. Disposerons-nous vraiment du nécessaire ?

— Le scribe de la Tombe me l'a garanti, affirma le maître d'œuvre.

— Devrons-nous prévoir plusieurs séjours au col, loin de nos familles ?

— Ils seront effectivement indispensables pour nous permettre d'être rapidement au travail en économisant nos forces.

— Ce n'est pas un endroit aussi agréable que le village.

— Désolé, Paï, mais l'accomplissement de l'œuvre avant tout.

— Je suppose que ma présence n'est pas nécessaire dès le début du chantier, avança Ched le Sauveur avec dédain.

— Toute l'équipe doit être réunie sur le site dès le premier instant pour que l'addition de nos talents devienne une puissance magique. Et nous en aurons besoin pour réussir.

— Combien de temps durera le chantier de la Vallée des Rois ? s'enquit Rénoupé le Jovial.

— Je l'ignore. Il s'agira d'une tombe de grandes dimensions, comparable à celle de Ramsès.

— Des années de labeur en perspective, marmonna Karo le Bourru. Et l'on ne tolérera pas la moindre imperfection, je suppose ?

Néfer sourit.

— Tu peux compter sur moi.

– A-t-on des nouvelles de la capitale ? interrogea Didia le Généreux.

– Rien de nouveau, répondit le maître d'œuvre, mais le roi Mérenptah a confirmé par décret le rôle et les devoirs de la Place de Vérité.

– Nous avons donc l'éternité devant nous, conclut Ouserhat le Lion.

– Nous agirons comme si nous l'avions mais également comme si chaque instant devait être le dernier. Donner le meilleur de nous-mêmes ne sera pas suffisant : en créant ce monument, il faudra révéler le mystère sans le trahir.

En sortant de chez Turquoise, Paneb se heurta à Ched le Sauveur.

– Serais-tu toujours aussi amoureux ?

– Turquoise n'est-elle pas la plus belle femme du village ?

– Espérons que cette beauté t'inspirera... Mais crois-tu vraiment que ce soit la meilleure méthode pour préparer ton séjour dans la Vallée des Rois ?

– Pour être honnête, Ched, je n'y avais pas pensé !

– C'est la raison pour laquelle tu n'es encore qu'un novice inconscient du danger.

– Puisque vous êtes mon maître, que proposez-vous ?

– Viens à l'atelier avec moi.

Les deux hommes cheminèrent lentement dans la ruelle principale du village. Ched le Sauveur était plus grave et moins ironique qu'à l'accoutumée, comme s'il se préparait à vivre un moment essentiel.

– Tu sais peut-être que je possède une cabane proche du Nil, un petit champ, un entrepôt pour les jarres d'huile, un grenier, une étable et quelques têtes de bétail. Ce n'est pas une énorme fortune, mais elle me procure suffisamment de revenus réguliers pour me procurer une certaine aisance et acheter mes propres couleurs. Si tu acceptes, je te lègue mes biens.

– Hors de question.

– Pourquoi ce refus ?

– Votre enseignement me suffit. Le reste, je veux l'acqué-rir moi-même.

– Ma proposition te permettrait de gagner du temps.

– Je ne redoute pas le temps... Au lieu de m'user, il me renforce. De plus, j'ai horreur des cadeaux.

– Tu ne crois quand même pas que je cherche à te corrompre ?

– Ma réponse est non, et c'est tout. Léguez vos biens à votre famille, et n'en parlons plus.

Ched poussa la porte de l'atelier.

Il y régnait une étrange lumière qui semblait provenir des pinceaux et des brosses, si bien nettoyées qu'elles paraissaient neuves. Contre les murs, des esquisses parfaitement alignées.

– Acquiers une technique parfaite, Paneb, mais ne crois pas qu'elle équivaut à la connaissance. Or, qu'y a-t-il de plus impor-tant que de devenir un homme de connaissance ? Elle t'ouvrira les portes de la magie des formes et des couleurs, te dévoilera le caractère sacré du métier, sera ta seule vraie source de joie et te dictera un comportement juste. Vivre Maât, c'est passer de l'ignorance à la connaissance, et surtout connaître dans le cœur et par le cœur.

Ched dilua un pain d'encre rouge, y trempa un pinceau très fin et, d'un geste souple, dessina un œil de faucon.

– Que vois-tu, Paneb ?

– L'œil d'un rapace.

– Es-tu vraiment capable de voir, peintre assistant ? Quand comprendras-tu que notre art a besoin de voyants et non d'imi-tateurs stériles ? L'œil est présent partout, sur les murs des temples, sur les sarcophages, sur les stèles, sur les bateaux... Pas une seule seconde, l'œil de l'au-delà ne cesse de nous regarder, et il t'appartiendra, à toi le peintre, de partager ce regard. Mais le désires-tu ?

– Mettez-moi à l'épreuve.

– Que ton cœur ne soit pas vaniteux en raison de ce que

tu connaîtras, prends conseil auprès d'une servante comme d'un grand, car personne n'atteint les limites de l'art. N'oublie pas que même la petite rosée fait prospérer le champ. Es-tu réellement prêt à voir, Paneb, tout en sachant que tu découvriras une infinité de mondes nouveaux, sans pouvoir revenir en arrière ?

— De lâcheté, jamais on ne m'accusera.

— Alors, prends ceci et ne le quitte plus.

Ched le Sauveur ôta l'amulette qu'il portait au cou et la donna à Paneb. Il s'agissait d'un œil en stéatite où, sous une forme symbolique, étaient incarnées toutes les mesures du monde.

— Iris, pupille, canal lacrymal, cornée... Chaque partie de cet œil équivaut à une fraction de l'unité. Si tu additionnes toutes les parties, tu n'obtiendras que 63/64e. Le 1/64e manquant, c'est ta main de peintre qui te permettra de le découvrir, si tu deviens un authentique voyant. Car voir, c'est créer.

Fasciné, Paneb contemplait le petit chef-d'œuvre qui, désormais, le protégerait.

— Je voudrais...

— Ne dis rien et prépare-toi.

Ched le Sauveur sortit de l'atelier. Comment aurait-il pu avouer à son disciple qu'il perdait la vue ?

Vêtu du tablier d'or, coiffé de la perruque cérémonielle, le maître d'œuvre, suivi des artisans de l'équipe de droite, se présenta devant le scribe de la Tombe, porteur d'une lourde clé de bois.

— Acceptes-tu de nous ouvrir la porte de la chambre forte et de nous confier les outils de Pharaon ?

— Donne-moi le mot de passe.

— L'amour de l'œuvre.

Kenhir utilisa la clé pour débloquer le premier système de fermeture, et l'inversa pour annihiler le second.

Puis il ouvrit la porte de la chambre forte qui contenait cinq cents ciseaux de cuivre de taille ordinaire, cinquante de grande taille, trente houes et vingt-cinq herminettes du même métal, provenant du Sinaï. Néfer vérifia leur qualité avant de poser une question rituelle au scribe de la Tombe.

— Ce trésor abrite-t-il le métal céleste ?

— Que le maître d'œuvre identifie les outils qui rendront efficients les travaux d'éternité.

Néfer trouva une équerre et un niveau en métal céleste et il les éleva devant les artisans.

Sous le regard de Kenhir débuta la distribution des outils que chacun reçut avec émotion et respect.

Soudain, Ounesh le Chacal jeta son ciseau sur le sol.

— Cet outil est inutilisable... Regardez-le, il est fendu sur toute sa longueur !

— Le mien aussi, constata le charpentier Didia avec effroi.

— Nous sommes frappés par le mauvais œil ! s'exclama Païe le Bon Pain. Inutile de commencer à creuser la tombe, ce serait un terrible échec !

Ni le maître d'œuvre ni le scribe de la Tombe ne pouvaient écarter l'argument. Seul le mauvais œil, en effet, pouvait avoir ainsi détérioré les ciseaux conservés dans la chambre forte.

— Faisons appel à la femme sage, décida Kenhir. Elle seule est capable de vaincre ce maléfice.

40.

Vêtues d'une robe fourreau rouge à bretelles, les prêtresses d'Hathor s'étaient rassemblées devant le temple principal du village. Certaines chantaient un hymne à la déesse, d'autres jouaient d'un tambour comparé au soleil, tandis que sept d'entre elles formaient un cercle à l'intérieur duquel se trouvait Claire, la femme sage.

Puis ce fut un long et profond silence au cours duquel les prêtresses s'éloignèrent alors que la doyenne de la confrérie apparaissait sur le seuil du temple.

— Quand la lumière créa la vie, déclara-t-elle, elle prit la forme du soleil dont les yeux s'ouvrirent à l'intérieur du lotus. Lorsque l'eau de l'œil tomba sur terre, elle se métamorphosa en une femme d'une sublime beauté à laquelle fut donné le nom d'«or des dieux». Elle, le soleil féminin, illumine le monde ; toi, la femme sage, tu es sa fille. Mais auras-tu le courage de risquer ta vie pour accomplir le travail d'un homme, devenir la maîtresse d'œuvre des artisans et la vénérable de la confrérie, capable de vaincre le mauvais œil ?

— La Place de Vérité me donne la vie, je lui donne ma vie.

— Toi qui es la vivante de la cité de la Tombe, pénètre dans ce sanctuaire et affronte ton destin.

Une fleur de lotus fichée dans sa perruque de cérémonie, Claire avança sans hésiter.

Sur un socle en granit trônait une statue de babouin, incarnation de Thot ; dans sa main gauche, il tenait un étui contenant un papyrus. Ses yeux rouges fixaient la jeune femme qui soutint son regard pour recueillir les formules de connaissance que le dieu désirait lui transmettre. La main de pierre sembla s'animer pour offrir le document à Claire qui le recueillit en se prosternant.

— Viens vers moi, dit une voix féminine au calme inquiétant, et franchis ma porte.

Au-delà du babouin de Thot, un second socle de pierre. Claire dut s'habituer à la pénombre pour distinguer la petite statue en or d'un faucon couronné d'un soleil de même métal au pied duquel se dressait un cobra, le cou gonflé comme l'uraeus présent au front des pharaons.

À son attitude, Claire sut qu'il allait attaquer, pourtant elle ne recula pas. Forte de son expérience de la cime, elle ne cessa de fixer le reptile, prête à imiter la moindre de ses ondulations.

Mais le monstre demeurait immobile.

Intriguée, elle approcha.

Le cobra avait été façonné dans la pierre avec un tel génie qu'il semblait vivant. Et ce fut avec prudence que Claire lui toucha doucement la tête.

— Prends le disque d'or, dit la voix apaisée, et pose-le sur ta poitrine. Ainsi, tu verras dans les ténèbres.

Claire s'équipa du précieux symbole d'où émanait une douce chaleur. La salle obscure s'illumina, et elle découvrit sept manieurs de couteaux aux masques affreux dont le papyrus donnait les noms : Face à l'envers, Brûleur, Calomniateur, Aboyeur, Visage tranchant, Hurleur et Mangeur de vers.

Ensemble, ils avancèrent d'un pas vers la femme sage afin de l'encercler. Elle leur opposa les seules armes dont elle disposait : le soleil et le papyrus. Les sept démons reculèrent et disparurent, cédant la place à un ritualiste portant le masque du chacal Anubis.

— Marche avec moi sur l'eau divine, lui proposa-t-il.

Claire le suivit et progressa sur un sol d'argent qui évoquait l'étendue aquatique où étaient apparues les premières formes de vie.

Anubis lava les pieds de la femme sage, puis la vêtit de la robe blanche de résurrection, si serrée qu'elle lui permettait à peine de se mouvoir.

Il la conduisit au seuil d'une chapelle obscure.

— En ce lieu s'accomplit la transfiguration de l'esprit qui sort au jour parmi les vivants, mais oseras-tu subir l'énergie grâce à laquelle tu pourrais repousser le mauvais œil ?

— J'accepte l'épreuve.

— Prends garde : cette énergie pourrait te détruire. Les anciens ont su la capter et la préserver à l'intérieur des temples, mais peu de corps mortels sont aptes à la recevoir. Et nul ne sait si tu la supporteras.

— Permets-moi de l'affronter, puisque j'y puiserai la force nécessaire pour aider la confrérie.

— Entre dans cette chapelle, femme sage, et que la déesse décide.

Avançant avec difficulté, Claire fit face à une statue de Neit dont les sept paroles avaient créé le monde. De même taille que l'épouse du maître d'œuvre, ses yeux de pierre semblaient vivants. Brillants comme des étoiles, ils fixèrent l'intruse qui s'immobilisa à moins d'un mètre de la statue dont les mains, paumes ouvertes vers le ciel, se tendaient vers elle.

Soudain, Claire vit les deux traits de lumière qui jaillissaient des mains de pierre, dirigés vers son cœur. Deux lignes ondulées qui firent vaciller la jeune femme. Cette énergie circulait dans les canaux qui composaient son être mais elle était si intense et si brûlante qu'elle ne la supporterait pas longtemps.

C'était à la déesse d'interrompre l'épreuve, et la femme sage ne devait pas se dérober. Ne lui fallait-il pas être animée par cette puissance-là pour vaincre le mauvais œil ?

Kenhir n'avait rien caché à Néfer le Silencieux.

Tôt ou tard, une femme sage devait affronter Neit pour savoir si son énergie vitale était de même nature que celle de la déesse. Mais, d'ordinaire, elle se préparait à cette épreuve grâce à de longues périodes de méditation et ne rencontrait pas la statue dans une situation d'urgence.

— Quelqu'un a essayé de pénétrer dans la chambre forte, dit Kenhir à Néfer, mais il a échoué. C'est bien le mauvais œil qui est responsable de la détérioration des outils. Si son action n'est pas dissipée, tu ne parviendras pas à creuser la tombe du roi.

— Pourquoi ne pas faire appel à un magicien de la cour ?

— Qui aurait davantage de chances de réussir que la femme sage ? En tant que mère de la confrérie, elle luttera jusqu'à ses dernières forces pour la secourir.

— Nul n'en doute, Kenhir, mais elle est mon épouse, l'être qui m'est le plus cher, que vous avez mis volontairement en péril sans m'en avertir.

— Je l'admets, mais tel était mon devoir. Lorsque les circonstances l'exigent, le scribe de la Tombe oublie les individus pour ne songer qu'à la confrérie. Notre unique but, à tous, est de créer la demeure d'éternité du pharaon ; aussi longtemps que le mauvais œil entravera la main des artisans, la Place de Vérité restera stérile.

Aux yeux de Néfer, le scribe de la Tombe prit sa véritable dimension. Il n'était pas un simple gestionnaire du village mais aussi, au même titre que les deux chefs d'équipe, le garant de ses engagements essentiels.

— Même si votre décision m'a plongé dans l'angoisse, Kenhir, je n'ai rien fait pour m'y opposer.

— Et tu as eu raison, maître d'œuvre. Dans le cas contraire, Claire t'aurait désapprouvé, et tu le sais.

Néfer regarda le temple où son épouse était soumise à un rayonnement d'énergie que peu d'êtres pouvaient supporter. La reverrait-il vivante, cette femme au doux sourire, au regard apaisant et à l'amour sans limites ?

— Je suis aussi inquiet que toi, murmura Kenhir, et je pense que la loi à laquelle nous obéissons est parfois bien rude.

Turquoise et Ouâbet la Pure sortirent du sanctuaire en soutenant Claire qui avait quitté le fourreau blanc pour une robe plus ample, nouée à la taille par une ceinture rouge. Les yeux mi-clos, elle semblait incapable de se tenir debout sans l'aide des deux prêtresses.

Néfer voulut s'élancer vers elle, Kenhir le retint.

— Attends un peu... Il faut qu'elle absorbe la lumière.

La femme sage ouvrit les yeux, comme un être naissant à une nouvelle réalité. Elle contempla le soleil quelques instants et retrouva son équilibre. Les deux prêtresses s'écartèrent, Claire vit Néfer qui, cette fois, courut la prendre dans ses bras.

— J'ai cru mourir, lui dit-elle, tant l'énergie de la déesse était intense, mais elle m'a sauvée des ténèbres.

— Viens te reposer.

— Plus tard... Rendons-nous à la chambre forte.

— Tu es épuisée !

— Je dois restituer sans tarder ce qui m'a été offert.

Pleins d'espoir, les artisans regardèrent passer la femme sage dont la sérénité les rassurait.

Les outils avaient été disposés sur le sol, devant la chambre forte. Plus personne n'avait osé y toucher, de peur de les dégrader davantage en attirant l'énergie négative du mauvais œil.

Claire fit brûler de l'encens dans la pièce close afin de la purifier et d'en expulser toute force de destruction, puis elle magnétisa les outils un par un, en s'attardant sur ceux frappés d'un défaut, même minime. Les fissures se refermèrent, le cuivre brilla d'un nouvel éclat.

— Le mauvais œil est anéanti, affirma-t-elle, et il n'entravera pas les travaux de la confrérie.

Acclamée par les artisans, Claire se blottit contre le maître d'œuvre qui, de l'admiration ou de l'amour, ne savait plus quel sentiment l'emportait.

41.

– Voici le coupable, dit Kenhir à Néfer le Silencieux.

Le maître d'œuvre examina un petit rectangle en cuivre, couvert de vert-de-gris, qui dissimulait une partie des formules gravées en profondeur dans le métal.

– Je connais ces textes, poursuivit le scribe de la Tombe en les grattant du bout de l'ongle ; ils proviennent d'un manuel de magie noire et provoquent la décomposition des objets qu'un avide ne peut pas se procurer et qu'il préfère détruire.

– Où se trouvait ce maléfice ?

– Il avait été inséré dans le mur du fond de la chambre forte dont j'ai examiné la moindre parcelle. Grâce à l'énergie déployée par la femme sage, ce morceau de métal est devenu visible, donc inoffensif.

– L'un d'entre nous a donc l'âme assez pervertie pour commettre un tel délit... Et s'il recommence ?

– Il en a sûrement l'intention, approuva Kenhir, mais sa tâche sera malaisée. La femme sage et les prêtresses d'Hathor vont étendre un réseau protecteur sur tous les bâtiments de la Place de Vérité, et notre homme n'aura pas la capacité de le franchir.

– Non, c'est invraisemblable... Cette attaque ne peut provenir que de l'extérieur.

– Souhaitons-le, Néfer, mais la vérité est sans doute plus cruelle. Es-tu conscient que le creusement de la tombe royale sera une entreprise dangereuse ?

– Me croiriez-vous moins courageux que mon épouse ?

– Le scribe de la Tombe tient à la sécurité du maître d'œuvre et il exige que des mesures soient prises pour l'assurer.

– La présence de Paneb vous suffira-t-elle ?

– C'est le minimum... Je préférerai davantage.

– Je dois penser à construire, pas à me protéger.

Si le moindre soupçon avait pesé sur lui, Kenhir et le chef Sobek seraient déjà intervenus. Aussi le traître n'éprouvait-il aucune angoisse ; il continuerait à travailler au sein de son équipe en respectant scrupuleusement les consignes du maître d'œuvre et en confortant ses liens d'amitié avec ses collègues.

Pourtant, il avait pris beaucoup de risques en insérant le rectangle de cuivre maléfique entre deux pierres de la chambre forte afin de rendre les outils inutilisables, de semer le trouble parmi les artisans et de retarder l'ouverture du chantier. Craignant d'être surpris, il n'avait pas pu dissimuler ce « mauvais œil » avec tout le soin qu'il eût désiré ; c'était la raison pour laquelle sa manœuvre avait échoué. Le scribe de la Tombe et la femme sage avaient conjugué leurs efforts pour repousser cet assaut, et le traître ne réitérerait pas une tentative comparable de peur d'être démasqué.

LA FEMME SAGE

La création d'une demeure d'éternité dans la Vallée des Rois allait non seulement lui imposer un surcroît de travail mais encore différer l'instant où il prendrait possession de la fortune qui l'attendait à l'extérieur du village, sans compter la stature que prendrait Néfer le Silencieux en cas de succès.

Au début, le traître n'avait songé qu'à lui-même et à sa future aisance, en espérant qu'il n'aurait pas à lutter contre la confrérie. Mais au fur et à mesure de sa dérive, il s'apercevait que la confrontation devenait inévitable. D'une manière ou d'une autre, il devrait aider ceux qui voulaient anéantir la Place de Vérité afin qu'elle ne se dressât pas contre lui en accusatrice implacable.

Après avoir embrassé leur femme et leurs enfants, les artisans de l'équipe de droite nouèrent autour de leurs reins de larges bandes d'étoffe et revêtirent un pagne de cuir. C'était l'heure du départ pour la Vallée des Rois, en passant par le col où l'équipe dormirait pendant neuf nuits avant de rentrer au village.

Guidée par Néfer le Silencieux, les artisans se recueillirent devant la tombe du maître d'œuvre Sen-nedjem*, puis ils traversèrent la nécropole pour emprunter un sentier étroit et rocailleux qui menait à la crête de la colline de l'Ouest. Il leur fallut cheminer sur le rebord d'une falaise abrupte en prenant garde d'assurer leurs pas. Pour Kenhir, l'épreuve était pénible, mais il disposait d'une canne solide et, tout en ne cessant pas de pester contre la montagne, il avançait.

Sur leur gauche, à l'ouest, la cime et sa forme pyramidale les dominait de toute sa masse; sur leur droite, à l'est, se déployait un paysage magnifique, avec les tombes des nobles, les temples des millions d'années et les cultures qui s'étendaient jusqu'au Nil.

Néfer emplit son regard de cette vision sublime qu'il espé-

---

* Tombe n° 1 de Deir el-Médineh.

rait embellir en lui ajoutant le sanctuaire de Mérenptah. Paneb, lui aussi, était ébloui ; saurait-il assez remercier les dieux de lui accorder une existence aussi exaltante, jalonnée de tant de merveilles ?

Alors que le maître d'œuvre repartait sur le sentier, Nakht le Puissant lui agrippa le bras.

— Prends garde, tu risques de dévaler la pente ! Ce passage est particulièrement dangereux, il y a déjà eu des accidents. Laisse-moi passer devant.

— Rassure-toi, je ne commettrai pas d'imprudence.

Nakht parut dépité, mais il rentra dans le rang, et la procession poursuivit son chemin jusqu'au col, la station de repos entre le village et la Vallée des Rois. Là avait été implanté un hameau composé de soixante-dix-huit huttes, construites en gros blocs de calcaire joints avec du mortier, et d'une cinquantaine de petits oratoires adossés à la falaise.

Le scribe de la Tombe amena l'équipe jusqu'à la chapelle dédiée à « Amon de la bonne rencontre », auquel furent adressées des prières muettes pour la réussite des artisans.

Paneb découvrait avec étonnement ce lieu étrange, peuplé de stèles sur lesquelles on voyait les adeptes de la Place de Vérité vénérer les divinités ; à l'évidence, le col n'était pas seulement destiné au repos, mais surtout à la méditation et au contact avec les puissances invisibles qui régnaient ici.

— Le vent souffle fort et la voix d'Amon devient plus perceptible, lui dit Kenhir. S'il ne nous permettait pas de le rencontrer, nous serions incapables de retrouver notre chemin. Allons nous installer.

Chaque hutte, au toit formé de pierres plates et de branchages, comprenait deux petites pièces. Dans la première, un banc de pierre où était taillé un siège en forme de U, parfois marqué au nom de son propriétaire ; dans la seconde, dépourvue de fenêtre, une banquette en pierre sur laquelle l'occupant étendait une natte.

Le scribe de la Tombe bénéficiait de la hutte la plus grande et la plus confortable, puisqu'elle comportait une pièce supplémentaire lui servant de bureau. Située dans la partie est du hameau, elle était bien abritée du vent et du soleil.

– Quelqu'un aurait-il l'obligeance de balayer ma hutte ? demanda Kenhir.

– À votre service, répondit Paneb.

Païl le Bon Pain, Rénoupé le Jovial, Casa le Cordage, Nakht le Puissant et Ounesh le Chacal déposèrent dans les huttes les provisions qu'ils avaient prévues pour deux jours. Dès le lendemain, des auxiliaires sous surveillance policière leur apporteraient le nécessaire, et il en serait ainsi quotidiennement jusqu'à la fin de leur période de travail.

Karo le Bourru et Gaou le Précis distribuèrent les jarres d'eau pendant que Didia le Généreux et Thouty le Savant disposaient pain, oignons, poisson séché et figues sur une grande pierre plate qui servirait de table commune. Au hameau du col, il était interdit de faire du feu et de cuire des aliments. Beaucoup plus rudes qu'au village, les conditions d'existence faisaient regretter et mieux apprécier le confort d'une demeure et la chaleur d'un foyer.

Féned le Nez, Ouserhat le Lion et Ipouy l'Examinateur pénétrèrent dans les modestes ateliers du col pour y façonner des statuettes d'artisans en prière qui seraient déposées dans les oratoires, et des amulettes en forme d'outils, tels le niveau, la houe ou l'équerre, que chaque artisan porterait au cou afin de se protéger des mauvais génies rôdant dans la montagne.

Seul Ched le Sauveur ne cherchait pas à se rendre utile. Assis sur le seuil de sa hutte, il dessinait une table d'offrandes chargée de victuailles.

Le maître d'œuvre s'approcha.

– Je sais ce que tu penses, lui dit le peintre, mais tu te trompes. Il est bon que l'un de nous ne soit pas occupé par de basses besognes pour garder l'esprit libre.

– En supposant que j'admette ton point de vue, n'est-ce pas à moi de désigner cet homme-là ?

— Ne suis-je pas le meilleur observateur de l'équipe ? Tout en dessinant, je veille.

— Penses-tu qu'un danger nous menace ?

— Cette montagne n'est guère favorable à la présence humaine... Mieux vaut rester sur ses gardes.

Paneb avait terminé de nettoyer la hutte du scribe de la Tombe et il s'attaquait à celle qui lui avait été attribuée.

— Ici, dit-il au maître d'œuvre, on doit dormir à merveille ! Mais je passerai ma première nuit à contempler le ciel. Quel endroit fabuleux... On y ressent la présence de ceux qui nous ont précédés. Ils ont médité en ces lieux avant de créer leurs chefs-d'œuvre, ils se sont nourris du silence et de la grandeur de la cime d'Occident. J'aimerais ne jamais quitter ce hameau.

— C'est un monde intermédiaire, Paneb, et nul ne saurait y vivre en permanence.

— À table ! clama Païe le Bon Pain.

Les artisans se restaurèrent mais, à l'exception de Paneb, ils ne manifestèrent guère d'appétit. Chacun avait conscience de la lourde tâche qui l'attendait, car œuvrer dans la Vallée des Rois ne ressemblait à aucun autre travail. Les humains n'y avaient pas leur place, il fallait toute la magie de l'initiation vécue dans la Place de Vérité pour oser s'y aventurer et, plus encore, creuser la roche sans importuner les puissances de l'au-delà. Chaque artisan savait qu'un échec ruinerait sa carrière et remettrait en question l'existence même du village.

— Pourquoi faites-vous cette tête d'enterrement ? s'indigna Paneb. On jurerait que vous allez bientôt mourir d'une mort indigne !

— Toi, tu ne pressens pas les épreuves à venir, rétorqua Gaou le Précis.

— Quelles épreuves ? Nous sommes ensemble, nous vivons d'un même cœur et nous participons à une aventure qui nous fera toucher du doigt l'éternité ! Que demander de plus ?

— Mon disciple ne manque pas d'humour, remarqua Ched le Sauveur, et il n'a pas tort de fustiger nos craintes.

— Parce que toi, tu ne redoutes rien ! s'insurgea Casa le Cordage.

— Peut-être suis-je le plus inquiet de nous tous, mais à quoi servirait-il de le montrer ?

— Je ne vous comprends toujours pas, reprit Paneb. Inquiétude, peur, crainte… Comment pouvez-vous être hantés par de pareils sentiments ? L'inconnu est aussi puissant que l'amour, et il faut s'y engager de toutes ses forces.

— Au lieu de bavarder dans le vide, jugea Kenhir, allez vous reposer. Dans quatre heures, départ pour la Vallée des Rois.

42.

Autant la montée vers le col était rude, autant la descente vers la Vallée des Rois était aisée. Le maître d'œuvre marchait en tête, suivi par un Paneb fou de joie de pénétrer dans « la grande prairie où ceux qui avaient commis des fautes ne pouvaient pas entrer ». Et c'était l'un des motifs d'inquiétude de Néfer le Silencieux : si l'un des membres de son équipe avait effectivement tenté de jeter sur elle le mauvais œil, il allait introduire un être malfaisant dans ce lieu sacré. Mais il ne disposait ni d'une certitude ni d'un moyen fiable d'identifier l'éventuel coupable, et il lui fallait avancer en portant ce poids supplémentaire sur ses épaules.

— La violence de la lumière fait jaillir un feu des pierres... Suis-je le seul à le voir ? demanda Paneb au maître d'œuvre.

— Nous le ressentons tous, à des degrés divers, et nous

savons qu'il nous détruira si nous ne sommes pas dignes de l'œuvre à accomplir. Puisse la cime d'Occident nous protéger.

— Vas-tu céder, toi aussi, à la morosité ambiante ?

— Rassure-toi, Paneb, j'ai trop à faire.

— Ce n'est pas l'ampleur de la tâche que tu redoutes, n'est-ce pas ?

— Au contraire, elle m'exalte… Mais un traître se dissimule peut-être parmi nous avec l'intention de nous faire échouer.

— Tu y crois vraiment ?

— Je n'ai pas encore écarté cette hypothèse.

— Si un tel monstre existe, il appliquera une stratégie simple mais efficace : s'en prendre à toi. Sans capitaine, l'équipage serait désemparé. Mais ce serpent a oublié ma présence. Moi vivant, il ne t'arrivera rien.

— Je voudrais te dire…

— N'oublie pas qu'on te surnomme le Silencieux.

L'entrée de la Vallée des Rois était un passage assez étroit aménagé dans la roche et gardé en permanence par des policiers du chef Sobek qui s'était rendu sur les lieux pour accueillir l'équipe. Le Nubien salua le scribe de la Tombe et le maître d'œuvre, puis il identifia chacun des artisans.

— Aucun incident à signaler ? demanda Kenhir.

— Aucun. Tout mon effectif est en état d'alerte, aucun intrus ne pourra s'aventurer dans les parages sans être immédiatement repéré.

— Il me faut tes deux meilleurs hommes pour garder l'atelier et le chantier.

— Penbou et Tousa… Leurs états de service sont excellents, et personne ne les prendra par surprise.

Les deux Nubiens se présentèrent au scribe de la Tombe ; ils avaient un regard franc et respiraient la santé.

— Allez-y, ordonna le maître d'œuvre.

Un à un, les artisans franchirent le passage qui séparait « la grande prairie » du reste du monde. Ici, le règne de la lumière et du minéral était absolu ; ici, l'éphémère cédait la place à l'éternel. Les falaises verticales façonnaient un silence d'au-delà nourri par le bleu du ciel.

— Toi, Penbou, décréta le scribe de la Tombe, tu garderas le dépôt de matériel. Seuls le maître d'œuvre et moi-même en possédons la clé, et c'est nous qui procéderons à la distribution des outils. S'il en manquait, ne fût-ce qu'un seul, tu serais considéré comme responsable.

Kenhir ouvrit la porte du dépôt et vérifia le nombre de pics, de ciseaux, de pains de couleur et de mèches de lampe. Il correspondait exactement à l'inventaire qu'il avait lui-même établi lors de son dernier séjour dans la Vallée. Méfiant, il recompta et vérifia le bon état des pics et des ciseaux. Avec ceux qu'avait apportés l'équipe de droite, la quantité était suffisante pour entamer les travaux.

La répartition de l'outillage fut effectuée en silence, et Kenhir nota sur une tablette de bois le type de matériel remis à chaque artisan qui, le soir venu, devrait le restituer. Aucun vol ne serait possible, et les outils endommagés seraient rapportés au village pour y être réparés.

— Toi, Tousa, ordonna le scribe de la Tombe au policier nubien, tu garderas le chantier dès que nous le quitterons et jusqu'à notre retour. Si, par extraordinaire, quelqu'un avait réussi à franchir tous les barrages et à déjouer le système de sécurité mis en place par Sobek, frappe cet intrus sans sommation, quel qu'il soit. Et j'insiste sur ce point : quel qu'il soit.

À côté de la porte du dépôt de matériel, le chef sculpteur Ouserhat le Lion déposa une stèle sur laquelle avaient été gravées sept oreilles qui permettraient aux policiers d'entendre le moindre bruit suspect.

Guidée par Néfer le Silencieux, l'équipe de droite se dirigea vers l'emplacement choisi pour creuser la demeure d'éternité du pharaon Mérenptah, à l'ouest de la tombe de Ramsès le Grand.

Féned le Nez et Ipouy l'Examinateur scrutèrent longuement la roche.

— Ce ne sera pas facile, estima Ipouy. On ne pourrait pas attaquer un peu plus loin?

— La décision de Pharaon et la mienne sont définitives, annonça Néfer.

— On fera avec... Mais il faudra autant de précision que de force. La roche est capricieuse, à cet endroit, et elle nous tendra des pièges.

Féned le Nez posa la main sur une excroissance de la pierre.

— Le premier coup de pic doit être porté ici. Sa résonance modifiera la résistance de la paroi, et nous suivrons plus aisément ses lignes de fracture.

Le scribe de la Tombe remit au maître d'œuvre un pic en or et en argent qui, depuis la création de la Vallée des Rois, servait à donner l'impulsion rituelle. Néfer le brandit et enfonça la pointe de quelques millimètres à l'endroit indiqué par Féned. Puis, avec un burin d'argent, il élargit le trou.

La roche émit un son étrange, semblable à un chant à la fois plaintif et rempli d'espoir.

Féned sourit; une fois de plus, il avait eu le nez.

Maniant un pic de pierre dure, Nakht le Puissant porta la première attaque véritable. Seul de tous ses collègues, Paneb se montra aussi efficace que lui. Vexé, Nakht cogna plus fort, mais l'Ardent n'eut aucune peine à l'égaler. La compétition dura un long moment, et ce fut Nakht qui se fatigua le premier.

— Vous deux, repos, ordonna le maître d'œuvre. Les autres, utilisez les pics légers.

D'un poids de un à trois kilos, ces outils possédaient un noyau de bronze dans une enveloppe de cuivre qui amortissait les chocs et empêchait le métal de se fracturer.

Et les journées de travail se succédèrent, exaltantes; les tailleurs de pierre employèrent de lourdes raclettes au manche de bois et des ciseaux de cuivre pour détacher la roche par petits éclats. Apparurent peu à peu les strates blanches de calcaire superposées que striaient des couches de silex plus sombres, et cette vision réjouit Néfer : la roche était de bonne qualité et serait un excellent support pour la sculpture et la peinture.

À gauche de l'entrée de la tombe, Kenhir s'était fait creuser une niche avec une inscription dépourvue d'ambiguïté : « Siège du scribe Kenhir ». Assis à l'ombre, il pouvait ainsi observer la marche des travaux.

— À l'exception de Ched le Sauveur, dit-il à Néfer, tous les membres de l'équipe déploient une belle ardeur ; l'entrée monumentale prend forme, et tu ne tarderas plus à attaquer le début de la descenderie.

— J'exclus toute précipitation, annonça Néfer, pour que la roche ne soit pas blessée. Nous perdrons sans doute du temps, mais nous éviterons de graves erreurs. Et Ched n'est pas inactif : il prépare le futur décor de la tombe et réalise de nombreuses esquisses.

— Il a toujours procédé de la sorte... Et lorsqu'il se présente face à la paroi, il n'a aucune hésitation. Mais quel drôle de caractère !

— Ched n'accomplit-il pas sa tâche sans faillir ?

— Certes, certes... Mais c'est un original, et je n'apprécie pas son comportement.

— Auriez-vous quelque chose de précis à lui reprocher ?

— Non... pas encore.

— Autrement dit, vous le soupçonnez de pouvoir nuire à la confrérie.

— Ce n'est qu'une impression bien vague... Peut-être n'aurais-je pas dû t'en parler.

— Au contraire, ne me cachez rien. Même si ce que je dois apprendre me déchire le cœur, cela vaudra mieux que l'ignorance.

— Entendu, Néfer... Mais il faut sans doute te préparer à de cruelles désillusions. Les hommes, même ceux de la Place de Vérité, ne sont pas forcément à la hauteur de ce que tu en attends.

— Si l'œuvre s'accomplit, quelle importance ?

LA FEMME SAGE

– Et si elle ne s'accomplissait pas ?

– Vous pensez donc que je vais échouer.

– Honnêtement, je l'ignore... Mais j'ai fait de mauvais rêves et je redoute une issue tragique à ce chantier, quelles que soient tes compétences. Et l'agression du mauvais œil confirme mes craintes.

– La femme sage ne l'a-t-elle pas annihilé ?

– J'aimerais bien le croire.

– Restez sceptique, méfiant et pessimiste, Kenhir : ainsi, je n'aurai pas de meilleur allié.

Le scribe de la Tombe marmonna quelques mots incompréhensibles en se calant dans son siège de pierre. Grâce à sa vigilance, aucun outil n'avait disparu et les affûtages avaient été effectués sans le moindre retard.

Son seul espoir, c'était Néfer le Silencieux : comment ne pas admirer sa rigueur et sa patience qui se doublaient de la poigne d'un véritable chef ?

Le percement de la roche avançait au rythme qu'il avait décidé, et il examinait chaque pouce de la roche comme si son existence en dépendait. Les artisans étaient sensibles à son calme et, sachant qu'il n'admettrait aucun laisser-aller, ils donnaient le meilleur d'eux-mêmes.

D'un mot, d'un geste, Néfer résolvait une difficulté ou évitait un impair. Les tailleurs de pierre constataient que leur maître d'œuvre avait le sens de cette roche parfois si capricieuse, qu'il percevait ses respirations et savait la soumettre à son plan sans l'humilier.

Plus de cinq mètres avaient été creusés. C'était au tour de Paneb et d'Ounesh le Chacal de ramasser les débris pour en remplir des sacs de cuir qu'ils chargeaient sur leurs épaules ou sur des traîneaux montés sur patins de bois et halés par des câbles, tandis que Karo le Bourru et Nakht le Puissant maniaient le pic.

Emporté par son élan, Nakht faillit perdre l'équilibre, et la pointe de son outil frôla la tempe du Bourru.

— Tu aurais pu me tuer, imbécile!

Furieux, le Bourru menaça le Puissant avec son pic. Paneb plongea dans ses jambes pour l'empêcher de commettre l'irrémédiable, tandis que Néfer plaquait Nakht contre la paroi.

— Oserais-tu porter la main sur ton maître d'œuvre?

Nakht se calma, Paneb permit à Karo de se relever.

— Réconciliez-vous immédiatement, ordonna Néfer. L'incident est clos et il ne se reproduira pas.

43.

Sa teinture acajou admirablement réussie, son opulente poitrine plus attirante que jamais, Serkéta, à peine vêtue d'un voile de lin, aguichait son mari qui venait de rentrer chez lui.

– Comment me trouves-tu, ce soir ?

Méhy jeta au loin ses papyrus comptables.

– Tu es une vraie femelle, dit-il en lui pétrissant les seins.

– Bonne journée, mon doux amour ?

– Excellente !

– Le pouvoir te va si bien...

Comme d'habitude, il déchira le voile de lin et se comporta comme un bouc en rut. C'était ainsi qu'elle l'aimait, brutal et insatiable. La vie n'était que violence, et il fallait toujours se montrer le plus fort; grâce à leur totale complicité, Méhy et Serkéta ne redoutaient aucun adversaire.

— Nous ne disposons plus d'aucune information sérieuse sur la Place de Vérité, déplora-t-elle.

— Nous savons tout de même que la confrérie a commencé le creusement de la tombe de Mérenptah dans la Vallée des Rois.

— À quoi cela nous avance-t-il? Aucun de ses secrets n'est tombé entre nos mains.

— Patience, ma lionne... Tu sais bien que notre position officielle interdit toute fausse manœuvre. Je ne désespère pas d'attirer des confidences mais, pour y parvenir, il faut que le scribe de la Tombe et le maître d'œuvre aient vraiment confiance en moi.

— Tu as une idée, n'est-ce pas?

— Une idée très astucieuse, tu verras.

Son fils dans les bras, le petit singe vert perché sur son épaule, Paneb regardait danser les prêtresses d'Hathor qui réglaient leurs mouvements sur Turquoise, éblouissante de grâce et d'aisance.

Considéré comme un bon génie, libre d'aller de maison en maison où il goûtait aux meilleures nourritures, le petit singe aimait jouer avec les enfants. C'est lui qui avait choisi ce nouveau perchoir afin de pouvoir examiner de près le bambin et lui toucher délicatement le crâne d'un doigt malicieux. Comme Aperti réagissait en souriant et en poussant des cris de satisfaction, son nouveau compagnon de jeu insistait sans franchir les bornes et provoquer l'intervention du père.

Portant l'amulette que lui avait donnée Ched le Sauveur, Paneb avait le sentiment de voir la réalité avec davantage d'ampleur et de précision, comme s'il l'abordait sous plusieurs angles en même temps. Ainsi appréciait-il mieux la danse magique des sept prêtresses destinée à protéger le village et le travail des artisans.

Ne dévoilant « le secret des femmes de l'intérieur » qu'aux membres de la confrérie, les sept danseuses, vêtues de pagnes courts et échancrés sur l'avant, étaient coiffées de perruques à longues tresses auxquelles était accroché un globe de faïence évoquant le soleil.

Maniant un bâton terminé par une main qui tenait un miroir, Turquoise virevolta et fit face aux autres danseuses. L'une d'elles avança la jambe gauche et se contempla dans le miroir que vint occulter des deux mains une autre prêtresse. Turquoise orienta alors la surface réfléchissante vers le ciel pour qu'elle reçoive les rayons du soleil et les propage autour d'elle.

— Ne nous contemplons pas nous-mêmes, psalmodia la belle prêtresse, et tournons notre miroir vers la lumière. Ainsi serons-nous protégés du mal.

Après avoir longuement examiné le petit Aperti, Claire le confia à son père.

— Ton fils est en excellente santé, Paneb.

— Tu en es bien sûre ?

— Pas la moindre trace de maladie et une énergie au moins égale à la tienne. Parmi les enfants du village, il n'y a aucun autre cas semblable.

— Tant mieux ! Dès qu'il tiendra vraiment debout, je lui apprendrai les rudiments de la lutte.

Claire n'eut pas le temps d'exprimer son opinion sur ce programme éducatif, car Ounesh le Chacal entra dans son cabinet, le visage mauvais.

— J'ai mal dans le haut du dos, expliqua-t-il. À force de manier le pic, j'ai dû me froisser un muscle.

La femme sage posa la main droite sur l'endroit douloureux.

— L'une de tes vertèbres n'est plus en harmonie avec le reste de la colonne, diagnostiqua-t-elle. Je vais te manipuler.

Suivant les instructions de la thérapeute, Ounesh croisa ses mains derrière la nuque. Claire passa ses bras sous ceux du patient et, faisant levier tout en le tirant vers elle, elle provoqua un craquement libérateur.

— Je ressens une impression de chaleur dans tout le cou, constata Ounesh.

— Excellent.

— Cette technique m'intéresse, déclara Paneb. Acceptes-tu de m'apprendre?

— Pour être franche, je songeais à prendre un assistant, car tes collègues sont trop costauds pour moi! La femme sage qui m'a précédée m'a appris les bons gestes, mais je ne suis pas assez forte pour les accomplir tous. Si tu désires que je t'enseigne les manipulations qui libèrent le dos des douleurs, il me faut un cobaye.

Ounesh tenta de s'éclipser, Paneb l'agrippa par l'épaule.

— Je suis certain que tu as mal ailleurs et que tu te portes volontaire.

— Non, non, je vais très bien!

— On doit toujours se sacrifier pour le bien de la communauté. N'aurais-tu pas confiance en moi?

— Comment dire...

— Merci pour ta coopération, Ounesh, dit Claire avec un beau sourire et une gentillesse qui excluait un refus.

La femme sage apprit à Paneb comment traiter les mauvaises postures et les déviations de la colonne vertébrale, qu'elles soient d'origine cervicale, dorsale ou lombaire. Elle lui apprit les gestes efficaces pour guérir un lumbago ou un torticolis, elle lui révéla que chaque vertèbre correspondait à un organe et pouvait causer de multiples troubles, allant de l'arythmie cardiaque aux aigreurs d'estomac.

Manifestant un don exceptionnel, Paneb assimila l'enseignement de Claire avec aisance, et il réussit même à remettre d'aplomb le bassin d'Ounesh qui souffrait des hanches depuis longtemps.

— Par les dieux, s'exclama son premier patient, tu m'as

redonné de la jeunesse ! Sur les chantiers, tu nous seras utile. Bon, je rentre chez moi.

Après le départ d'un Ounesh guilleret comme jamais, Claire révéla à Paneb d'autres secrets de métier.

— Il nous faudra plusieurs séances de perfectionnement. Pendant tes journées de repos, je te ferai traiter des patients, puis tu seras autorisé à les manipuler hors de ma présence.

— Je suis tellement heureux de pouvoir t'aider !

— Ta puissance est un don du ciel, Paneb, mais ne t'impose pas par la force. Sinon, on s'imposera à toi par la force.

Claire allait fermer son cabinet lorsque Ched le Sauveur sortit de l'ombre.

— Peux-tu m'accorder quelques instants ?

— Bien sûr.

Le peintre se faufila à l'intérieur, comme s'il redoutait d'être vu.

— Que t'arrive-t-il, Ched ?

— Rien de grave... Je souffre un peu des yeux, et mes paupières sont douloureuses.

Après examen, la femme sage donna au peintre un petit pot contenant une pommade composée de feuilles d'acacia broyées, de sciure de bois, de galène et de graisse d'oie.

— La nuit, lui dit-elle, tu l'appliqueras sur tes paupières et tu les recouvriras d'un pansement. De plus, avec une plume de vautour creuse, tu instilleras dans chaque œil trois gouttes, trois fois par jour, d'un collyre d'aloès et de sulfate de cuivre. Il soulagera l'irritation mais ne fera pas de miracles... Car tu ne m'as pas tout dit.

Ched regarda Claire comme s'il ne l'avait jamais vue. Elle avait une allure de reine.

— La femme sage m'accorde-t-elle la possibilité de mentir ?

— Ne connais-tu pas la réponse à ta question ?

— J'aimerais que les lampes fussent éteintes.

Claire fit régner l'obscurité.

LA PIERRE DE LUMIÈRE

— Il en va ainsi de toute existence, dit Ched le Sauveur d'une voix lasse. Elle naît de l'invisible, se nourrit de lumière et retourne vers les ténèbres où se dissolvent les formes, qu'il s'agisse du granit le plus dur ou du sentiment le plus tendre. Mon disciple Paneb l'ignore encore, car il est persuadé que sa force sera inépuisable et qu'elle lui permettra de remporter n'importe quel combat. Il se trompe, mais à quoi lui servirait-il d'être lucide ? Mieux vaut qu'il détruise les obstacles les uns après les autres jusqu'au jour où sa volonté et ses poings seront inutiles. Alors seulement il comprendra qu'il s'est agité sans agir et que la mort est la plus accueillante des maîtresses. Mais il doit d'abord ouvrir de nouveaux chemins, peindre comme personne n'a jamais peint et croire que l'homme peut être créateur ! Il faudra l'aider, Claire, ne pas laisser ses démons le dominer, car la Place de Vérité aura besoin de Paneb.

— Tu perds la vue, n'est-ce pas ?

— Tu es devenue notre mère, et il te faut aimer chacun de tes fils, même lorsque l'un d'eux perd tout espoir. À moins que tu ne puisses m'en donner un...

— Je n'ai pas le droit de te mentir : c'est une maladie que je connais mais que je ne sais pas guérir. L'évolution sera lente, je parviendrai même à la freiner mais pas davantage.

— Quel dieu est assez cruel pour infliger un tel châtiment à un peintre ? Sans doute n'ai-je pas assez vénéré la cime d'Occident, mais il est trop tard pour avoir des regrets. Surtout, que personne n'en sache rien. Je m'appelle Ched le Sauveur et je ne veux pas être secouru.

— Tu devrais consulter des opthalmologistes à Thèbes et à Memphis.

— À quoi bon... Ils n'auraient pas ta magie. Je subirai mon sort aussi longtemps qu'il ne fera pas de moi un infirme et je n'accepterai tes soins que si tu me les prodigues dans le plus grand secret. Personne ne doit savoir.

— Il n'y a qu'un être auquel je ne peux rien cacher.

– Ton mari, notre maître d'œuvre... Il est le Silencieux, et j'ai confiance en lui.

– En cet instant, je n'ai pas le moyen de te guérir, Ched. Mais je ne m'avoue pas encore vaincue.

44.

L'art culinaire de Niout la Vigoureuse, qui savait notamment rôtir la volaille avec un doigté inégalable, redonnait de la vitalité à Kenhir. Depuis qu'elle s'occupait de sa maison, il disposait d'assez d'énergie pour tenir le Journal de la Tombe, surveiller le chantier de la Vallée des Rois et poursuivre son œuvre littéraire. Après avoir achevé une nouvelle version de la *Bataille de Kadesh*, dans laquelle il magnifiait le rôle surnaturel de Ramsès le Grand, il dressait une liste des rois qui avaient fait construire un temple sur la rive ouest et il mettait la dernière main à une histoire de la dix-huitième dynastie. Mêlant poésie, érudition et symbolique, il tentait de faire vivre les multiples dimensions de l'extraordinaire civilisation dont il avait la chance d'être le fils.

— Vous avez un visiteur, annonça la jeune servante.

– Ah non, pas maintenant ! Tu ne vois pas que j'écris ?

– Dois-je éconduire Néfer le Silencieux ?

– Non, bien sûr que non ! Qu'il entre.

D'ordinaire si calme, le maître d'œuvre paraissait irrité.

– Le convoi d'ânes chargé de nous apporter du cuivre pour la fabrication des ciseaux vient d'arriver, indiqua-t-il.

– Excellente nouvelle ! Nous ne l'attendions que demain.

– Il y a bien les ânes, mais pas de cuivre.

– Impossible !

– Venez vérifier.

Le scribe de la Tombe abandonna son œuvre pour se rendre à la grande porte du village en compagnie de Néfer.

Assis sur sa natte de voyage, le chef des âniers discutait avec Obed le forgeron, réduit à l'inaction.

– Qu'as-tu fait du cuivre que tu devais nous livrer ? demanda Kenhir.

– Le convoi a été fouillé par la police de Coptos, et elle a estimé que le chargement n'était pas conforme. Comme j'avais l'ordre de venir jusqu'ici, je suis venu. Moi, je ne veux pas d'histoires... Vous me signez mon ordre de mission, et je retourne à Thèbes.

– Pas conforme... Mais pas conforme à quoi ?

– Je n'en sais rien, moi ! Alors, vous signez ?

Kenhir s'exécuta, et le convoi quitta la zone des auxiliaires pour aller prendre le bac.

– Et moi, je fais quoi ? interrogea le forgeron, les poings sur les hanches. Sans matière première, je n'ai plus qu'à me tourner les pouces !

– Il y a des pics et de vieux ciseaux à affûter, répondit Néfer. Les tailleurs de pierre te les confieront.

Le scribe de la Tombe et le maître d'œuvre s'éloignèrent.

– Si la quantité de cuivre prévue n'est pas fournie dans moins de deux mois, prévint le Silencieux, je ne disposerai pas de suffisamment d'outils de précision et je serai contraint d'interrompre le chantier.

– Ce n'est pas la première fois que se produit un incident de ce genre, rappela Kenhir, mais cette fois, il survient au pire moment. Je ne vois qu'une solution : alerter Méhy.

Les bureaux de l'administration centrale de la rive ouest étaient une véritable fourmilière. Des scribes entraient, porteurs de messages urgents, d'autres sortaient en courant pour transmettre aux intéressés les ordres de la hiérarchie, d'autres encore recevaient des contribuables mécontents, des paysans qui contestaient le cadastre ou des livreurs de denrées diverses à contrôler.

Armé d'un bâton, un policier interpella Kenhir.

– Qui es-tu ?

– Le scribe de la Tombe. Je veux voir immédiatement l'administrateur principal.

Il ne manquait pas d'audacieux qui sollicitaient ce privilège, et le policier les orientait vers un scribe qui les faisait patienter plus ou moins longtemps avant de les recevoir. Mais ce personnage-là méritait tous les égards !

– Suivez-moi, je vous prie.

Le policier conduisit Kenhir au bâtiment central où l'administrateur recevait ses hôtes de marque. Son secrétaire particulier fut averti de la présence du scribe de la Tombe, il prévint aussitôt son patron et ce dernier alla à la rencontre de son visiteur.

– Mon cher Kenhir, quel plaisir de vous revoir ! Auriez-vous besoin de mes services ?

– C'est bien possible.

– Entrez, je vous prie.

Mobilier en bois précieux, nombreuses lampes à huile, armoires et étagères pour les papyrus et les tablettes de bois, amphores d'eau et de bière... le bureau de Méhy était luxueux et confortable.

– Asseyez-vous donc.

– Je suis pressé et je dois en venir au fait.

– Un problème grave ?

– Le chargement de cuivre que devait recevoir la Place de Vérité a été bloqué à Coptos.

– Pour quelle raison ? demanda Méhy, étonné.

– Non-conformité.

– Vous n'avez pas d'autres précisions ?

– Malheureusement non. Ce cuivre est indispensable à la confrérie pour façonner certains outils et continuer son travail.

– Je comprends, je comprends... Mais on aurait dû m'informer de cet incident !

– Vous n'étiez donc pas au courant ?

– Si tel avait été le cas, mon cher Kenhir, je serais intervenu sans délai ! Je crains qu'un de mes subordonnés n'ait commis une faute grave. Pouvez-vous m'accorder quelques instants ? Je vais tirer cette affaire au clair.

Au regard furibond de Méhy, le scribe de la Tombe comprit qu'il n'appréciait guère d'être ainsi pris en défaut.

L'ombre envahissait la cour quand Méhy revint en trombe dans son bureau, un papyrus à la main.

– Un document m'avait bel et bien été envoyé pour me signaler un litige concernant votre chargement de cuivre, mais le responsable des relations avec la région de Coptos l'avait classé dans la catégorie non urgent ! Inutile de vous dire que ce fonctionnaire ne fait plus partie de mes services. Il ira réapprendre son métier dans une officine de province, et je veillerai personnellement à lui interdire toute promotion pendant plusieurs années. Je vous présente mes excuses, Kenhir ; quelles que soient les fautes de mes employés, je me considère comme responsable.

– Savez-vous pourquoi le chargement a été déclaré non conforme ?

– Une stupide erreur administrative... Le patron de l'exploitation minière n'a pas rempli correctement le bordereau de transport, et la police de Coptos a cru à une fraude. Elle a ouvert une enquête qui risque de prendre plusieurs mois.

– Plusieurs mois ! Ce serait une catastrophe... Que pouvez-vous faire ?

– Rédiger une plainte en termes bien sentis et ordonner à la police de Coptos d'expédier immédiatement à Thèbes le chargement de cuivre.

– Cette démarche a-t-elle des chances de réussir ?

Méhy fit grise mine.

– Peut-être, mais ce n'est pas certain... et surtout, elle n'empêchera pas l'enquête de suivre son cours.

– Pouvez-vous obtenir un nouveau chargement de cuivre ?

– Impossible. C'est cette quantité-là qui vous a été attribuée, et pas une autre. Les quotas sont fixés de manière plutôt rigide, je n'ai pas le pouvoir de les modifier.

– C'est la Place de Vérité qui est en cause, rappela Kenhir ; ne pourrait-on envisager une exception ?

– S'il ne tenait qu'à moi, ce serait déjà fait ! Mais la décision dépend d'un système administratif dont vous connaissez la complexité.

– Je vais donc être obligé d'apprendre une très mauvaise nouvelle au maître d'œuvre, déplora Kenhir.

– Il reste peut-être une solution, envisagea Méhy.

– Laquelle ?

– Me rendre en personne à Coptos. J'y rencontrerai les autorités et je leur exposerai notre point de vue. Le succès n'est pas garanti, mais comptez sur moi pour me montrer convaincant.

Méhy roula le papyrus où était précisé le motif du litige et il se dirigea d'un pas martial vers la porte de son bureau.

– Je pars immédiatement, décida-t-il, et j'espère ne pas revenir bredouille.

– Quoi qu'il arrive, Méhy, la confrérie vous sera reconnaissante.

– N'ai-je pas le devoir de la protéger ? Pardonnez-moi d'écourter ainsi notre entretien, mais je n'ai plus une minute à perdre.

Sortant en trombe dans la cour, Méhy héla le conducteur

de son char et il prit aussitôt la route, très satisfait de son stratagème mis au point avec minutie. Il n'aurait aucune peine à résoudre un problème qu'il avait lui-même posé et il apparaîtrait comme le sauveur des artisans.

À l'évidence, Kenhir ne soupçonnait rien. Méhy avait joué la comédie avec un tel talent que le scribe de la Tombe était tombé dans le piège. Au maître d'œuvre, il présenterait le général comme le meilleur défenseur de la Place de Vérité, capable de quitter son bureau toutes affaires cessantes pour voler à son secours.

Et quand il reviendrait à Thèbes, à la tête du convoi apportant l'indispensable cuivre, Méhy prendrait la stature d'un héros.

45.

Le maître d'œuvre avait décidé de poursuivre le creusement de la tombe de Mérenptah avec les outils qui lui restaient. Il avait expliqué la situation à l'équipe dont certains membres, comme Gaou le Précis ou Féned le Nez, auraient cédé au découragement sans l'intervention de Paneb, persuadé que Néfer réussirait à les tirer d'affaire. Aussi le rythme de travail ne s'était-il pas ralenti.

Sept semaines plus tard, l'atmosphère s'assombrissait. En redescendant du col vers le village pour y prendre deux jours de repos, l'équipe se demandait si elle retournerait de sitôt dans la Vallée des Rois.

— Avec des outils usés, on fait du mauvais travail, déplorait Karo le Bourru.

— Rassure-toi, le maître d'œuvre ne le permettra pas, estima Nakht le Puissant. Autrement dit, le chantier sera interrompu.

— Je n'aime pas ça, dit Féned le Nez. On le reprendra sûrement un jour ou l'autre, mais on aura perdu le rythme. Un incident comme celui-là, c'est mauvais signe... Il y a de la magie négative dans l'air.

— Si cette livraison de cuivre ne nous parvient pas, avança Gaou le Précis, il existe peut-être un motif grave. Plus de métal, plus d'outils, plus de travail... Et si les autorités avaient décidé de fermer le village ?

— Ayez confiance, recommanda Paneb. Tout va s'arranger.

— Pourquoi en es-tu si sûr ? questionna Païle Bon Pain.

— Parce qu'il ne peut pas en être autrement. Pharaon est venu au village, et il n'a qu'une parole.

— Tu es naïf, objecta Casa le Cordage. Si des troubles se produisaient à la cour, Mérenptah se préoccupera de préserver son pouvoir et il nous oubliera.

— Et toi, tu oublies que Pharaon ne peut vivre sans une demeure d'éternité.

La discussion se poursuivit tout au long du chemin.

À l'approche du village, ce fut Paneb qui les vit le premier.

— Regardez, des ânes !

— Ne t'illusionne pas, intervint Didia le Généreux. C'est sans doute un simple convoi de nourriture.

— En fin d'après-midi, ça m'étonnerait !

Le jeune colosse dévala la pente en courant, et il faillit renverser Obed le forgeron qui portait une lourde caisse de bois.

— C'est du cuivre ?

— De quoi fabriquer des centaines de ciseaux, tu peux m'en croire ! J'attaque sans tarder.

Le général Méhy se tenait modestement en retrait, derrière le dernier âne que déchargeaient les assistants du forgeron. Le scribe de la Tombe et le maître d'œuvre vinrent vers lui.

— Merci pour votre aide si précieuse, dit Kenhir ; ce chargement arrive juste à temps.

– J'ai une bonne surprise : la quantité est beaucoup plus importante que prévue. J'ai indiqué que vous aviez de vastes chantiers en prévision et que la Place de Vérité ne devait, à aucun moment, manquer de matériel. Les autorités de Coptos ont tenté de faire la sourde oreille, mais je les ai menacées de poursuivre mon chemin jusqu'à Pi-Ramsès et de délivrer un rapport circonstancié sur leurs agissements. Mes interlocuteurs ont compris que je ne plaisantais pas, et leur attitude est devenue conciliante. J'en ai profité pour exiger réparation du préjudice subi, et voici le résultat. Vos remerciements me touchent, mais ils sont superflus, car je n'ai fait que mon devoir.

– J'écrirai au vizir pour souligner la qualité de votre intervention en notre faveur, promit Kenhir, et Pharaon en sera informé. Sachez que vous avez coopéré de manière efficace à la mise en œuvre de la tombe royale.

– Ce sera l'un de mes plus beaux titres de gloire, jugea Méhy, et j'aurai sans doute la faiblesse de m'en vanter. Désirez-vous examiner sans délai le bordereau de livraison ?

– C'est préférable.

Pendant que Méhy remettait le document à Kenhir, Néfer le Silencieux s'éloigna sans avoir dit un seul mot.

« Mauvais signe, estima le général ; ce maître d'œuvre semble encore plus méfiant que le scribe, et il est bien difficile de savoir ce qu'il pense. Lui faire admettre que je suis un allié inconditionnel exigera de nouveaux efforts. »

– Le facteur Oupouty a apporté un message marqué au sceau du roi, dit Niout la Vigoureuse à Kenhir.

– Tu aurais pu me prévenir plus tôt !

– Vous venez juste d'arriver, rappela la jeune fille sans se démonter.

Le scribe de la Tombe grommela en brisant le sceau. La lecture du document le stupéfia.

– Je vais chez Néfer, annonça-t-il.

– Le dîner était prêt, déplora Niout.

— Tiens les plats au chaud jusqu'à mon retour.

La servante haussa les épaules, Kenhir préféra l'ignorer. Malgré la fatigue, il pressa l'allure en rythmant ses pas de coups de canne.

Lorsqu'il entra chez Néfer, ce dernier sortait de la salle de douches. Quant à Claire, épuisée par une longue série de consultations, elle s'était étendue sur le lit de la première pièce.

— Navré de vous importuner, mais il s'agit d'une urgence : un message du roi !

— Asseyez-vous, recommanda Néfer, je vous sers à boire.

— J'ai la gorge sèche, tu as raison... Mais qui pouvait imaginer un ordre pareil ? Mérenptah exige que débute immédiatement la construction de son temple des millions d'années, quel que soit l'état d'avancement de sa tombe, mais ni lui ni la reine ne peuvent quitter la capitale pour sacraliser le début des travaux.

— En ce cas, comment exécuter cet ordre ? demanda la femme sage.

— Puisqu'il est investi d'une fonction religieuse, le maître d'œuvre représentera Pharaon. Et la femme sage, supérieure des prêtresses d'Hathor, agira au nom de la reine.

— Avez-vous bien lu ? s'inquiéta Néfer.

— Le texte ne présente aucune ambiguïté.

— Disposons-nous du rituel nécessaire ?

— C'est notre document le plus ancien. La hâte du roi semble indiquer qu'il a besoin de l'énergie que produira chaque jour ce temple dès qu'il fonctionnera. Sans doute doit-il mener un rude combat pour préserver l'héritage de Ramsès.

— Avertissons immédiatement le chef de l'équipe de gauche, décida Néfer, et prenons les dispositions qui s'imposent.

Paneb berçait son fils, tracassé par la poussée d'une dent. La nourrice n'avait jamais vu croissance aussi rapide et caractère aussi impétueux ; seul son père parvenait à calmer Aperti.

— Il se passe quelque chose de bizarre, estima Ouâbet

la Pure en revenant du temple d'Hathor. La femme sage nous a toutes convoquées pour ce soir, et tes collègues discutent par petits groupes.

— Dès qu'Aperti sera apaisé, j'irai aux nouvelles.

Même si elle devait partager son mari avec Turquoise, Ouâbet était heureuse. C'était ici, dans son foyer, que Paneb trouvait le repos. Turquoise lui offrait une ivresse des sens dont elle seule connaissait le secret, et Ouâbet avait renoncé à lutter avec elle sur ce terrain. Quelles que fussent les errances de Paneb, il reviendrait toujours dans cette demeure paisible qu'elle avait su rendre coquette et pimpante.

Peu de femmes auraient consenti à de tels sacrifices, mais Ouâbet aimait l'homme qui lui avait donné un enfant aussi exceptionnel que lui-même. Elle ne croyait pas que, l'âge venant, il serait moins fougueux et plus raisonnable ; n'était-ce pas à elle, avec son amour tranquille et sans éclats, d'empêcher le feu qui animait Paneb de le brûler ?

— Tu as des yeux étranges, remarqua-t-il.

— Je vous regardais, toi et ton fils...

— Tu as mis au monde un beau gaillard, Ouâbet, mais il ne s'endort pas facilement !

— Aurais-tu trouvé plus fort que toi ?

— Nous verrons ça plus tard. Ah... j'ai enfin réussi.

Le bambin s'était assoupi. Avant de sortir, Paneb le déposa avec douceur dans les bras de sa mère.

Païle Bon Pain l'interpella.

— J'émerge de ma sieste... Il paraît qu'on a des ennuis ?

— Je n'en sais rien.

— Avec cette histoire de cuivre, j'espérais qu'on était enfin tranquilles !

La plupart des membres de l'équipe de droite se rassemblaient devant chez Néfer, et Nakht le Puissant ne cachait pas son mécontentement.

— Il paraît qu'on doit creuser plusieurs tombes de nobles ! Quand aurons-nous des jours de repos ? La tombe royale, ça suffisait largement. Pourquoi ne pas faire davantage appel à l'équipe de gauche ?

— Qui t'a parlé de ça ? demanda Casa le Cordage.

Nakht réfléchit.

— Ben... je ne sais plus. C'est une rumeur...

— Moi, j'en ai entendu une autre, dit Ounesh le Chacal. Le roi appellerait certains d'entre nous dans la capitale pour bâtir un nouveau temple d'Amon.

— Alors là, pas question ! trancha Ouserhat le Lion. Je suis né à Thèbes et j'y mourrai.

— Je pense comme toi, approuva Didia le Généreux ; personne ne me fera quitter ce village.

— Et si l'on attendait les instructions du maître d'œuvre ? proposa Paneb.

L'évidence surprit les artisans.

— On ne sait pas où il se trouve, indiqua Rénoupé le Jovial. Ça prouve bien que quelque chose va de travers !

— Il serait chez le chef de l'équipe de gauche, avança Karo le Bourru. Ils doivent se concerter avant de nous annoncer une mauvaise nouvelle.

— Eh bien, allons-y ! décida Paneb.

La petite troupe n'eut pas grand chemin à parcourir, car Néfer le Silencieux arrivait à sa rencontre.

— Nous voulons tout savoir, exigea Casa le Cordage, énervé. Va-t-on interrompre le chantier de la Vallée des Rois et nous envoyer ailleurs ?

— Les sages ne recommandent-ils pas de n'écouter aucune rumeur ?

— Alors, quelle est la vérité ?

— Pharaon nous donne l'ordre de commencer sans délai la construction de son temple des millions d'années. C'est pourquoi les deux équipes seront réunies sur le site pour l'inauguration du chantier. Ensuite, nous retournerons à la tombe.

— Pourquoi cette précipitation ? s'inquiéta Thouty. Implique-t-elle des troubles à la cour ?

— Comme tout pharaon, Mérenptah a besoin de l'énergie que lui procurera ce temple, et c'est à nous de rendre vivant l'édifice.

— Le roi viendra-t-il à Thèbes ?

— La femme sage et moi-même sommes chargés de représenter le couple royal.

46.

L'artisan qui trahissait la confrérie avait une certitude : lorsqu'on inaugurait un chantier aussi important que celui d'un temple des millions d'années, il fallait utiliser la pierre de lumière. Le maître d'œuvre devrait la sortir de sa cachette, et ce serait l'occasion inespérée d'en découvrir l'emplacement.

Si le projet semblait séduisant, sa réalisation s'annonçait difficile. La manipulation aurait forcément lieu la nuit, sans doute peu avant le lever du soleil et le réveil des artisans. Le traître devait sortir de chez lui sans alerter son épouse et, surtout, sans être repéré par Néfer le Silencieux.

Pour résoudre le premier problème, le traître avait d'abord songé à verser un somnifère à base de millepertuis dans le lait chaud que buvait son épouse au dîner, mais il ne connaissait pas le dosage exact et redoutait d'échouer. Tout bien pesé, il avait décidé de lui dévoiler ses intentions.

— As-tu confiance en moi?

— Pourquoi cette question? s'étonna-t-elle.

— Parce que j'ai décidé de devenir riche.

— Tant mieux... Mais de quelle manière?

— Pas comme mes collègues, qui se contentent de trop peu. Je ne peux pas t'en dire plus, et tu ne me poseras aucune question sur mes agissements. Nous ne finirons pas nos jours dans ce village où l'on refuse de reconnaître mes mérites. Puisque la patience ne mène à rien, j'emprunte d'autres chemins.

— Ne prends-tu pas trop de risques?

— Tu connais ma prudence. Un jour, nous habiterons dans une belle demeure, nous aurons des domestiques, des terres et des troupeaux, tu ne feras plus ni la cuisine ni le ménage.

— Je croyais que la fortune ne t'intéressait pas et que seul ton métier te passionnait.

— Il faut que le village entier continue à le croire.

Elle réfléchit longuement.

Le traître la fixait. Si son épouse formulait la moindre réticence, elle deviendrait pour lui un danger immédiat et inacceptable.

— Jamais je n'aurais imaginé que tu te comporterais de la sorte, mais je te comprends, dit-elle. Mieux, je t'approuve. Moi aussi, j'ai envie d'être riche.

Son épouse n'était ni belle ni intelligente, mais elle devenait sa complice et cédait, comme lui, à une pulsion trop longtemps contenue : l'appât du gain. Le traître ne lui avait parlé que de projets d'avenir et des biens déjà acquis, sans évoquer ses commanditaires. Moins sa femme en saurait, mieux cela vaudrait ; mais il était certain, à présent, qu'elle se tairait et qu'il aurait les coudées franches.

Par chance, la nuit était sombre. Caché derrière une énorme jarre à eau, le traître avait les yeux fixés sur la porte de la demeure du maître d'œuvre. Si son raisonnement était juste, Néfer irait lui-même chercher la pierre de lumière et la porterait jusqu'à l'accès principal du village avant de réveiller les artisans.

S'il n'avait pas été très attentif, le traître aurait manqué la sortie furtive de son chef d'équipe qui avait pris soin de ne faire aucun bruit.

Rasant les façades des maisons, le maître d'œuvre se dirigea vers le local de réunion. Il se retourna à deux reprises, et son suiveur faillit être surpris.

Mais Néfer poursuivit son chemin.

Le local de réunion... Le traître y avait songé puisque, lorsque les artisans étaient réunis, la pierre devait être placée dans le naos; parfois, son rayonnement était perceptible. Mais l'artisan avait écarté cette cachette-là, trop prévisible. Il s'était trompé.

À l'aide d'une clé en bois, Néfer ouvrit la porte du local et demeura à l'intérieur de longues minutes. Quand il ressortit, il portait un lourd objet, dissimulé sous un voile.

Le traître éprouva un profond sentiment de satisfaction. À présent, il savait.

Une idée folle lui traversa l'esprit : et s'il tuait le maître d'œuvre pour lui dérober la pierre et s'enfuir avec ce trésor inestimable ?

Malheureusement, il ne possédait ni arme ni outil; de plus, l'orient commençait à s'éclaircir et la nuit reculerait vite. S'il ne parvenait pas à assommer Néfer d'un seul coup de poing et à l'étrangler, ce dernier se défendrait et appellerait au secours.

Trop risqué.

Le traître suivit le maître d'œuvre pour savoir ce qu'il ferait de la pierre. Peut-être la dissimulerait-il dans un autre endroit plus accessible que le local de réunion avant de regrouper les artisans. Mais il marchait d'un bon pas vers la porte principale.

Là se tenaient déjà le scribe de la Tombe et la femme sage.

À leurs pieds, une forme cubique enveloppée dans une toile ocre qui laissait filtrer une étrange lumière.

La pierre... C'était sûrement Kenhir qui l'avait apportée !

Le maître d'œuvre dévoila son fardeau : un coffre en bois, d'où il sortit quelques plaquettes de métal qu'il examina avant de les remettre dans leur logement.

Le traître s'était trompé de piste, mais d'autres occasions se présenteraient.

— As-tu été suivi ? demanda Kenhir à Néfer.

— C'est possible, mais je n'en suis pas certain.

— Je demeure persuadé que celui qui a jeté le mauvais œil sur l'outillage tentera de découvrir la cachette de la pierre de lumière.

— À supposer qu'il y parvienne, à quoi cette découverte lui servira-t-elle ? Il ne pourra pas s'enfuir avec elle.

— Il essaiera, estima Kenhir, et nous devons redoubler de précautions. S'il t'a suivi, il s'est aperçu qu'il se trompait de proie ; il comprendra vite que nous l'avons berné parce que nous sommes devenus très méfiants.

— Raison de plus pour qu'il n'entreprenne aucune démarche qui nous permettrait de l'identifier ! J'admets qu'un « avaleur d'ombres », un criminel, se terre dans ce village, mais je crois qu'il est réduit à l'inertie.

— Tu es beaucoup trop optimiste, jugea Kenhir.

— Oublieriez-vous le rayonnement de la femme sage ? Elle saura nous protéger de toute atteinte, qu'elle provienne de l'intérieur ou de l'extérieur.

Une série de violents coups de poing brisa la tranquillité de l'aube. Paneb parcourait le village en frappant à toutes les portes pour réveiller ceux qui dormaient encore.

— Départ imminent, clamait le jeune colosse. J'irai moi-même chercher les retardataires.

Après avoir avalé un impressionnant petit déjeuner composé de galettes chaudes, de lait frais, de fromage et d'un confit d'oie, Paneb avait embrassé son épouse et son fils. D'excellente humeur, il se promettait de donner du tonus à qui en manquerait.

Alors qu'il commençait sa tournée, il avait entr'aperçu quelqu'un détaler à toutes jambes, comme s'il voulait lui échapper. Un mari infidèle pressé de rentrer chez lui ou bien le jeteur de sorts qui rôdait dans le village pour y répandre ses maléfices ?

Lors d'un dîner, la femme sage et le maître d'œuvre n'avaient pas omis de lui rappeler la triste réalité qu'il fallait admettre : un traître se dissimulait dans le village, bien décidé à lui nuire.

Meurtri, choqué, Paneb avait finalement accepté d'ouvrir les yeux. Même au sein d'une élite comme celle de la Place de Vérité, les hommes ne seraient jamais que des hommes, et certains oublieraient même leurs devoirs sacrés. Cette prise de conscience n'avait nullement entamé l'enthousiasme de Paneb, car aucun traître, si habile soit-il, ne parviendrait à empêcher l'accomplissement de l'œuvre aussi longtemps que brillerait la pierre de lumière.

Et cette pierre, elle était là, devant lui.

— Si quelqu'un dort encore dans ce village, je promets de ne plus boire une seule goutte de vin !

— Tu devrais être plus prudent, Paneb, recommanda la femme sage. Suppose que j'aie administré un puissant somnifère à l'un de mes patients...

— Ma promesse n'avait aucune valeur, puisque je n'avais pas connaissance des faits !

— Tes analyses juridiques laissent à désirer, estima Kenhir.

— Je crois que je l'ai vu, dit le jeune colosse avec une gravité subite.

— Parles-tu du traître ? demanda Néfer.

— Oui, je crois que c'était lui.

La gorge du maître d'œuvre se serra.

— L'as-tu identifié ?

– Non, je n'ai vu qu'une forme indistincte. Pourtant, plus j'y pense, plus je suis sûr que c'était lui.

Claire tenta de lire dans la pensée de Paneb afin de percevoir ce qu'il aurait pu négliger, mais il n'y avait aucune trace de ce fantôme.

– Ainsi, il a bel et bien suivi le maître d'œuvre, conclut Kenhir.

– C'est extrêmement dangereux ! protesta Paneb. Pourquoi ne m'avez-vous pas appelé pour protéger Néfer ?

– Parce que j'avais décidé de servir de leurre, expliqua ce dernier.

– C'est de la folie ! Dans ces conditions, comment puis-je veiller sur toi ?

– Je ne suis pas en péril. Ce triste personnage n'a d'autre but que de dérober nos trésors et, peut-être, de nuire à nos travaux.

– Toujours ton optimisme, déplora Kenhir.

Les artisans se rassemblaient. Avec sa froideur habituelle, le chef Hay avait demandé à ceux de l'équipe de gauche de porter les objets indispensables à la cérémonie d'inauguration du chantier, et la procession s'organisa, le maître d'œuvre à sa tête.

La journée s'annonçait chaude. Chargé d'une dizaine de grosses outres, Paneb regrettait que l'on marchât trop lentement, alors que ce rythme paisible avantageait Paï le Bon Pain et Rénoupé le Jovial alourdis par leur embonpoint.

– La nuit a été courte, se plaignit Rénoupé.

– Aurais-tu fait la fête ? demanda Paneb.

– Avec ma femme, on a un peu bu et mangé... Ce matin, j'ai la migraine. C'est à cause de tout ce travail qui nous attend. Toi, avec ta force, tu ne te rends pas compte.

– Te dépenser te remettra en forme.

– Il paraît qu'on va utiliser la pierre de lumière, avança Rénoupé.

– Il paraît.

– Tu ne t'es jamais demandé où elle était conservée ?

— Jamais.

— Tu n'es pas curieux, Paneb.

— Et toi?

— Au fond, moi non plus. Tout ça, ça ne regarde que le maître d'œuvre.

47.

Bien qu'humilié par le général Méhy, Daktair ne lui en tenait pas rigueur, car ses reproches étaient fondés. Lui, un homme de science à l'esprit critique toujours en éveil, s'était laissé berner par deux artisans de la Place de Vérité !

Blessé au plus profond de lui-même, Daktair n'en détestait que davantage cette institution qu'il combattrait par tous les moyens, y compris les plus vils, jusqu'à sa complète destruction.

Encore fallait-il, auparavant, s'emparer de ses secrets et de ses techniques, si jalousement gardés que, malgré son obstination et ses multiples contacts officiels, Daktair s'était heurté à un mur de silence impénétrable.

Galène et bitume ne lui donnaient-ils pas un point de départ ? Les produits qu'avaient rapportés Paneb et Thouty ne servaient pas seulement à calfater des barques, à fixer le manche des outils ou à fabriquer des fards, il en était persuadé ; quant aux usages rituels, ce n'étaient que coutumes désuètes destinées à disparaître.

Selon le règlement en vigueur, Daktair aurait dû remettre aux temples la totalité du chargement en provenance du Gebel el-Zeit dont il n'avait été que le transporteur et le dépositaire temporaire ; mais en falsifiant son rapport et en modifiant légèrement les quantités pour ne pas éveiller l'attention, il était parvenu à soustraire quelques boules de bitume sur lesquelles il avait pratiqué de nombreuses expériences.

Déçu par les premiers résultats, il ne s'était pas découragé et il avait fini par faire une découverte extraordinaire dont le général Méhy devait connaître la teneur sans délai.

— Quand sera-t-il de retour ? demanda Daktair à son secrétaire particulier.

— En fin de soirée, quand il aura terminé l'inspection de la caserne principale de Thèbes.

— Je peux l'attendre ici ?

— Comme vous voudrez.

Daktair n'avait pris aucune note. Seuls Méhy et lui devaient être au courant ; aucune trace écrite ne pouvait faire mention de sa trouvaille.

Le soir tombait quand le char du général s'immobilisa dans la cour. Daktair se précipita à sa rencontre.

— Je dois vous parler tout de suite !

— J'ai du courrier à dicter. Reviens demain.

— Quand vous saurez, vous me remercierez d'avoir interrompu vos activités.

Intrigué, le général fit monter Daktair dans son bureau dont il ferma lui-même la porte.

— Explique-toi.

— Ce matin, un incendie s'est déclaré dans mon laboratoire. Les dégâts sont importants, mais il n'y a pas de victimes.

— Quelle est la cause du sinistre ?

— Moi-même.

— Qu'est-ce que ça signifie, Daktair ?

— Que j'ai découvert le secret du bitume ! C'est une substance inflammable qui répand chaleur et lumière.

— Est-ce une lumière propre, ou dépose-t-elle du noir de fumée ?

— Elle salit, c'est vrai, mais...

— Imagines-tu les peintures des tombes et des temples souillées par cette substance ?

— Bien sûr que non, mais les artisans lui ont bien trouvé une utilisation !

Méhy songea à la pierre de lumière, mais galène et bitume ne pouvaient être que des composants mineurs.

— L'huile de pierre nous sera très utile, reprit Daktair. Elle nous permettra de brûler n'importe quel bâtiment, y compris des fortins, et de semer la terreur dans une armée adverse.

— Renonce à cette idée.

Le savant se crispa.

— Je vous assure que...

— Pharaon vient d'ordonner la fermeture des mines du Gebel el-Zeit. Le site sera gardé en permanence, et personne ne s'en approchera sans autorisation du palais.

— Je parie que c'est la Place de Vérité qui a inspiré cette décision !

— Sans aucun doute, Daktair. Les artisans ont compris que tu ne fixerais pas de limites à tes recherches, le scribe de la Tombe a alerté le vizir et il a réussi à faire interdire l'emploi de cette huile dangereuse.

— Il faut intervenir et demander au roi de modifier son décret.

— Ne compte pas sur moi pour entreprendre une démarche aussi stupide. Le moment n'est pas venu de se heurter de front à Mérenptah et de nous faire ainsi accuser de rébellion.

— Avec le pétrole, général, nous bénéficierions d'une arme nouvelle !

– Pour l'obtenir, nous devons conquérir le pouvoir suprême qui, seul, nous permettra d'utiliser à notre guise toutes les ressources naturelles du pays.

– J'ai tout de même découvert l'un des secrets de la Place de Vérité !

– Tu n'as fait que l'effleurer... Le maître d'œuvre a sans doute besoin d'une petite quantité de bitume pour façonner la pierre de lumière, mais ce n'est probablement qu'un ingrédient parmi beaucoup d'autres. As-tu parlé de ta découverte à tes subordonnés ?

Le barbu se renfrogna.

– Vous seul êtes informé, et je n'ai même pas pris de notes.

– C'est bien, Daktair, ton intelligence te mènera loin. De manière tout à fait officielle, je vais te donner l'ordre de travailler à l'amélioration de l'armement des forces thébaines. Il me faut de meilleures épées, de meilleures lances, de meilleures pointes de flèches. Tu auras autant de cuivre que nécessaire, et même du fer. Dès que tu auras des résultats intéressants, garde le secret et préviens-moi.

En compagnie du maître d'œuvre et de la femme sage, Thouty le Savant observait le ciel. Au fil des nuits, ils avaient repéré la position de Mercure, placé sous la protection de Seth, de Vénus, liée à la renaissance du phénix, de Mars, l'Horus rouge, de Jupiter, chargé d'illuminer les Deux Terres et d'ouvrir la porte des mystères, et de Saturne, le taureau du ciel. Thouty avait consulté les livres d'astronomie et d'astrologie où étaient étudiées les étoiles impérissables et celles qui apparaissaient et disparaissaient à l'horizon, formant la bande zodiacale divisée en trente-six décans. Tous les dix jours se levait un nouveau décan qui, après être passé par l'atelier de résurrection du ciel, redevenait visible.

– L'heure est favorable, déclara Thouty.

La visée correctement effectuée, l'implantation terrestre du temple de Mérenptah serait en parfaite correspondance avec l'harmonie du ciel, que l'édifice terminé refléterait dans toutes ses parties.

Le maître d'œuvre avait posé la pierre de lumière, voilée, à l'emplacement du futur naos, il avait confié au chef de l'équipe de gauche le plan inscrit sur un rouleau de cuir qui, à l'achèvement des travaux, serait dissimulé dans une crypte.

Néfer vérifia que les angles étaient d'équerre. Il traça au sol un angle droit avec une corde divisée en douze parties égales par des nœuds, puis forma un triangle 3/4/5 symbolisant la triade Osiris le Père, Isis la Mère et Horus l'Enfant.

Maniant la houe, le maître d'œuvre creusa la tranchée de fondation qui mettait le temple en contact avec le *Noun*, l'océan d'énergie primordiale, et il moula la brique mère d'où naîtraient les pierres de taille.

Paneb observait les rites de loin. Il ne se sentait pas tranquille, comme si un danger rôdait autour des deux équipes réunies sur le site. Grâce à l'amulette de Ched, le jeune colosse avait l'impression de voir dans la nuit comme un félin aux aguets.

Pourtant, la cérémonie se déroulait sans incident et dans une paix profonde qui imprégnait l'âme des artisans, conscients de participer à un acte majeur défiant l'usure du temps.

Un maillet à la main, Néfer et Claire se présentèrent face à deux piquets plantés le long de la tranchée de fondation et entre lesquels avait été tendu le cordeau donnant les mesures du temple. Remplissant la fonction de Pharaon et de la grande épouse royale, ils frappèrent un coup sec sur la tête du piquet pour l'enfoncer davantage.

Dès cet instant, la flamme de l'œil divin, caché dans la pierre de lumière, commençait à créer le temple.

– Qu'elle est belle, cette demeure! dit Néfer. Sa pareille n'existe pas, toutes ses formes sont accomplies en rectitude, c'est dans la joie que le plan en a été conçu. La fête a présidé à sa naissance, c'est dans l'allégresse qu'on l'achèvera. Que sa durée soit égale à celle du ciel.

– Que l'œuvre brille et rayonne dans le pays entier, souhaita Claire, que sa lumière lui donne le bonheur et que ce temple soit en perpétuelle croissance pour exprimer la vie de l'univers.

Dans les fondations, le maître d'œuvre déposa des plaquettes de métaux précieux et des modèles réduits d'outils, dont une équerre, un niveau et la coudée sur laquelle avait été gravé le jeu de proportions spécifiques du temple de Mérenptah. Une dalle recouvrit ce trésor, désormais invisible.

Néfer purifia le site grâce à une fumigation d'encens, ouvrit la bouche du temple avec un sceptre, en toucha les points névralgiques et, selon l'antique formule, il « remit la demeure à son maître », le principe créateur qui avait accepté de s'incarner en cet endroit.

Paneb fixait un monticule, persuadé que quelqu'un les observait, mais il ne décela aucun mouvement suspect. La cérémonie s'achevait et, très recueillies, les deux équipes de la Place de Vérité reprirent le chemin du village.

Le jeune colosse se retourna. Personne ne les suivait.

Daktair était déçu.

Malgré le verre grossissant importé de Phénicie dont il se réservait l'usage, il n'avait rien vu d'intéressant. Pourtant, il avait choisi un emplacement idéal pour observer les différentes phases du rituel, mais ce dernier n'était qu'une suite de coutumes ancestrales sans aucun intérêt scientifique.

Personne n'avait touché à la pierre de lumière, constamment voilée. Au terme de l'inauguration, le maître d'œuvre l'avait reprise pour mettre à sa place la première pierre du naos, le centre vital de l'édifice qui serait construit avant tout autre afin que les rites du matin y fussent célébrés le plus tôt possible.

« Du protocole, rien qu'un protocole désuet, pensa Daktair ; les vrais secrets demeurent cachés à l'intérieur du village. »

48.

Un événement aussi important que la sacralisation d'un site sur lequel se dresserait un temple des millions d'années s'accompagnait nécessairement d'une grande fête qui s'ajouterait au calendrier rituel des réjouissances en l'honneur des dieux. À la demande du maître d'œuvre, le scribe de la Tombe avait donc accordé aux deux équipes une semaine de congé au cours de laquelle on consommerait le supplément de viande, de légumes, de pâtisseries et de vin livré par le vizir, satisfait du travail de la Place de Vérité.

Le traître ne pouvait pas profiter de cette période de repos pour s'éclipser, car il s'agissait d'une fête de famille qu'aucun habitant du village ne voulait manquer. On fleurissait les maisons, on faisait cuire les aliments, on dressait des tables en plein air, on remplissait les jarres de vin frais et l'on n'oubliait pas de déposer des offrandes sur les autels des ancêtres, associés aux festivités. Les rires des hommes, des femmes et des enfants n'étaient-ils pas la meilleure preuve que l'œuvre se poursuivait?

Même Noiraud avait conclu une trêve avec les chats. Gavé de viande de bœuf et de légumes frais, le chien n'avait pas envie de se lancer à la poursuite de ces créatures insaisissables. Quant au petit singe vert, il continuait à faire le bonheur des enfants que Paneb avait réunis pour leur enseigner les rudiments de la lutte à poings nus et à l'aide de petits bâtons.

— Tu n'as pas trouvé d'adversaires plus redoutables? l'invectiva Nakht le Puissant.

— Tu cherches encore la bagarre?

— Une fête sans concours de lutte n'est pas une fête... Tout le monde sait que nous sommes les plus forts, toi et moi. Alors, on passe directement à la finale, ce soir, à côté de la forge?

— Ça ne m'intéresse pas.

— Moi, j'y serai. Mais tu as sans doute raison d'hésiter... As-tu enfin compris que tu n'es pas de taille? La peur est bonne conseillère et, dans certaines circonstances, la lâcheté est la seule solution.

Si Paneb n'avait pas été entouré d'enfants, Nakht ne l'aurait pas insulté plus longtemps.

— Fais quand même attention, recommanda le Puissant : l'un de ces bambins pourrait te blesser. Je n'aimerais pas terrasser un adversaire diminué.

Turquoise caressa les cheveux de Paneb qui l'avait aimée comme s'ils s'unissaient pour la première fois.

— Quelle fougue! Te calmeras-tu un jour?

— Cesseras-tu un jour d'être aussi belle?

— Bien sûr... Les années ne m'épargneront pas.

Paneb la contempla, nue sur le lit, parfumée, sensuelle comme elle ne l'avait jamais été.

– Tu te trompes, Turquoise. Il y a en toi une beauté particulière que le temps ne saurait user.

– C'est toi qui te trompes, car ce miracle-là ne concerne que la femme sage.

– Mon instinct ne me trompe pas… Et je sais que nos désirs seront toujours aussi intenses.

Le croire amusait la superbe rousse à laquelle son amant donnait autant de plaisir qu'il en recevait. Il se montrait excessif et insupportable, mais si généreux, tellement épris de la vie qu'il faisait bon se brûler à son feu.

– Je vais me battre contre Nakht et lui donner une bonne leçon. Après ça, il me laissera enfin tranquille.

Turquoise cessa de caresser Paneb.

– Tu devrais renoncer à cette empoignade.

– Pourquoi?

– Elle me fait peur.

– Tu me ressembles, Turquoise, tu n'as peur de rien!

– Accepte mon conseil.

– Si je n'affronte pas Nakht, l'équipe me considérera comme un lâche et je n'y aurai plus ma place. Rassure-toi, le Puissant n'a aucune chance de me vaincre.

Dans la chaleur de la nuit, la fête battait son plein. Assis dans un siège de joncs tressés et retenu par des sangles, le fils de Paneb n'en perdait pas une miette. Ouâbet la Pure avait renoncé à le mettre au lit pour ne pas déclencher une nouvelle série de hurlements.

– Je ne savais pas que tu étais astronome, dit Paneb à Thouty qui avait un peu forcé sur le vin rouge de Khargeh.

– Pour être franc, c'est la femme sage qui m'a appris à observer ce qui vit dans le ciel et à connaître les étoiles « parmi lesquelles il n'y a ni faute ni erreur ». J'ai été nommé au service des heures pour faire commencer les rites au moment juste, observer tous les dix jours le lever héliaque d'un nouveau décan et signaler son influence au maître d'œuvre. La Place de Vérité doit être constamment reliée aux mouvements du ciel pour ne pas perdre sa droiture. Sais-tu que les étoiles impérissables tournent autour d'un centre invisible et que cet ensemble lui-même se meut à cause de la précession de l'axe du monde ? Connaître les mouvements des étoiles et des planètes, comprendre comment elles se déplacent dans le corps immense de la déesse Nout, n'est-ce pas percevoir la manière dont l'architecte de l'univers le façonne à chaque instant ?

Paneb sentit un regard peser sur ses épaules. Il se retourna et vit Claire qui ne participait pas à la beuverie générale mais se dirigeait vers le temple d'Hathor.

– Reste ici, proposa Thouty, le banquet n'est pas terminé.

Le jeune colosse se leva et suivit la femme sage. Il éprouvait un appel irrésistible, comme s'il avait la chance d'ouvrir une porte jusque-là hermétiquement close.

Il n'aperçut pas Ched le Sauveur, adossé à un mur et dont les lèvres s'ornaient d'un léger sourire.

Claire franchit le seuil du temple, traversa la cour à ciel ouvert, pénétra dans la première salle couverte éclairée par des lampes dont les mèches ne fumaient pas et emprunta un escalier étroit aux petites marches qui rendaient l'ascension facile.

Paneb la rejoignit sur le toit du sanctuaire d'où elle contemplait la pleine lune.

– C'est l'univers qui est intelligent, précisa-t-elle, c'est lui qui nous crée et nous pense. La vie provient de cet espace sans limites, et nous sommes les enfants des étoiles. Regarde attentivement le soleil de la nuit, l'œil d'Horus que Seth tente vainement de briser en mille morceaux. On croit que la lune va mourir, mais elle renaît pour éclairer les ténèbres. Lorsqu'elle est pleine, elle incarne l'Égypte à l'image du ciel, avec toutes ses provinces, elle est l'œil complet qui permet à Osiris de revenir vivant d'entre les morts. Toi, le peintre, apaise cet œil et reconstitue-le par tes œuvres pour qu'elles deviennent des regards capables d'éclairer notre chemin. À trois reprises, chaque année, Thot retrouve l'œil perdu, le rassemble et le remet à sa place*, et nous en sommes précisément à cette troisième fois. Désormais, l'amulette que t'a donnée Ched le Sauveur te liera aux dessins gravés dans le ciel et rendra ta main voyante.

Paneb était resté seul sur le toit du temple, baigné par la lumière de la pleine lune, sourd aux bruits des festivités qui montaient du village. Sur le conseil de Claire, il avait exposé son amulette au soleil de la nuit.

En ces instants où la pleine lune de Thot ouvrait son regard de peintre, Paneb ne rêvait plus d'un monde merveilleux ; ce monde-là, il serait capable de l'amener à la réalité. Aux techniques apprises s'ajoutait l'essentiel : une vision intérieure que ses mains sauraient traduire.

Les responsables de cette nouvelle métamorphose, c'étaient la femme sage et Ched le Sauveur.

Lui, le cynique, s'était montré d'une générosité sans égale en offrant à son disciple le signe de puissance qui lui manquait encore, cette modeste amulette dont la femme sage avait révélé la signification.

Elle, la mère spirituelle de la confrérie, venait de lui accorder une nouvelle naissance.

En retournant chez lui à pas lents, il songeait aux centaines de figures qui jailliraient bientôt de ses pinceaux et il avait hâte d'en parler à Ched. Sans doute aurait-il la chance de pouvoir leur donner vie sur les parois d'une tombe royale.

– Tu as oublié notre rendez-vous, Paneb ?

La voix de Nakht le Puissant était aussi avinée qu'agressive.

– Va te coucher, tu es soûl.

– Je tiens mieux la boisson que toi, gamin ! Et j'ai parié un tabouret que je te clouerai les épaules au sol.

Ouâbet la Pure désirait précisément en acquérir un pour

---

* Le 21ᵉ jour du 2ᵉ mois de la première saison, le 5ᵉ et le 29ᵉ jour du 1ᵉʳ mois de la deuxième saison.

poser ses pieds quand elle berçait Aperti. Mais Paneb se souvint de l'avertissement de Turquoise.

— Ne gâchons pas cette fête, Nakht. Je n'ai pas envie de te blesser.

— Tu n'es qu'un lâche… À force de dessiner, tes muscles sont devenus mous. Moi, je suis un tailleur de pierre, pas une femelle !

— Tu es surtout un crétin qui va me faire des excuses.

Le peintre n'eut droit qu'à un éclat de rire grasseyant.

— D'accord, Nakht. Réglons ce différend tout de suite.

Près de la forge étaient assis les autres tailleurs de pierre, Casa le Cordage, Féned le Nez et Karo le Bourru, une coupe à la main.

— Enfin, vous voilà ! s'exclama Casa. Nous trois, on sera les juges du combat… À la loyale, hein, et pas de coups bas !

Les paupières des trois artisans avaient tendance à se fermer, mais la première attaque portée par Nakht, sans aucun avertissement, les réveilla.

D'un bond de côté, Paneb esquiva les poings réunis de son adversaire.

— Tu fuis, femelle, tu as peur de moi ! Viens, approche, si tu l'oses !

La masse musculaire de Nakht était impressionnante, mais il manquait de souplesse. Aussi Paneb décida-t-il de le déséquilibrer en se jetant dans ses jambes pour le soulever. Mais ses mains glissèrent sur la peau de son adversaire, et c'est lui qui se retrouva à terre.

Malgré sa promptitude à se dégager, il reçut un violent coup de pied dans les côtes, ponctué d'un éclat de rire.

— Je me suis huilé le corps et tu ne pourras pas m'attraper… Je suis invulnérable, et tu vas souffrir !

Si Nakht avait pu discerner la rage dans les yeux de Paneb, il aurait rompu le combat. Il ne comprit pas comment le bélier qui le percuta en pleine poitrine pouvait être aussi violent. Le tailleur de pierre se retrouva sur le dos, les bras en croix, et Paneb lui plaqua les épaules sur le sol.

— Que le tabouret soit chez moi demain matin, lança le jeune colosse aux spectateurs. Sinon, je démolis la maison de Nakht brique par brique.

49.

Didia le Généreux frappa à la porte de la demeure de Paneb. Ce fut Ouâbet la Pure qui lui ouvrit, son fils dans les bras.

— J'apporte le tabouret, déclara le charpentier.

— Mais... je ne t'ai rien commandé !

— Les tailleurs de pierre m'ont affirmé que c'était très urgent. C'est pourquoi j'ai choisi celui-là que j'avais en stock. Du solide, tu peux m'en croire !

— Paneb dort encore, je vais le réveiller.

Le jeune colosse émergea d'un rêve sublime au cours duquel il avait couvert des murs entiers de peintures représentant Turquoise en adoratrice du soleil et de la lune.

En revenant à la réalité, il ressentit une légère douleur dans le flanc gauche. Cette brute de Nakht lui avait fêlé une côte.

— Didia te demande, lui apprit Ouâbet avec douceur.

— Pourquoi nous dérange-t-il si tôt, un jour de congé ?

— À cause d'un tabouret.

L'esprit embrumé, Paneb se souvint et rit de bon cœur en serrant contre lui sa femme et son fils.

— Un cadeau pour toi, Ouâbet !

— J'en désirais un, mais ce n'était pas si urgent.

— Il ne faut pas rater les bonnes occasions. Moi, j'ai faim ! On invite Didia à manger pour fêter ton tabouret ?

De la ruelle provinrent les échos d'une altercation. Paneb se précipita et découvrit Imouni qui se querellait avec Didia. Petit et teigneux, le scribe assistant ne semblait pas redouter le charpentier à la grande carcasse.

— Tu me casses les oreilles, Imouni. Retourne à ton bureau et laisse mon collègue en paix.

Furibond, le scribe apostropha Paneb.

— Il y a une loi, dans ce village, et ni toi ni lui n'avez le droit de la violer !

— Qu'as-tu encore inventé ?

Imouni posa un pied conquérant sur le tabouret.

— Et ce meuble, je l'invente ?

— C'est mon bien, tu n'as pas à t'en occuper.

— Justement, si ! Je dois savoir s'il n'appartient pas à un mobilier funéraire prévu pour une tombe et si toi et le charpentier ne vous livrez pas à un trafic condamnable.

Paneb croisa les bras et il observa Imouni d'un œil curieux.

— Que tu débites des stupidités n'a rien d'étonnant, mais que tu te trouves ici au moment précis de la livraison me surprend... On ne t'aurait pas renseigné, par hasard ?

— Peu importe. Que Didia me donne immédiatement la preuve que ce tabouret n'est pas un objet détourné, sinon je porte plainte contre vous deux !

— Avant ma douche, avoua Paneb, je suis d'une humeur massacrante... Et ce matin, je n'ai pas eu le temps de la prendre. Qui t'a renseigné, Imouni ?

Au changement de ton du colosse, le scribe assistant comprit qu'il ne fallait pas trop jouer avec le feu.

— C'est Nakht... Il m'a averti que tu avais contraint Didia à te donner un tabouret et que j'allais pouvoir t'inculper de vol et de chantage.

— Te connaissant, je suppose que l'acte d'accusation est déjà prêt?

Imouni baissa les yeux sur le sac en cuir contenant un papyrus.

— Les faits me paraissent bien établis.

— À moi aussi, conclut Paneb avec un calme inquiétant.

— Alors, tu avoues?

— On ne devrait pas te permettre d'écrire des mensonges, Imouni. Si tu continues dans cette voie-là, tu risques de devenir franchement nuisible. Je dois t'aider à revenir dans le droit chemin.

Paneb arracha au scribe son matériel, déchira le sac et le papyrus, brisa pinceaux, pains d'encre et pot à eau.

Redoutant d'avoir à subir le même sort que ses instruments, Imouni détala.

Paneb empoigna le tabouret.

— Ouâbet sera ravie, dit-il à Didia. Viens prendre le petit déjeuner avec nous.

— J'ai la gorge en feu, se plaignit Ipouy l'Examinateur, encore plus nerveux qu'à l'ordinaire. Mon épouse trouve que j'ai le cou enflé et que j'ai perdu du poids. Je crois que la fièvre monte et je ne sais pas si je serai capable de retourner travailler dans la Vallée à la fin de la période de fête...

Claire prit le pouls d'Ipouy à plusieurs endroits. L'Examinateur n'appartenait pas au clan des douillets qui, à la moindre douleur, tentaient d'obtenir de la femme sage des jours de repos supplémentaires.

— La parole du cœur est troublée, conclut-elle. Tu aurais dû venir me consulter plus tôt.

– C'est grave ?

– Ouvre la bouche et penche la tête en arrière.

La thérapeute s'attendait à ce qu'elle découvrit.

– C'est un mal que je connais et que je guérirai, affirmat-elle, mais tu as souffert en silence trop longtemps. Ce genre de courage n'a aucune valeur, Ipouy. Ton infection aurait pu dégénérer et causer une tumeur irréversible.

La femme sage prépara une mixture composée d'ail, de pois, de cumin, de sel marin, de levure, de farine fine, de grains de pyrèthre, de miel, d'huile et de vin de dattes en observant les proportions que son prédécesseur avait consignées dans son livre sur les maladies infectieuses.

– Tu absorberas cette médication sous forme de boulettes, prescrivit-elle à Ipouy. Vingt par jour pendant une semaine seront nécessaires. Le pus disparaîtra rapidement, et tu seras soulagé. Ensuite, je réduirai les doses jusqu'à disparition complète du mal.

Des appels au secours troublèrent la fin de la consultation.

Le scribe assistant Imouni s'époumonait pour ameuter les villageois.

Néfer le Silencieux avait réussi à ramener le calme et à obtenir des accusations nettes de la part d'Imouni qui ne cessait de trembler, sous le regard étonné des artisans.

– Il a cassé mon matériel... C'est un fou !

– De qui parles-tu ?

– De Paneb ! Il faut appeler la police et l'arrêter, sinon il dévastera le village.

À l'exception de Nakht, alité, les tailleurs de pierre mouraient d'envie de rire. Imouni était tombé dans leur piège, et les réactions de Paneb avaient dépassé leurs espérances.

– Va chercher Paneb, ordonna le maître d'œuvre à Thouty le Savant.

Ce dernier revint en compagnie du jeune colosse et de Didia qui mastiquait une galette fourrée aux fèves chaudes.

310

– Protégez-moi ! hurla Imouni en se réfugiant auprès des tailleurs de pierre.

– As-tu brisé le matériel du scribe assistant ? demanda Néfer à Paneb.

– J'ai simplement effacé ses mensonges et j'estime avoir rendu service à la confrérie. Si je n'avais pas donné une bonne leçon à Imouni, il aurait fini par se croire tout-puissant. Qu'il reste à sa place en exécutant les ordres du scribe de la Tombe, et tout ira bien.

Rouge de colère, Imouni attaqua.

– Paneb est un voleur, un maître chanteur et il a détruit les preuves portées sur mon acte d'accusation !

– Cette fois, rugit l'accusé, ça suffit !

Le maître d'œuvre s'interposa.

– Pas de violence, Paneb ! Qu'as-tu à répondre ?

– Toi, tu m'obliges à répondre à ce cafard ?

– Seule la vérité m'importe.

– La vérité, je vais la dire, intervint Didia. Le groupe des tailleurs de pierre m'a demandé de livrer de toute urgence un tabouret à Paneb, et je lui ai apporté un meuble que j'avais fabriqué pour le vendre à l'extérieur. Il n'y a eu ni vol ni chantage, et j'aimerais bien savoir qui va me payer !

– Nakht le Puissant, répondit Paneb en révélant les dessous de l'affaire.

– C'est quand même très trouble, estima Ounesh le Chacal. Ne devrait-on pas convoquer le tribunal ?

– Le bâton du dieu Amon suffira, trancha le maître d'œuvre, car le cas paraît beaucoup plus clair que tu ne le penses.

Paneb était ulcéré.

– J'ai un témoin, Imouni m'accuse à tort et les tailleurs de pierre ont tenté de se venger de la défaite de Nakht… Et tu veux quand même me juger ?

– Tu as commis une faute en brisant le matériel du scribe assistant, rappela Néfer. La Place de Vérité nous apprend à construire, non à détruire. Quelles que soient les circonstances, rappelle-t'en.

Ce fut le chef de l'équipe de gauche, sévère comme un gardien de porte de l'autre monde, qui se présenta devant le jeune colosse en portant un lourd bâton terminé par une tête de bélier sculptée de manière admirable et couronnée d'un soleil peint en rouge vif.

La femme sage se porta à la hauteur de l'emblème.

— Paneb, oseras-tu croiser le regard du bélier divin en affirmant que tu n'as pas menti ?

— À toi, je fais confiance.

Le colosse fixa la tête en bois doré dont les yeux de jaspe noir semblaient vivants. C'était au bélier d'Amon que les villageois s'adressaient pour le prier ou formuler des réclamations, et c'était à sa puissance cachée que le maître d'œuvre confiait le soin de juger son ami devant la communauté rassemblée et muette.

Paneb sentit aussitôt que le magicien qui avait créé cette effigie, lors de la naissance du village, lui avait donné un pouvoir capable de briser la volonté d'un humain.

Pour éviter la flamme invisible de ce regard impitoyable, il eut envie de baisser les yeux et de supplier le dieu de se montrer indulgent.

Mais la force de sa vérité lui permit de garder la tête droite et de ne rien céder au bélier sacré.

Le disque solaire sembla soudain moins vivace et le lourd bâton s'éloigna.

— Paneb n'a commis aucune faute grave contre la communauté, décréta la femme sage, et il n'encourt pas la colère du dieu.

— J'exige néanmoins qu'il offre à Imouni un matériel neuf, ordonna le maître d'œuvre.

Le jeune colosse demeura silencieux.

Caché derrière les tailleurs de pierre, le scribe assistant pensa que l'amitié entre Néfer et Paneb ne serait pas éternelle.

50.

Le scribe de la Tombe avait réuni chez lui la femme sage et les deux chefs d'équipe. La période de congé se terminait, et il fallait arrêter des décisions.

– L'équipe de gauche entreprendra la construction du temple des millions d'années conformément au plan tracé par le maître d'œuvre et approuvé par le roi. As-tu des observations à formuler, Hay ?

– Aucune.

– Le chantier sera clos et gardé par la police. Au moindre incident, avertis le chef Sobek.

Le chef de l'équipe de gauche hocha la tête affirmativement.

– Les deux autres points à vous soumettre sont plus délicats : est-il opportun de reprendre les travaux dans la Vallée des Rois et de confier à Sobek ce que nous avons découvert ?

— Creuser la tombe royale est essentiel, trancha Néfer. Quels que soient les risques, je continuerai.

— En ce cas, avouons à Sobek qu'un traître se cache parmi nous.

— Je m'y oppose, déclara sèchement le chef de l'équipe de gauche. Ce sont nos problèmes, et ils ne concernent que nous.

— Je comprends ta réaction, dit Claire, mais Sobek n'est pas notre ennemi. Il aime le village, il désire sa survie, et nous avons besoin de son aide.

— Pour nous, quelle honte ! N'est-ce pas briser l'unité de la confrérie ?

— Celui qui cherche à la briser, c'est le misérable qui a trahi son serment. Et cette honte, nous ne la devons qu'à notre manque de vigilance.

— Je pose une condition, exigea Hay : que Sobek garde le secret absolu sur ce qu'il va apprendre.

Assis sur une natte face à Kenhir qui occupait le seul siège confortable du cinquième fortin, Sobek était perplexe.

— Vos révélations ne me surprennent pas, avoua-t-il au scribe de la Tombe. Voilà plus de dix ans que je recherche en vain l'assassin d'un de mes hommes, et j'ai acquis la certitude qu'il se cachait dans le village. Quel meilleur repaire aurait-il pu trouver ? Et maintenant, cet avaleur d'ombres cherche à vous nuire, à l'intérieur même de la confrérie. Rendez-vous à l'évidence, Kenhir : il s'agit d'un complot préparé de longue date. Comme je ne suis pas autorisé à enquêter dans la Place de Vérité, c'est à vous que revient cette tâche. Soyez très prudent... L'avaleur d'ombres a déjà tué, et il n'hésitera pas à recommencer s'il sent sa sécurité et son anonymat menacés.

— De ton côté, comment comptes-tu agir ?

— Notre homme est obligé d'avoir des contacts avec ses complices de l'extérieur, et il finira bien par commettre une faute.

— Jusqu'à présent, ce ne fut pas le cas.

– Je sais, Kenhir, je sais… On jurerait qu'il est insaisissable, et j'en ai perdu le sommeil. Mais c'est mon seul espoir.

– Il faut me promettre de garder le silence.

– Je devrais rédiger des rapports à l'intention de mes supérieurs et…

– Tes seuls supérieurs sont Pharaon, le vizir et moi-même. Je te couvre, Sobek, et si nécessaire, je fournirai des explications au roi. Mais il est exclu que d'autres corps de police soient informés de ce qui se passe au village. Nous n'avons confiance qu'en toi.

Le Nubien parut touché.

– Sur le nom de Pharaon, je jure de me taire.

On approchait.

Chargé de garder la tombe de Mérenptah, le policier Tousa en était sûr : quelqu'un approchait. Les pieds nus sur le sable ne faisaient presque aucun bruit, mais le Nubien avait l'ouïe suffisamment fine pour discerner le danger.

Tousa sortit son poignard de sa gaine et il se colla à la roche pour frapper l'intrus d'un coup décisif.

Paneb, qui arrivait le premier sur le chantier, fut étonné de ne pas apercevoir le gardien.

Connaissant le sérieux des hommes de Sobek, il ne pouvait aboutir qu'à une conclusion : Tousa avait été supprimé.

Si l'agresseur se trouvait encore sur les lieux, Paneb ne le laisserait pas s'enfuir. Et si l'autre l'avait entendu s'approcher, il se dissimulait contre la paroi, près de l'entrée de la tombe.

L'artisan s'accroupit et progressa silencieusement le long de la roche.

L'autre était là, il le sentait. Il percevait à la fois sa peur et son désir de le tuer.

Paneb déboula devant l'entrée de la tombe en se jetant au sol et en roulant sur lui-même. Surpris, le Nubien frappa dans le vide. Le jeune colosse lui faucha les jambes tout en lui portant au poignet un coup si violent que Tousa lâcha son arme.

– Mais... tu es le policier?

– Et toi, tu appartiens à l'équipe!

– Tu fais bien ton travail, l'ami.

– Toi, si tu veux changer de métier, Sobek t'engagera volontiers.

– Ça m'étonnerait.

Le maître d'œuvre et les autres artisans arrivèrent sur les lieux. Le Nubien et Paneb se relevèrent.

– Que s'est-il passé? demanda Néfer.

– Un exercice pour tester les mesures de sécurité, répondit Paneb. Grâce à Tousa, la tombe ne risque rien.

Kenhir s'installa sur son siège creusé dans la roche, à l'abri du soleil, et il surveilla la distribution du matériel. Les membres de l'équipe de droite continueraient à creuser sous la direction du maître d'œuvre, à l'exception de Ched le Sauveur et de Paneb qui reçut de fins ciseaux de cuivre.

– Pour nous, révéla Ched, débute le travail de précision. Dans la partie dégagée, nous préparerons une paroi aussi lisse que possible. Sans un excellent support, que serait la peinture?

Paneb toucha l'amulette qu'il portait au cou.

– Tu as changé, remarqua le Sauveur. Toujours autant de fougue, mais davantage de puissance.

– Tu m'as ouvert les yeux, Ched. Comment pourrais-je te remercier?

– En devenant un meilleur peintre que moi. Les autres dessinateurs exécuteront mes ordres; de toi, j'attends davantage.

– J'ai des centaines d'esquisses à te proposer.

– Je n'en accepterai probablement aucune afin que tu sois plus inventif, tout en te conformant au programme symbolique qu'exige une tombe royale. Si tu lui es fidèle, plus aucun des secrets de notre art ne sera hors de ta portée.

Pendant la nuit passée au col, Paneb avait observé les étoiles et la lune. Chargée d'énergie, l'amulette de l'œil lui ôtait toute fatigue, et c'est avec entrain qu'il utilisa une herminette courte pour racler les dernières excroissances de pierre avant de se servir de galets pour polir la surface. Lui, le spécialiste du gypse, aurait ensuite à appliquer un enduit de plâtre fin et de colle transparente. Après quoi, il appartiendrait aux dessinateurs de procéder au quadrillage de la paroi afin que chaque figure soit à sa place et vive en harmonie avec l'ensemble de la scène.

Les sculpteurs achevaient le linteau de la porte monumentale. On y voyait un scarabée et un bélier qui évoquaient la résurrection d'un soleil auquel s'identifierait l'âme du pharaon sur laquelle veillaient Isis et Nephtys.

Et l'équipe progressait, pendant que Ched le Sauveur commençait à dévoiler à son disciple le thème des peintures qui animeraient les murs.

Serkéta ôta sa robe verte à franges pourpres et, avec une lenteur calculée, en revêtit une autre, d'un jaune agressif, qui laissait les seins nus.

— Suis-je belle, mon doux amour ?

— Superbe, jugea Méhy qui prenait plaisir au spectacle après une rude journée de travail au cours de laquelle, grâce à son sens inné de la corruption, il s'était fait de nouveaux obligés. Sur la rive ouest de Thèbes comme sur celle de l'Est, il comptait de plus en plus de fervents partisans qui vantaient son dynamisme et son excellente gestion. Et comme sa charmante épouse savait aguicher les notables lors des banquets, elle lui attirait les faveurs de quelques vieux barbons qui appréciaient ce couple riche et influent.

Ainsi Méhy continuait-il à tisser sa toile afin qu'aucun personnage influent de la grande province du Sud ne lui échappât. Quel meilleur terrain d'expérience pouvait-il espérer avant de s'attaquer au pays tout entier ?

L'intendant chargé d'annoncer à Méhy l'arrivée d'un visiteur ne savait pas où se mettre. Il gardait les yeux baissés pour ne pas voir Serkéta qui se dénudait une nouvelle fois en prenant des poses lascives.

— Un officier venant de la capitale souhaiterait vous voir.

– Fais-le entrer dans la salle de réception et donne-lui à boire.

Serkéta se frotta contre son mari.

– Je peux écouter votre entretien, cachée derrière une tenture?

– C'est souhaitable.

– Ne faudrait-il pas nous débarrasser de ce militaire? susurra-t-elle.

– Probablement, mais c'est encore trop tôt.

À l'idée de commettre un nouveau meurtre, Serkéta fut si excitée qu'elle ne laissa pas à Méhy la possibilité de l'ignorer. L'officier patienterait.

– Quelles nouvelles? demanda le général.

– Mérenptah règne avec une poigne de fer, répondit l'officier, mais l'on murmure que sa santé ne serait pas excellente.

– Qui est le mieux placé pour lui succéder?

– Son fils Séthi, mais il y a plus sérieux : dans les casernes, l'exercice s'intensifie, et le roi a ordonné aux armureries de Pi-Ramsès et de Memphis de fabriquer une grande quantité d'épées, de lances et de boucliers.

– Des manœuvres en vue?

– C'est l'hypothèse la plus probable. Une démonstration de force en Syro-Palestine calmerait d'éventuelles rébellions. Les chefs de tribu pourraient croire que Mérenptah est plus faible que Ramsès et fomenter des troubles graves.

– As-tu des indices formels?

– Rien de plus, général. À mon sens, vous devriez vous rendre à Pi-Ramsès pour mieux apprécier la situation. Rester isolé à Thèbes vous dessert, d'autant plus que votre renom grandit et que plusieurs dignitaires proches du roi aimeraient vous rencontrer.

L'officier avait raison, mais il fallait un bon prétexte pour effectuer ce voyage. Et ce prétexte, c'était la Place de Vérité qui le fournirait à Méhy.

51.

Après huit jours de travail acharné, les artisans de l'équipe de droite goûtaient leurs quarante-huit heures de repos au village avant de repartir pour la Vallée des Rois.

Leur quiétude fut brutalement troublée par les vociférations d'un couple qui se jetait injures et pièces de vaisselle à la figure.

— On dirait que ça provient de chez Féned, dit Ouâbet la Pure à son mari, qui s'amusait à lancer Aperti en l'air et à le rattraper au dernier moment, ce qui déclenchait les éclats de rire du bambin.

— Une petite dispute avec sa femme... Elle n'est pas commode, paraît-il.

— Ça rassemble plutôt à un pugilat. Ne devrais-tu pas intervenir ?

LA PIERRE DE LUMIÈRE

Comme Paneb aimait bien Féned le Nez, il confia son fils à Ouâbet, sortit de chez lui et emprunta la ruelle jusqu'à la demeure du tailleur de pierre dont la porte était ouverte.

Un beau plat en albâtre frôla la tempe du jeune colosse.

— Calmez-vous ! ordonna-t-il.

Féned jaillit de la petite maison blanche et se heurta à Paneb.

— Fuyons, recommanda-t-il, ma femme est devenue folle !

Vu l'abondance des projectiles, Paneb suivit son collègue qui courait sans se retourner.

Hors d'atteinte, il reprit son souffle.

— Merci de ton aide, mais même une armée de géants serait impuissante face à une épouse déchaînée. Cette fois, elle est allée trop loin... Je demande le divorce.

— Réfléchis quand même... Que lui reproches-tu ?

— Nous ne sommes d'accord sur rien, il vaut mieux nous séparer.

— C'est une décision grave, Féned ; peut-être pouvez-vous vous réconcilier.

— Elle ne me comprend plus, je ne la comprends plus.

D'un pas décidé, Féned le Nez pénétra dans la salle d'audience de Kenhir, occupé à rédiger le Journal de la Tombe.

— Je veux divorcer.

Le scribe de la Tombe ne leva pas les yeux.

— Es-tu conscient qu'il te faudra changer de domicile et laisser au moins un tiers de tes biens à ton épouse qui en réclamera sans doute davantage ?

— C'est une question de vie ou de mort.

— Si nous en sommes là... Mon assistant préparera le dossier nécessaire.

Kenhir appela Imouni qui classait des papyrus. À la surprise de Féned, le scribe assistant se montra délicat et compréhensif ; grâce à lui, le tailleur de pierre affronta l'épreuve avec un certain optimisme. Il appartiendrait au tribunal du village de tenter une ultime conciliation, d'écouter les anciens époux et de répartir leurs acquis. Dans cette attente, Imouni logerait chez lui Féned le Nez.

C'est un Paneb pensif qui retrouva sa femme et son fils.

— Rien de sérieux? demanda Ouâbet.

— Féned divorce.

— C'est... c'est affreux!

— À le voir, on ne le croirait pas. C'est bizarre... J'ai même l'impression qu'il jouait la comédie.

— Les divorces sont plus rares ici que dans les autres villages, car les artisans préviennent leurs futures épouses de ce qui les attend, et elles connaissent l'étendue de leurs tâches matérielles et rituelles. Mais pourquoi Féned tenterait-il de donner le change?

— Pour faire croire qu'il est en désaccord avec sa femme.

— Dans quelle intention?

— Aucune idée.

— Tu m'intrigues, Paneb. Je tâcherai de découvrir la vérité en parlant avec elle.

Paneb avait été chercher de l'eau pour la cuisine et il allumait les lampes, à la nuit tombante, quand Ouserhat le Lion et Ipouy l'Examinateur frappèrent à sa porte.

— Le maître d'œuvre te demande.

C'était le dernier soir de repos avant de retourner dans la Vallée des Rois, et Ouâbet avait prévu un savoureux dîner.

— C'est un ordre?

— Libre à toi de refuser, répondit Ouserhat.

La réponse intrigua Paneb qui se tourna vers son épouse. Ouâbet la Pure lui sourit.

— Nous dînerons plus tard, dit-elle d'une voix étrange, comme si elle était complice des visiteurs.

— Que veut Néfer?

Ouserhat haussa les épaules.

— Nous, on n'en sait rien. Quelle est ta réponse?

— Allons-y.

— Bonne chance, murmura Ouâbet.

Le trio prit la direction du grand temple dont Nakht le Puissant gardait l'entrée.

S'il s'agissait d'un règlement de comptes devant l'équipe, Paneb se sentait prêt.

— Nous accompagnons un artisan désireux de parcourir les deux chemins, déclara Ouserhat. Laisse-nous passer.

Nakht s'écarta, le trio pénétra dans la cour à ciel ouvert où avait été installée une cuve remplie d'eau.

— Dépouille-toi de tes vêtements, exigea Ipouy, et plonge-toi dans ce liquide pour te purifier.

Après s'être immergé complètement, Paneb sortit de la cuve et il fut invité à franchir le seuil de la première salle du temple.

Dans la pénombre, assis sur les bancs de pierre longeant les murs, les membres de l'équipe de droite.

Soudain, un feu jaillit.

— Oseras-tu franchir cet obstacle et entrer dans le cercle de feu ? interrogea Ouserhat.

Paneb s'élançait, Ipouy le retint.

— Prends cette rame sur laquelle a été dessiné un œil. Elle ne brûle pas dans les flammes, et nos anciens l'ont utilisée pour parcourir les chemins d'eau et de feu.

Tendant la rame devant lui comme un bouclier, Paneb traversa le rideau de flammes.

Les artisans se levèrent et formèrent un cercle autour de lui.

Sur le sol du temple avaient été tracés deux chemins sinueux, l'un bleu et l'autre noir. Entre eux, un bassin d'où sortaient d'autres flammes.

— Deux chemins difficiles mènent au vase sacré d'Osiris, déclara le maître d'œuvre. Le chemin d'eau est bleu, le chemin de terre est noir, et ils sont séparés par un lac de feu où le soleil et l'esprit de l'initié se régénèrent. Ces deux chemins s'opposent l'un à l'autre, et tu ne pourras les parcourir que par le

Verbe et l'intuition des causes. Mais désires-tu voir le secret de la connaissance ?

— Je le désire de tout mon cœur.

— Que la corde des métamorphoses soit déroulée et que l'être juste suive le chemin de Maât.

Ouserhat reprit la rame, Gaou le Précis et Ounesh le Chacal ajustèrent un cordeau sur les deux chemins.

— Suis-moi, Paneb, demanda Néfer le Silencieux.

Les deux hommes s'enfoncèrent dans les ténèbres d'une salle qui se terminait par trois chapelles aux portes closes.

— Je vais tirer le verrou, annonça Néfer. Ce que tu verras, tu ne pourras plus l'oublier, et ton regard sera transformé. Il en est temps encore, tu peux te retirer après avoir entendu la voix du feu.

— Tire le verrou.

Le maître d'œuvre ouvrit la porte de la chapelle du centre.

Sur la pierre de lumière, recouverte d'un voile, se trouvait un vase en or scellé, haut d'une coudée.

— Le feu protège le vase de la connaissance au cœur du silence et de l'obscurité. En lui furent déposées les lymphes d'Osiris, à jamais inaccessibles aux profanes. Tout être qui contemple ce mystère ne mourra pas de la seconde mort, car il deviendra porteur des formules de connaissance grâce auxquelles il ne se décomposera pas dans l'Occident.

Néfer s'approcha du vase dont Paneb crut voir jaillir des lueurs agressives, et il lui présenta une statuette de Maât.

— Nous sommes les fils de la Place de Vérité et nous t'offrons la déesse de la rectitude qui, seule, dissipe les ténèbres. Que l'âme de Paneb monte au ciel, traverse le firmament et fraternise avec les astres.

La chapelle s'illumina.

À son fronton, Paneb discerna un soleil ailé dont la lumière était aussi vive que celle de midi.

— Éclaire les routes pour le Serviteur de la Place de Vérité, implora le maître d'œuvre, qu'il puisse aller et venir sans être entravé par les ténèbres.

Néfer ôta le sceau qui fermait le vase et le voile qui recouvrait la pierre. Son rayonnement contraignit Paneb à fermer les yeux, mais il les rouvrit bien vite en se protégeant de son avant-bras.

— Cette pierre est l'indomptable qui ne peut être asservie, révéla le maître d'œuvre. En elle sont taillés les scarabées chargés de remplacer le cœur humain pour le voyage de l'au-delà, mais elle ne perd aucune parcelle de sa substance, car la lumière demeure éternellement semblable à elle-même. Sache que le ciel est notre carrière et notre mine où nous puisons les matériaux de l'œuvre.

Néfer inclina le vase vers la pierre. De son goulot sortit une flamme dorée d'une incroyable beauté.

Lorsqu'il se retourna vers Paneb, le maître d'œuvre tenait dans ses mains un petit scarabée taillé dans une pierre verte d'une exceptionnelle dureté.

— Tu possédais l'œil, voici ton cœur.

52.

Installés dans le premier corridor creusé avec soin, Ched le Sauveur et ses dessinateurs étudiaient les représentations du pharaon et des dieux qui figureraient sur les murs, ainsi que les textes hiéroglyphiques qu'ils traceraient signe par signe. Ils commenceraient par les *Litanies du soleil* dont les formules énigmatiques dévoilaient les multiples formes de la lumière divine.

— Chef, on tombe sur un sacré os ! clama la voix angoissée de Karo le Bourru.

Néfer, qui s'entretenait avec les sculpteurs à l'extérieur de la tombe, y pénétra aussitôt pour rejoindre les tailleurs de pierre.

— Regarde ça, déplora Karo : un énorme bloc de silex ! Si on continue à progresser en droite ligne, selon ton plan, il faudra creuser tout autour un sillon pour le détacher de la masse, et ça nous prendra beaucoup de temps.

Le maître d'œuvre observa le bloc.

— Il est magnifique.

— D'accord avec toi, approuva Féned le Nez ; il n'y en a sans doute pas d'aussi beau dans toute la vallée.

— On le laisse en place et on continue tout droit, décida Néfer. Cette roche appartiendra à la tombe et la protégera.

Quand l'équipe de droite s'approcha du village pour y goûter deux jours de repos, elle entendit des aboiements et des cris d'indignation. Néfer aperçut des femmes courant dans la rue principale et dans les ruelles secondaires.

Un instant, il crut que la Place de Vérité avait été attaquée et envahie, mais il ne vit aucun homme armé.

La belle Turquoise accourut au-devant des artisans.

— Venez vite... Il y a tellement de singes que nous n'en venons pas à bout ! Ils pillent les cuisines et jouent avec la vaisselle !

La traque se prolongea pendant une bonne demi-heure, et se termina par la capture d'une vingtaine de babouins femelles. Affolées, émettant de petits cris plaintifs, elles furent rassemblées devant la maison de Nakht le Puissant ; sous la menace des chiens obéissant à Noiraud et des bâtons que brandissaient les artisans, elles se serraient les unes contre les autres.

— Exterminons ces bestioles ! proposa Casa le Cordage. Sinon, elles vont recommencer !

Campé sur ses énormes mollets, le visage carré, ses grands yeux marron emplis de fureur, le tailleur de pierre aurait terrifié un fauve.

Le petit singe vert sauta sur son épaule, comme pour implorer sa clémence. La main de Casa serra le cou de l'animal dont les yeux s'emplirent de terreur.

— Ne lui fais pas de mal ! exigea Paneb. Ignores-tu qu'il est notre bon génie ?

– Un bon génie qui attire ses congénères pour semer le trouble dans le village ! Débarrassons-nous de ces singes avant qu'ils ne blessent nos enfants.

La femme sage intervint.

– Ne voyez-vous pas que ces guenons sont des cueilleuses de figues ? Il est si simple de les calmer ! Prends cette flûte, Turquoise, et joue.

Dès les premières notes de la mélodie que l'on jouait au pied d'un figuier lorsque les babouins grimpaient pour y cueillir les fruits et les déposer dans des paniers, les babouins femelles s'apaisèrent et regardèrent les humains avec des yeux doux.

Penaud, Casa le Cordage rentra chez lui. Le petit singe vert se réfugia sur l'épaule de Paneb.

– Pourquoi ce coup de folie ? demanda-t-il au coquin qui avait attiré les babouins pour leur montrer un nouveau terrain de jeu.

L'accusé se rapetissa au maximum.

– Ne recommence pas, avertit Paneb. Ici, nous n'apprécions pas le désordre.

Claire désigna quatre femmes pour ramener les babouins femelles à leurs propriétaires. Des bandes d'étoffe servirent de laisses, et le cortège s'ébranla dans la gaieté.

– Cette agitation est-elle enfin terminée ? demanda Kenhir à son scribe assistant.

– Les guenons sont reparties, répondit Imouni.

– Je ne peux quand même pas m'occuper de tout ! Si l'on continue sur cette pente-là, ce sera bientôt l'anarchie.

– Je vous assure que tout est arrangé... Puis-je vous signaler que nous venons de recevoir un courrier du général Méhy qui demande à vous voir, de même que le maître d'œuvre ?

– Quand serai-je enfin tranquille ?

– Et puis...

– Et puis quoi encore ?

– Niout la Vigoureuse insiste pour faire le ménage dans votre bureau.

Accablé, le scribe de la Tombe préféra sortir de chez lui et aller chercher Néfer le Silencieux pour l'emmener chez l'administrateur principal de la rive ouest.

Méhy ferma les volets de bois pour empêcher le soleil de pénétrer dans la salle d'audience où il recevait Kenhir et Néfer.

– La chaleur est insupportable, aujourd'hui ; j'espère que vous n'en souffrez pas trop.

– Pourquoi cet entretien ? demanda Kenhir.

– Je dois me rendre à Pi-Ramsès pour présenter au roi un rapport sur mes activités. Au premier rang figure la protection de la Place de Vérité, et j'aimerais savoir si vous êtes satisfaits du comportement de mon administration à votre égard.

– Nous le sommes, reconnut Kenhir. Je suppose que vous souhaitez un témoignage écrit ?

– Si ce n'est pas trop vous demander... Et j'aimerais également pouvoir donner au pharaon des nouvelles à propos des chantiers en cours.

– C'est à nous, et à nous seuls, de lui communiquer ces informations.

– J'en suis conscient, mais ne pourrais-je vous servir de messager ?

Kenhir consulta du regard le maître d'œuvre qui n'émit pas d'objection.

– Quand comptez-vous partir, Méhy ?

– Dès que vous m'aurez remis votre rapport.

– Vous l'aurez après-demain.

À la lueur d'une grosse lampe, le scribe de la Tombe achevait de rédiger le rapport qu'il confierait à Méhy.

– Tu sembles toujours aussi méfiant à l'égard de notre protecteur, dit-il à Néfer qui vérifiait le plan du temple des millions d'années de Mérenptah.

— Je demeure circonspect.

— L'administrateur principal de la rive ouest et général des forces armées thébaines est dévoré d'ambition, c'est certain ; mais dans l'affaire de la livraison du cuivre, il nous a aidés de manière décisive.

— Je l'admets.

— Je crois avoir compris ce que recherche vraiment Méhy : avoir l'oreille de Pharaon et appartenir au cercle des courtisans et peut-être à celui des conseillers du roi. Même s'il ne cesse de nous passer de l'onguent, il se moque complètement de la Place de Vérité et il ne songe qu'à la capitale où se décide la politique du pays.

— Possible, mais n'est-ce pas imprudent de lui confier un rapport détaillé sur les chantiers ? La procédure habituelle consiste à l'envoyer au pharaon par courrier spécial.

— Tu crains que la curiosité de Méhy ne le pousse à décacheter le papyrus et à le lire, n'est-ce pas ?

— En effet.

— Tu connais bien mal le vieux Kenhir ! Je sais que l'administration centrale est remplie de chausse-trappes et peuplée d'ambitieux passés maîtres dans l'art des coups tordus et des crocs-en-jambe pour assurer leur promotion. Afin de rester en bons termes avec Méhy, j'ai accepté sa proposition ; mais s'il commet l'erreur de lire mon texte, il risque d'avoir une désagréable surprise. Le rapport détaillé, lui, sera acheminé par la voie habituelle quand nous aurons dépassé le bloc de silex et terminé le sanctuaire du temple des millions d'années.

Poussé par un fort courant, le confortable bateau de Méhy le conduirait à la capitale en une dizaine de jours, si le capitaine de l'équipage de trente marins très expérimentés tenait sa promesse.

À l'intérieur d'une agréable cabine au toit coulissant, Serkéta dégustait du raisin tout en buvant un vin blanc frais de Saïs, léger et fruité. Ce voyage l'enchantait, et elle ne manquait pas d'apparaître sur le pont en tenue légère pour susciter le désir des marins, proches d'une femelle inaccessible.

Ce petit jeu amusait son mari qui la prenait avec sa brutalité coutumière et se réjouissait de l'effet que produisaient les cris d'extase de Serkéta sur l'équipage.

— Néfer le Silencieux n'a vraiment pas l'air de m'apprécier et il mérite bien son surnom, confia-t-il à son épouse alors qu'elle se remaquillait.

— C'est une stratégie, estima-t-elle. Pendant que le scribe de la Tombe converse avec toi, le maître d'œuvre t'observe pour mieux te juger. L'important, c'est qu'ils aient accepté de te remettre un document confidentiel destiné au roi.

Méhy tâtait le papyrus roulé et scellé.

— Tu devrais nous le lire, mon doux amour. Père m'avait appris à imiter les sceaux de manière si parfaite que personne ne s'en apercevait. Tu ne cours donc aucun risque à prendre connaissance de ce message et à utiliser les informations qu'il contient.

Le général hésitait.

— Ils me l'ont remis un peu trop facilement...

— Ne leur as-tu pas démontré ton indéfectible amitié ?

— Ils se méfient, je le sens ! Et puis ce sont des artisans, habiles à manipuler n'importe quel matériau. Suppose qu'ils m'aient tendu un piège et qu'en brisant ce sceau je leur procure la preuve de ma curiosité déplacée... Plus jamais ils ne m'accorderaient leur confiance.

Serkéta s'assit sur les genoux de son mari et palpa à son tour le document.

— Les crois-tu assez rusés pour avoir imaginé un pareil guet-apens ? Comme ce serait excitant ! Tu as raison, mon doux amour, ne touche pas à ce papyrus. Quand le roi le lira, nous saurons si nous avons pris la bonne option. En attendant, amusons-nous !

Serkéta plaqua Méhy sur le lit et l'enfourcha.

53.

Méhy et Serkéta ne furent pas déçus par Pi-Ramsès, « la cité de turquoise » qu'avait édifiée Ramsès le Grand dans le Delta. Proche des turbulents protectorats de Syro-Palestine, la nouvelle capitale abritait une énorme garnison prête à intervenir rapidement en cas de troubles. Le pharaon défunt avait compris que le flanc nord-est du pays offrait un couloir d'invasion aux peuples d'Asie qui, depuis des siècles, songeaient à s'emparer des richesses de l'Égypte.

Le soleil faisait briller les tuiles bleues vernissées ornant la façade des maisons, et le palais royal avait une superbe allure, au milieu de jardins où poussaient oliviers, grenadiers, figuiers et pommiers. « Quelle joie de résider à Pi-Ramsès, affirmait une chanson populaire, le petit y est considéré comme le grand, l'acacia et le sycomore dispensent leurs ombres, le vent est doux, les oiseaux jouent autour des étangs. »

Desservie par deux branches du Nil, « les eaux de Râ » et « les eaux d'Avaris », la capitale comptait quatre temples dédiés à Amon, Seth, Ouadjet « la verdoyante » et Astarté, la déesse syrienne, et quatre casernes où les soldats étaient bien logés. De vastes entrepôts accueillaient les marchandises acheminées par le fleuve, et l'administration bénéficiait de bâtiments imposants.

Un officier introduisit l'administrateur principal de la rive ouest de Thèbes dans la salle d'audience royale à laquelle donnait accès un escalier monumental orné de figures d'ennemis terrassés, symboles des ténèbres contre lesquelles Pharaon devait sans cesse lutter.

Méhy admira les représentations de jardins fleuris et d'étangs peuplés de poissons aux couleurs vives et survolés d'oiseaux, mais son regard fut vite attiré par celui du maître de l'Égypte.

Tête nue, les traits creusés, Mérenptah donnait une impression de puissance et de gravité.

— Permettez-moi, Majesté, de vous féliciter pour le premier anniversaire de votre couronnement et de vous souhaiter de nombreuses années de règne.

— Aux dieux de décider, Méhy. Tu as perçu mes intentions en me rendant cette visite : j'allais t'ordonner de venir à Pi-Ramsès pour me rendre compte de la situation à Thèbes.

— Elle est excellente, Majesté. La prospérité perdure, vos sujets vous servent avec fidélité.

— L'armée ?

— Vous connaissez l'attention particulière que je lui accorde, Majesté. Les troupes sont bien entraînées et disposent d'un matériel en bon état. Les officiers sont compétents, et la sécurité de la région est assurée.

— La flotte de transport ?

— Elle est prête à appareiller sur vos ordres.

— As-tu confiance en tes subordonnés ?

– Ce sont de bons professionnels attachés, comme moi-même, à la grandeur et à la sauvegarde de notre pays.

– Dès que tu rentreras à Thèbes, tu intensifieras l'exercice. Fantassins et charriers doivent être prêts à intervenir.

– Dois-je comprendre, Majesté, qu'un conflit s'annonce ?

– Si des troubles se produisent à nos frontières, nous saurons faire face.

– Puis-je vous remettre une missive de la part du scribe de la Tombe ?

Mérenptah parut étonné.

– C'est une procédure inhabituelle.

Méhy donna le papyrus au monarque qui en brisa le sceau, le déroula et le lut.

– Kenhir te félicite pour ton comportement envers la Place de Vérité et il est persuadé de ton absolue loyauté, puisque tu m'as remis ce document intact. Quiconque aurait tenté de le consulter aurait fait verdir les hiéroglyphes au contact de l'air, en raison de l'encre spéciale qu'a utilisée le scribe. Contacte tes homologues à la caserne principale et sois présent à mon prochain conseil de guerre, après-demain.

Le général s'inclina devant son souverain et se retira, le dos trempé de sueur.

La réception était brillante, les mets succulents. Grâce à sa faconde, Méhy avait conquis deux généraux, l'un de la charrerie, l'autre de l'infanterie. Quant à Serkéta, ses minauderies amusaient le directeur de l'armurerie qui se laissait prendre à ses caprices de femme enfant.

Le couple savourait cette invitation à une soirée huppée qui lui permettait de côtoyer pour la première fois la haute société de Pi-Ramsès et de rencontrer des notables civils et militaires.

À la fin du banquet, les serviteurs apportèrent des bols de calcaire remplis d'eau parfumée dans lesquels les invités se lavèrent les mains avant de se promener dans les jardins où de délicieuses senteurs agrémentaient la douceur de la nuit.

Un jeune homme d'une vingtaine d'années, élégant et fier, s'approcha du couple.

— Je suis Amenmès. Vous êtes bien le général Méhy?

— Pour vous servir... Voici mon épouse, Serkéta.

— Vous n'avez pas à me servir, mon cher! Je ne suis que le fils de Séthi, fils et successeur désigné de notre pharaon bien-aimé. On m'a raconté que vous faisiez de l'excellent travail à Thèbes, la ville où je suis né et qui demeure chère à mon cœur.

— Je fais de mon mieux.

— Vos forces armées sont-elles vraiment les mieux équipées du Sud, comme vos amis le prétendent?

— Je veille à ce qu'elles ne manquent de rien.

— J'aimerais tant retourner à Thèbes... Ici, l'atmosphère est trop sérieuse. La sécurité de nos frontières, l'arsenal, les casernes... quel ennui!

— Redouteriez-vous un conflit? demanda Serkéta sur un ton innocent.

— Des officiers ne cessent d'effectuer des aller et retour entre la capitale et les garnisons chargées de veiller sur le Nord-Est. J'ai beau interroger mon père sur les raisons de cette agitation, il refuse de me répondre parce qu'il me considère comme un jeune désœuvré, incapable de s'intéresser aux affaires de l'État.

— Je suis persuadée qu'il se trompe, susurra Serkéta.

— Bien sûr qu'il se trompe! Mais vous ne le connaissez pas... Il n'a pas pris le nom de Séthi pour rien! Son caractère est ombrageux, et il entre dans de violentes colères si l'on bafoue son autorité. À Pi-Ramsès, j'étouffe!

— Êtes-vous amateur de chevaux? demanda Méhy.

— Galoper est ma distraction préférée!

— Puis-je vous inviter à Thèbes, où vous monterez un superbe étalon à la rapidité inégalée?

— Quel merveilleux projet, Méhy! Enfin, l'avenir devient intéressant... Venez, je vais vous présenter à quelques amis.

Le général et son épouse rencontrèrent les principaux membres du clan du jeune Amenmès, dont la plupart étaient fils de dignitaires qui avaient fidèlement servi Ramsès le Grand. Serkéta déploya ses charmes, Méhy expliqua sa gestion afin de démontrer ses compétences.

Quand la réception s'acheva, Amenmès semblait ravi de cette amitié nouvelle.

Méhy et son épouse logeaient dans un vaste appartement réservé aux notables de province en visite à Pi-Ramsès. Serkéta s'étendit sur le lit.

— Je suis éreintée, mais quel fabuleux séjour! Nous avons vu le roi, et tu es déjà admis dans la haute société de la capitale!

— Ne nous réjouissons pas trop vite et méfions-nous de l'hypocrisie des mondains... De plus, la journée n'est pas finie.

Serkéta fut intriguée.

— Qu'as-tu prévu?

— J'attends une visite.

L'informateur de Méhy, un officier supérieur en poste à Pi-Ramsès, frappa à sa porte.

— Personne ne t'a suivi?

— J'ai été très prudent et je repartirai par le jardin.

— Existe-t-il vraiment des risques de guerre?

— Impossible à dire. Certes, les troupes de la capitale ont été mises en état d'alerte et celles de la frontière nord-ouest renforcées, mais il peut s'agir d'une simple démonstration de puissance, habituelle au début d'un règne. Mérenptah veut montrer aux éventuels trublions qu'il gouvernera avec la même poigne que Ramsès et qu'il ne tolérera aucune révolte en Syro-Palestine. À mon sens, la situation n'est pas alarmante; et si elle le devenait, nous ne serions pas pris par surprise.

— Mérenptah assoit donc son pouvoir...

— C'est indéniable. Ceux qui le croyaient faible se sont trompés.

— Il a tout de même soixante-six ans, rappela Serkéta ; la cour doit bruire de rumeurs concernant sa succession.

— Mérenptah a tenté de les dissiper en désignant de manière officieuse son fils Séthi comme futur pharaon. À quarante-six ans, ce dernier est un homme mûr, expérimenté, rompu à l'art de diriger, mais affligé d'un caractère difficile.

— Aucune opposition sérieuse ?

— Contre Mérenptah, plus aucune. Contre Séthi, c'est différent... et assez inattendu. Son principal adversaire est son fils, Amenmès. Il hait son père.

— Pour quelles raisons ?

— Après la mort de la mère d'Amenmès, Séthi s'est remarié avec une femme aussi belle qu'intelligente, Taousert. Son fils ne lui a pas pardonné ce qu'il considère comme une trahison. De plus, le jeune homme est ulcéré d'être considéré comme quantité négligeable et réduit à mener l'existence d'un riche désœuvré.

— Amenmès irait-il jusqu'à se dresser contre son père au décès de Mérenptah ?

— Il m'en paraît incapable, mais certains pensent que le conflit entre les deux hommes est inévitable. Contrairement à ce que croit Séthi, Amenmès ne reste pas inactif ; il a formé un clan de jeunes gens déterminés qui le poussent à s'affirmer et à revendiquer le pouvoir.

L'informateur procura à Méhy des précisions sur les troupes casernées à Pi-Ramsès, puis il se retira.

— Cet Amenmès me paraît influençable, jugea Serkéta.

— C'est également mon opinion, mais soyons très prudents. Si proches du sommet de l'État, une bévue nous serait fatale. Avant de retourner à Thèbes, nous rendrons une visite de courtoisie à Séthi. Misons autant sur lui que sur son fils afin d'être gagnants, quel que soit le vainqueur de leur duel.

54.

Le poisson-chat était énorme et menaçant. Si Kenhir plongeait pour lui échapper, il se noierait. Une seule issue : se ruer sur le monstre et planter ses dents dans sa chair pour le dévorer.

Au moment où il avalait la première bouchée, le scribe de la Tombe se réveilla et sortit de son cauchemar.

«La journée commence mal, pensa-t-il; manger du poisson-chat en rêve signifie que l'on va être importuné par un fonctionnaire.» Le cauchemar aurait pu être pire : d'après une ancienne *Clé des songes* qu'avait recopiée Kenhir, rêver que l'on devenait fonctionnaire signifiait que l'on était proche de la mort.

La nuque douloureuse, la langue pâteuse, le scribe de la Tombe marcha péniblement jusqu'à la table basse sur laquelle il avait posé le papyrus rédigé la veille. Scrupuleux, il le relut une fois encore pour vérifier que chaque mot était correct. Le texte assurait le roi que les deux équipes de la Place de Vérité avaient travaillé sans relâche à la création de son temple et de sa tombe, et que les difficultés avaient été surmontées par le maître d'œuvre.

Niout la Vigoureuse apporta du lait frais et une galette chaude.

— Vous vous levez tard, ce matin.

— Rien d'autre à manger ?

— À votre âge, il ne faut pas prendre trop de poids. Le facteur vous attend depuis une demi-heure.

— Les rêves ne me trompent jamais, marmonna Kenhir. Fais-le entrer.

Muni du bâton de Thot, Oupouty apparut.

— La lettre que tu dois remettre au pharaon est prête, précisa Kenhir. Tu es porteur de mauvaises nouvelles, bien entendu.

— Elles ne sont pas excellentes, en effet ; à Pi-Ramsès, les corps d'armée ont été mis en état d'alerte.

— La guerre ?

— Trop tôt pour le dire... Syriens et Palestiniens n'ont jamais cessé d'être turbulents, et Mérenptah doit leur prouver qu'il ne sera pas moins ferme que Ramsès.

— Tu ne pars pas seul pour le Nord, j'espère ?

— Puisque ton courrier est destiné au roi, je bénéficierai d'une escorte. Sois tranquille, ton message parviendra à bon port.

Paneb avait fabriqué des toupies, des soldats de bois aux membres articulés, des crocodiles et des hippopotames miniatures qui amusaient beaucoup Aperti. Le bambin aimait ouvrir et fermer la gueule du saurien, mais il avait déjà cassé plusieurs figurines qu'il secouait trop violemment.

— Je vais t'offrir une maquette de bateau, lui annonça-t-il, tu devras en prendre soin. Et si tu es sage, nous jouerons avec une balle de chiffons.

338

Paneb songeait même à façonner un cavalier montant un cheval harnaché et tirant un char de guerre, mais son fils devrait le mériter.

— Casser est toujours une erreur grave, enseigna le colosse au bambin qui le regardait avec des yeux attentifs, semblant comprendre chacune de ses paroles. Avec tes mains, tu peux faire des merveilles.

Portant deux paniers remplis de légumes frais, Ouâbet la Pure regardait avec émotion le père jouer avec le fils. Pour elle, il ne saurait exister de plus grand bonheur.

— J'ai longuement parlé avec l'épouse de Féned, révéla-t-elle ; elle ne le supporte plus et elle a pris la ferme décision de divorcer.

— Quittera-t-elle le village ?

— Non, elle reste. Il y a malheureusement des nouvelles plus graves que cette séparation.

Comme s'il percevait l'inquiétude de sa mère, le bambin tenta de serrer dans ses petits doigts le pouce droit de son père.

— D'après le facteur, poursuivit Ouâbet, les troupes d'élite de la capitale ont été mises en état d'alerte.

Le souvenir de la bataille de Kadesh livrée par Ramsès le Grand contre les Hittites était présent dans toutes les mémoires. Le traité de paix conclu avec cette puissance militaire n'avait pas été violé, mais d'autres peuples aussi belliqueux ne songeaient-ils pas à s'emparer des terres et des richesses de l'Égypte ?

Paneb se rendit aussitôt chez le maître d'œuvre afin d'obtenir davantage de précisions ; il croisa Ouserhat le Lion qui brandissait une stèle sur laquelle était représentée la déesse étrangère Kadesh, nue, de face, un disque lunaire sur la tête, des fleurs dans la main droite, un serpent dans la main gauche et debout sur un lion. L'étrange figure mettait mal à l'aise.

— La femme sage m'a demandé de déposer cette stèle contre la porte d'entrée du village, expliqua-t-il ; elle nous protégera de la violence venant de l'extérieur.

— A-t-elle parlé d'un conflit dans le Nord ?

– Non, mais elle préfère prendre des précautions. Si tu veux mon avis, ça ne sent pas bon.

Claire vint au-devant de Paneb.

– Je te cherchais, dit-elle.

– La guerre a-t-elle été déclenchée ?

– Je l'ignore, mais il faut protéger magiquement le village. Par bonheur, nous entrons dans le septième mois de l'année et nous approchons de la grande fête d'Amenhotep Ier.

Amenhotep Ier, le fondateur de la Place de Vérité et le patron vénéré de la confrérie, dont le portrait figurait sur des stèles, des linteaux, des tables d'offrande et des murs peints*.

Lors des réjouissances au cours desquelles on célébrait sa mémoire, les prêtres de son culte, à savoir les artisans eux-mêmes, portaient en procession sa statue le représentant assis, vêtu du pagne traditionnel, les mains posées à plat sur les cuisses.

– Qu'attends-tu de moi, Claire ?

– Tu peindras en noir la statue de sa mère, Ahmès-Néfertari, qui se tient toujours à ses côtés comme Maât auprès de Râ, le père de la lumière divine. Rénoupé le Jovial achèvera dès aujourd'hui son effigie en cèdre sur laquelle il a travaillé depuis plusieurs semaines, et il t'appartiendra de lui donner sa couleur définitive.

Paneb fut troublé.

– Pourquoi cette reine doit-elle apparaître noire ?

– Parce qu'elle est la mère spirituelle de la confrérie, porteuse de toutes les potentialités créatrices comme notre terre noire et féconde**. Elle nous guide dans les ténèbres et nous fait découvrir l'immensité du ciel nocturne où brille la lumière des origines de la vie.

---

* Amenhotep Ier, deuxième pharaon de la XVIIIe dynastie (vers 1551-1524 av. J.-C.).

** Le mot kemet, « l'Égypte », est formé sur la racine kem, « noir », par allusion au limon, la terre noire et riche déposée par la crue du Nil.

LA FEMME SAGE

Coiffée d'une luxueuse perruque, vêtue d'une longue robe de lin, animée d'un léger sourire, la reine noire tenait un sceptre flexible que terminait une fleur de lotus.

La statue semblait vivante, et Paneb avait réussi une teinte brillante dont le bleu noir suscitait des regards admiratifs.

— Ta réputation grandit, remarqua Ched le Sauveur; tes collègues finiront par croire que tu as du talent.

La procession s'ébranla. Tailleurs de pierre et sculpteurs portèrent les statues d'Amenhotep Ier et de la reine noire, salués par les cris de joie des enfants. Noiraud s'était mis prudemment à l'écart, de même que le petit singe vert.

Les effigies furent déposées devant l'entrée du grand temple, et les habitants du village leur offrirent des fleurs et des fruits.

— Au temps des ancêtres, rappela la femme sage, l'abondance et la rectitude régnaient sur la terre, l'épine ne piquait pas, le serpent ne mordait pas et le crocodile ne refermait pas ses mâchoires sur une proie. Solides, les murs ne croulaient pas. Que notre fondateur et notre mère royale nous donnent la force de construire comme au temps des dieux primordiaux, qu'ils nous animent du souffle de l'âge d'or.

Le traître participait aux festivités comme ses confrères et tentait de faire bonne figure en dépit de ses angoisses. Si l'Égypte entrait en guerre, quel sort serait réservé à la Place de Vérité? Les autorités la placeraient sans doute sous haute surveillance, de même que la Vallée des Rois, et il lui serait impossible d'avoir des contacts avec l'extérieur.

Le jour où il pourrait enfin jouir des richesses acquises semblait s'éloigner. Et si ses protecteurs étaient emportés dans la tourmente, ses efforts pour changer de vie et devenir un homme aisé ne seraient-ils pas réduits à néant?

Peut-être ne fallait-il pas se montrer aussi pessimiste. Le général Méhy était plein de ressources et il saurait tirer profit de la situation.

Le traître aurait tort de désespérer. Il devait continuer à

manœuvrer dans l'ombre pour s'emparer des secrets que le maître d'œuvre lui cachait ; plus il en découvrirait, plus il serait en position de force.

De sa terrasse, Néfer le Silencieux contemplait le village. Oubliant leurs soucis, ses habitants fêtaient leur saint patron et la reine noire avec un bel enthousiasme. Païle Bon Pain entonnait des chansons vite reprises en chœur, et des plats succulents ne cessaient de sortir des cuisines que surveillaient de près Noiraud et les autres chiens. Les pâtisseries d'Ouâbet la Pure remportaient un vif succès, Paneb remplissait les coupes d'un vin rouge capiteux qui poussait Ounesh le Chacal et Casa le Cordage à raconter des histoires salaces qui auraient dû faire rougir les prêtresses d'Hathor.

Claire se serra tendrement contre son mari.

— Ils sont heureux, murmura-t-il, mais je ne peux oublier qu'un être malfaisant rôde dans le village. Peux-tu parvenir à l'identifier en lisant dans sa pensée ?

— Malheureusement non, car il est protégé par une épaisse carapace qu'il a forgée au fil des années.

Néfer caressa les cheveux de son épouse.

— Seul ton amour me permet d'affronter les épreuves et de remplir les devoirs de ma charge. Sans toi, je ne serais qu'un voyageur égaré sur des chemins obscurs.

— Crois-tu que, sans ta présence, je pourrais assumer l'héritage des femmes sages qui m'ont précédée ?

— Tous les villageois sont tes enfants, Claire, et ils attendent de leur mère qu'elle les soigne et les réconforte, quelles que soient les circonstances. Et cette grande famille est très exigeante... Mais la tâche qu'elle accomplit est si essentielle qu'il faut songer davantage à ses qualités qu'à ses imperfections.

— Nous lui avons tous consacré notre vie, rappela Claire.

— Pourtant, l'un d'entre nous a repris sa parole.

— L'avait-il vraiment donnée avec son cœur ? Le serment qu'ont émis ses lèvres n'était qu'un leurre, tant pour lui-même que pour autrui. La Place de Vérité lui a tout offert, mais il ne cherchait que le mensonge.

— Si j'échouais ou si je disparaissais, ne laisse pas s'éteindre la flamme de la Place de Vérité. Au nom de notre amour, Claire, promets-moi de continuer.

Elle l'embrassa avec tant de ferveur que Néfer, à son tour, oublia ses tourments sous la protection de la nuit étoilée.

55.

– Il me faut des blocs de grès de première qualité pour continuer à bâtir le temple des millions d'années selon ton plan, dit Hay, le chef de l'équipe de gauche, au maître d'œuvre. À ce stade des travaux, il est également indispensable que la déesse Hathor illumine le naos et les matériaux que nous utilisons.

– Ta requête est légitime, estima Néfer, et elle présente même un caractère d'urgence.

– Que proposes-tu? demanda Kenhir qui se faisait couper les cheveux par Rénoupé le Jovial, au talent reconnu.

– Vous surveillez le chantier de la Vallée des Rois, Hay s'occupe du temple et je me rends à la carrière du Gebel Silsileh.

– Il nous faut l'accord de l'administration et des soldats pour protéger ton expédition.

– Faites intervenir le général Méhy.

Le scribe de la Tombe soupira. Au lieu de s'occuper de son œuvre littéraire, il était encore contraint de s'épuiser à rejoindre le bureau de l'administrateur principal de la rive ouest.

— J'ai également l'intention de me rendre aux Deux Brasiers, annonça Néfer.

— Il existe des sanctuaires d'Hathor plus faciles à atteindre !

— L'énergie que celui-là contient est particulièrement puissante. Et vous le savez bien, Kenhir.

— Peut-être, peut-être... Autrement dit, tu emmènes la femme sage ?

— Vous saurez veiller sur le village pendant notre absence.

Kenhir n'essaya même pas de discuter. Néfer n'élevait pas la voix, mais il était encore plus têtu que lui. Et lorsqu'il s'agissait de l'œuvre, il ne concédait jamais un pouce de terrain.

— Aucun problème, estima Méhy, chaleureux. Combien de soldats désirez-vous, mon cher Kenhir ?

— La région est calme... Une dizaine suffira.

— Je vous en donne quarante, car la sécurité du maître d'œuvre doit être parfaitement assurée. Quelle est la destination de cette expédition ?

— La carrière de grès du Gebel Silsileh.

— La meilleure du pays, paraît-il.

— C'est exact. Précisez aux soldats qu'ils participeront au transport des blocs.

— C'est noté. Permettez-moi de vous remercier pour le mot fort aimable que vous avez adressé au roi en ma faveur. Mérenptah en personne a lu votre message devant moi, et je me suis senti flatté, je vous l'avoue. Inutile de vous préciser que j'ai de l'ambition et que je souhaite mener une belle carrière, autant dans l'armée que dans l'administration, non seulement pour ma satisfaction personnelle mais surtout pour servir mon pays. J'aime mon travail et je désire me rendre utile : voilà les clés de mon succès. On m'accusera certainement de vanité, mais seuls les résultats comptent.

La franchise de Méhy étonna le scribe de la Tombe et renforça sa conviction : Thèbes serait bientôt trop petite pour lui. Mais il se sentit rassuré, puisque le général devait accomplir un parcours sans faute et donc garantir le bien-être de la Place de Vérité.

— Vous est-il permis de me dire si l'avancement des travaux vous satisfait ?

— Les blocs de grès du Gebel Silsileh sont destinés au temple des millions d'années du pharaon Mérenptah. C'est dire que l'élévation des murs va commencer et que les artisans de la Place de Vérité remplissent leurs devoirs sans faillir.

— J'en suis heureux.

— De multiples rumeurs circulent... Vous qui revenez de la capitale, qu'en est-il exactement des bruits de guerre ?

— J'aimerais le savoir moi-même, Kenhir ! Nos troupes postées aux frontières ont été renforcées, mais cela ne signifie pas forcément qu'un conflit est proche. Au contraire, je crois qu'il s'agit d'une mesure de précaution pour l'éviter. En outre, je vous assure que le roi tient votre confrérie en haute estime et qu'elle peut poursuivre sa tâche en toute sérénité.

Pendant qu'il prononçait des paroles apaisantes, Méhy élaborait un plan qui lui permettrait peut-être de se débarrasser de l'encombrant maître d'œuvre sans pouvoir être soupçonné.

La saison chaude de la deuxième année de règne de Mérenptah touchait à sa fin quand Néfer le Silencieux grava lui-même deux stèles en l'honneur de la famille royale dans la grande carrière de grès du Gebel Silsileh, à cent cinquante kilomètres au sud de Thèbes. À cet endroit, les falaises bordant le Nil se resserraient et le courant s'accélérait ; Paneb avait apprécié la manœuvre délicate du capitaine qui avait accosté en douceur la rive est, où plusieurs chapelles annonçaient le caractère sacré du lieu.

Les soldats avaient débarqué les premiers pour se disposer

de part et d'autre de l'entrée de la carrière dont les dimensions impressionnaient le jeune colosse.

— Au travail, exigea Nakht le Puissant ; on n'est pas ici pour musarder.

Néfer et Féned le Nez choisirent le lit de pierres qui leur sembla le plus mûr* et ils transmirent leurs instructions aux carriers qu'encadraient Nakht et Paneb. Le banc rocheux fut en partie arasé, et l'on creusa des sillons d'une vingtaine de centimètres autour des futurs blocs dont les côtés furent ainsi découpés. Puis, dans des encoches espacées de manière régulière, furent enfoncés des coins métalliques afin de faciliter l'extraction.

— Excellente qualité, jugea Néfer, qui les marqua au nom des tailleurs de pierre.

Paneb aida les carriers à installer les blocs sur des traîneaux de bois. Avant qu'ils ne quittent la carrière pour être halés jusqu'aux bateaux de transport, la femme sage s'adressa aux artisans.

— Dieu s'est construit alors que la terre se trouvait dans l'océan primordial et il a créé les minéraux dans le ventre des montagnes. Que les pierres venues à la lumière en ce jour soient restituées aux dieux et servent à édifier la demeure qui les abritera. La carrière vient d'accoucher, prenons soin de ses enfants et qu'ils demeurent éternellement jeunes en devenant des pierres vivantes dans le temple.

Entre les carriers et les artisans de la Place de Vérité, peu de mots avaient été échangés. Perpétuellement sur ses gardes, Paneb avait même vérifié les cordages et les freins des traîneaux sans rien déceler d'anormal.

Au terme de la dernière journée de travail, un feu fut allumé à l'entrée de la carrière, et Néfer offrit de la viande séchée aux carriers, ravis de ce festin inattendu.

Même à la nuit tombée, l'atmosphère demeurait étouf-

---

* Pour les anciens Égyptiens, la pierre naissait, croissait et venait à maturité.

fante, comme si les parois de grès restituaient la chaleur accumulée pendant la journée. Seul Paneb n'en souffrait pas.

— Dans quel matériau as-tu été taillé ? lui demanda l'un des
carriers. On jurerait que tu es né dans un four !

— J'ai la chance de ne pas avoir la langue et le cul gelés
comme toi et tes collègues.

Tous les carriers se levèrent ensemble, Paneb continua à
manger.

— Pas de bêtises, les amis. N'avez-vous pas compris que je
suis indestructible ?

L'un des carriers éclata de rire, les autres l'imitèrent.

— Alors, buvons un coup à ta santé !

Le jeune colosse fit circuler la jarre de bière.

— Dis-moi, l'ami, j'ai l'impression que vous n'êtes pas au
complet... Il manque un Nubien qui tirait les traîneaux.

— On venait de l'engager, celui-là... Je ne sais pas où il est
passé, mais que son absence ne nous empêche pas de boire !

Alors que la petite fête battait son plein, le maître d'œuvre
prit une miche de pain et se dirigea vers le cœur de la carrière.

Une torche à la main, Paneb le rejoignit.

— Je dois déposer une offrande devant les stèles pour les
nourrir, expliqua Néfer.

Alors qu'ils progressaient entre les parois verticales, Paneb
devint nerveux.

— Je pressens un danger.

— Sans doute des serpents.. Ta torche les éloignera.

— Retournons en arrière.

— Sans cette offrande, les stèles ne seraient pas animées.

Pour l'archer nubien posté au sommet de la falaise de grès,
le plan se déroulait comme prévu. Le maître d'œuvre venait
déposer son offrande, accompagné d'un artisan qui tenait une
torche afin d'éloigner les reptiles.

L'archer n'aurait pu espérer de meilleur complice involon-
taire, puisque Paneb éclairait la cible de manière idéale.

Les deux hommes s'immobilisèrent quelques instants. S'ils rebroussaient chemin, le tir risquait d'être imprécis.

Mais ils reprirent leur progression, et l'archer banda son arc. Encore quelques pas, et il serait certain de ne pas manquer la tête du maître d'œuvre.

Par précaution, Paneb palpa l'amulette de l'œil.

Une vision s'imposa à lui : une flamme jaillissait de la paroi pour brûler le maître d'œuvre. Une flamme qui rejoignait celle de la torche pour ne faire plus qu'une avec elle et dévorer Néfer.

Le colosse poussa violemment le maître d'œuvre au moment où la flèche tirée par l'archer nubien fendait l'air.

Elle rasa les cheveux de Néfer et se brisa sur une pierre.

Paneb bondit vers la paroi et tenta en vain de l'escalader, furieux de ne pouvoir poursuivre l'agresseur.

Le Nubien dévala la pente à toutes jambes en direction de la rive où l'attendait la femme qui avait commandité le meurtre.

Elle se tenait à l'abri d'un tamaris, hors de la vue des marins d'un bateau rapide, prêt à appareiller.

– As-tu réussi ?

– Non, répondit-il ; je l'ai raté de peu. Il faut partir très vite, on va me rechercher.

– Tu as raison... Passe devant.

Serkéta planta son poignard dans le cou de l'archer, entre deux vertèbres. Les bras en croix, la langue pendante, l'homme se dandina de manière ridicule avant de s'effondrer.

L'épouse de Méhy récupéra son arme dont elle essuya soigneusement la lame sur le tronc du tamaris avant de cracher sur le corps de l'incapable.

Puis elle marcha d'un pas tranquille jusqu'au bateau qui la ramènerait à Thèbes.

56.

Avec sa torche, Paneb éclaira le cadavre de l'archer qu'il avait recherché une bonne partie de la nuit.

— Il est mort, constata Claire ; son assassin l'a poignardé alors qu'il lui tournait le dos.

— Autrement dit, le tueur a eu tort de faire confiance à son commanditaire.

Paneb marcha jusqu'à la berge, sans grand espoir.

— Il y a des traces de pas, dit-il à Néfer ; l'assassin s'est enfui dans un bateau qui est parti depuis longtemps.

— Tu m'as encore sauvé la vie.

— Le piège était bien tendu, Néfer... Nous devrons redoubler de précautions.

— Mais pourquoi s'en prendre à moi ?

— Tu deviens de plus en plus gênant, jugea Paneb. Celui ou

ceux qui cherchent à t'éliminer pensent que ta disparition sera fatale à la Place de Vérité.

— Quelle erreur... Un nouveau maître d'œuvre me succédera.

— Sans doute, mais aura-t-il ton rayonnement ? Si une réalité m'est apparue, c'est que personne n'est remplaçable dans notre confrérie, et surtout pas un maître d'œuvre. Quelqu'un n'apprécie pas la manière dont tu pilotes notre navire et il souhaite t'éliminer pour le faire sombrer. Quelqu'un d'assez cruel et déterminé pour commettre un crime.

Néfer et son épouse avaient écouté avec attention la déclaration passionnée de Paneb.

— Il faut ramener ce cadavre à Thèbes, estima-t-il.

— Pourquoi ne pas l'enterrer ici ?

— Parce que cet archer était nubien... Nous devons donc envisager le pire.

Le capitaine fut étonné.

— J'ai reçu l'ordre de vous protéger et je ne peux pas...

— Rentrez à Thèbes, répéta Néfer, et remettez le cadavre du Nubien au général Méhy.

— Mais... quand comptez-vous rentrer à Thèbes vous-même ?

— Bientôt. Bon voyage, capitaine.

Laissant Nakht et Féned veiller à l'arrimage des blocs sur les bateaux de transport, le maître d'œuvre rejoignit Claire et Paneb, qui avait loué une barque de pêcheur. Ce dernier rama ferme, jouant avec le courant jusqu'aux Deux Brasiers, un petit sanctuaire de la rive est bâti au pied d'un rocher imposant qui se détachait de la chaîne montagneuse.

Survolé par des faucons, l'endroit était silencieux. Paneb eut l'impression qu'aucun être humain n'avait foulé ce sol sacré depuis longtemps.

— Te souviens-tu de la première fois où tu as vu la lumière de la pierre ? interrogea la femme sage.

— Ça oui! C'était dans notre local de confrérie, et l'on a tenté de me faire passer pour un simple d'esprit.

— Dans cette chapelle, la déesse Hathor a créé un milieu favorable à la naissance de la pierre de lumière. Et c'est ici que le maître d'œuvre a été initié à son maniement. Avant que tu ne commences à peindre les parois d'une demeure d'éternité, tu dois mieux percevoir l'importance de notre trésor le plus précieux.

Paneb suivit la femme sage qui traversa une petite cour à deux colonnes et ouvrit la porte à battant unique du sanctuaire. Sur les murs, des peintures représentant Osiris et le pharaon qui offrait des sistres à Hathor. Au fond de la pièce, profonde de cinq mètres et large de trois, une étrange statue de la déesse émettait une douce clarté.

— Hathor est l'or des dieux et l'argent des déesses, précisa la femme sage; cette effigie est composée de tous les métaux dont elle révèle la clarté. Touche le pied de la statue, Paneb, et ta main sera illuminée. Quand l'heure sera venue, elle sera peut-être appelée à compléter l'œuvre qui s'accomplit dans la Demeure de l'Or.

— Viens avec moi, exigea Paneb.

Le chef Sobek se raidit.

— Nous avons fait la paix, mais ce n'est pas une raison suffisante pour que tu te permettes de me donner des ordres.

— Le maître d'œuvre veut te voir.

— Où se trouve-t-il?

— Chez le général Méhy, avec la femme sage.

— Que se passe-t-il, Paneb?

— Refuses-tu de m'accompagner?

— Si tu me déranges pour des broutilles, tu le regretteras!

— T'ai-je déjà déçu?

Néfer, Claire et Méhy avaient le visage grave.

— Que me voulez-vous? interrogea Sobek d'une voix moins assurée qu'à l'ordinaire.

— Suis-nous, ordonna Méhy.

Tous se rendirent à l'infirmerie de l'administration centrale. Sur une banquette de pierre, le cadavre de l'archer qui avait tiré sur Néfer.

— Connais-tu cet homme ? interrogea le général.

— Non.

— Ce n'est pas l'un de tes policiers ?

— Bien sûr que non !

— Es-tu certain de dire toute la vérité, Sobek ?

— Que cache votre question ?

— Tu es un Nubien, comme cet assassin...

— Oseriez-vous m'accuser de complicité ? Pour votre gouverne, sachez qu'il ne suffit pas d'être nubien pour gagner mon amitié. Les policiers qui servent sous mes ordres appartiennent à ma tribu et ils sont d'une absolue loyauté. Cet homme-là, je ne l'ai jamais vu.

— Je l'espère pour toi.

— Dois-je comprendre que je suis révoqué ?

— Non, intervint le maître d'œuvre. Cet interrogatoire était indispensable, et tes réponses nous suffisent. Tu restes le chef de la sécurité du village.

— S'il subsiste la moindre suspicion à mon égard, je préfère démissionner.

— Ce n'est pas le cas, affirma Claire.

Sobek s'inclina devant la femme sage et il se retira.

— Le cadavre de cet archer nubien est très troublant, observa le général Méhy. Bien que cette démarche soit déplaisante, je dois mener une enquête approfondie sur chacun des policiers placés sous les ordres de Sobek. Je serai discret et je vous en communiquerai les résultats dès qu'ils me seront parvenus.

La beauté et la noblesse innée de la femme sage subjuguaient Méhy. En voyant le couple qu'elle formait avec Néfer, il éprouvait plus de jalousie que d'admiration, et une envie féroce de détruire cette harmonie qui se dressait sur sa route.

C'était à cause de ces deux-là que les secrets de la Place de Vérité demeuraient inaccessibles.

Mais le général sentit que des liens plus puissants que ceux d'un simple amour humain unissaient ces deux êtres. Les briser ne serait pas facile, et il devait s'attendre à une résistance acharnée de la part d'adversaires qui disposaient d'un tel avantage.

— J'enquêterai également sur les carriers, promit Méhy; ont-ils engagé ce Nubien sans connaître ses intentions ou bien ont-ils participé à une sorte de complot?

— Il faudrait aussi découvrir qui était réellement cet archer, avança Paneb.

— Bien entendu... Vous pouvez compter sur moi.

Méhy se félicitait de l'habileté de Serkéta qui avait appliqué ses consignes à la lettre. Même si le Nubien avait réussi à tuer le maître d'œuvre, elle l'aurait néanmoins abattu afin de discréditer Sobek et ses policiers. Désormais, le maître d'œuvre n'aurait plus une totale confiance en eux, et cette fissure ne cesserait de s'agrandir.

— Je ne peux pas souffrir ce général, déclara Paneb, énervé. Sa suffisance ne devrait pas tarder à l'étouffer.

— L'essentiel est qu'il ne nous soit pas hostile comme son prédécesseur, remarqua Néfer. Que penses-tu de lui, Claire?

— Mon opinion n'est pas très éloignée de celle de Paneb.

— D'après Kenhir, rappela Néfer, l'ambition est la force principale qui le mène, et il ne songe qu'à obtenir un poste prestigieux dans la capitale.

— Le plus tôt sera le mieux, estima Paneb, et bon débarras!

— Le prochain administrateur risque d'être pire! Celui-là, au moins, doit se préoccuper du bien-être de notre village pour ne pas déplaire au roi tout en espérant une promotion.

— Sachons nous en tenir éloignés autant que possible, recommanda Claire.

Le trio marchait d'un bon pas sur le chemin qui menait au village. Au premier fortin, Sobek les attendait, la mine défaite.

– Je n'ai jamais vécu pareille humiliation, avoua-t-il au maître d'œuvre. Si l'ombre d'un soupçon vous habite, soyez sincère et je m'en irai immédiatement.

– Cette ombre n'existe pas, assura la femme sage ; je te répète que nous avons pleine et entière confiance en toi.

Le regard lumineux de Claire dissipa l'angoisse de Sobek.

– Il y a beaucoup d'agitation, ce matin, indiqua-t-il. Une vingtaine de « femmes de la cité » sont venues moudre du grain en échange d'une forte rétribution.

Claire et Néfer se regardèrent, étonnés.

– Une inspection du vizir ?

– Je n'ai pas été informé, dit Sobek.

Dans la zone des auxiliaires, on lavait, on nettoyait et l'on rangeait avec ardeur. Et il en allait de même dans le village, pimpant comme aux plus beaux jours.

– Enfin, vous voilà ! s'exclama Kenhir, qui parcourait la rue principale en s'appuyant sur sa canne. Je me demandais si vous vous décideriez à revenir de la carrière.

– Nous avons eu quelques ennuis, déplora Néfer.

– Eh bien, oublie-les ! Quand les blocs de grès seront-ils livrés à l'équipe de gauche ?

– Le déchargement est en cours. Mais pourquoi ce remue-ménage ?

– Le pharaon Mérenptah vient d'annoncer son arrivée. Il veut vérifier par lui-même l'avancement des travaux.

57.

– Attention ! hurla Paneb, le traîneau glisse trop vite !

Nakht le Puissant actionna le frein du traîneau lourdement chargé de six tonnes de blocs de grès et il parvint à ralentir sa course.

Ils n'étaient pas plus de six pour haler une telle masse qu'ils déplaçaient sur une rampe de limon constamment arrosée par Rénoupé le Jovial et Païle Bon Pain.

– Vous répandez trop d'eau, imbéciles !

– Tu ne vas pas nous apprendre le métier ! s'insurgea Païle.

– Continuez comme ça, et le traîneau versera.

– On n'a jamais eu d'accident.

– Alors, ne commencez pas.

Vexés, Rénoupé et Païle observèrent néanmoins les recommandations de Paneb, et la manœuvre reprit sous le regard inquiet du chef de l'équipe de gauche, qui attendait les blocs de grès du Gebel Silsileh.

— Un instant ! exigea Casa le Cordage ; il y a quelque chose d'anormal.

Le spécialiste du transport de matériaux se pencha sur le traîneau.

— Je m'en doutais... Quel est l'idiot qui m'a fixé cette corde ? Il faut l'attacher le plus bas possible à l'avant du traîneau pour que la force de traction s'exerce sous l'angle le plus favorable. Ça fait cent fois que je le répète et ce n'est quand même pas si difficile à comprendre !

Casa rectifia la fixation, et les six hommes repartirent en chantant des couplets dont le rythme leur permettait de coordonner leurs mouvements.

Le matin même, les deux équipes avaient mis en place un colosse d'une centaine de tonnes, haut de sept mètres, qui représentait le pharaon Mérenptah assis, les mains posées à plat sur son pagne et le visage grave animé d'un fin sourire. Selon la même méthode, consistant à utiliser une rampe de glaise mouillée en permanence, les spécialistes avaient réussi à déplacer l'énorme masse avec l'aide de Paneb, grimpé sur les genoux du colosse pour battre la mesure.

Et le soleil commençait à décliner quand le même Paneb escalada de nouveau la monumentale effigie pour ôter les cordages qui l'enveloppaient et la faire apparaître dans toute sa splendeur.

Chantant à tue-tête, il mit longtemps à s'apercevoir qu'un épais silence avait recouvert le chantier.

Quand il se retourna, une ritournelle mourant sur ses lèvres, il vit ses collègues immobiles, les yeux fixés sur le socle du colosse devant lequel se tenait le pharaon Mérenptah, coiffé d'une couronne bleue. Autour du monarque, des « prêtres purs », le crâne rasé, vêtus de robes blanches.

Il ne restait à Paneb qu'à sauter à terre et à s'éloigner, avec l'espoir de ne pas subir les foudres du roi.

— Viens près de moi, ordonna ce dernier.

Tétanisé, Paneb laissa ses jambes avancer malgré lui.

— Quand les offrandes descendent sur terre, dit le monarque, le cœur des dieux est en joie et le visage des hommes éclairé. Offrir est un acte lumineux qui doit être accompli chaque jour, à condition que les offrandes soient belles et pures. Elles seules peuvent rendre vivant ce colosse qui incarne la puissance surnaturelle de la royauté.

Paneb prit une gerbe de lotus dans les mains d'un prêtre pour la donner au roi qui, à son tour, la déposa aux pieds du colosse. Puis il agit de même avec un pain rond, un panier de fruits, un vase d'encens et une jarre de vin.

— Que circule l'énergie qui se cache dans les veines de la pierre, dit Mérenptah.

Prêtres et artisans se retirèrent pour laisser le roi seul face à son image colossale, au-delà de l'humain. Paneb fut le dernier à quitter le site, subjugué par cette mystérieuse communion entre le maître du pays et son incarnation dans la pierre.

Mérenptah avait offert des statues au temple d'Amon et présidé une procession allant de Karnak à Louxor ; mais il avait surtout passé de longs moments avec Néfer le Silencieux dans la Vallée des Rois afin d'examiner les travaux accomplis dans sa tombe.

Sa présence à Thèbes ne prouvait-elle pas que tout risque de guerre était écarté ? En séjournant sur la rive ouest et en manifestant, pour la deuxième fois, son attachement à la confrérie de la Place de Vérité, le monarque faisait taire toute critique à son égard.

Le roi avait même assisté à un banquet organisé dans le village afin de marquer sa position de chef suprême de la confrérie et de souligner l'importance qu'il accordait à son travail.

Bien que dépité par la chance dont elle bénéficiait, le traître participerait aux réjouissances en faisant croire à ses collègues qu'il était de tout cœur avec eux et en louant l'efficacité du maître d'œuvre et de la femme sage.

Dans ce sombre paysage, deux éléments positifs : il réussissait à feindre avec une belle maîtrise, et son épouse avait respecté leur pacte. Bonne ménagère, elle s'acquittait de ses tâches quotidiennes avec abnégation et attendait sans impatience sa future existence de femme riche.

Après le départ du roi, le scribe de la Tombe avait octroyé aux artisans un jour de congé supplémentaire. Enfin l'occasion de sortir du village et de se rendre sur la rive est pour s'entretenir avec ses complices !

Le traître franchit la grande porte de bon matin et s'engagea sur le chemin qui longeait le Ramesseum. Juste avant de se diriger à main droite vers l'artère principale menant au Nil, il repéra un Nubien assis à l'ombre d'un tamaris.

Impossible de s'approcher pour mieux discerner son visage et savoir s'il s'agissait d'un des hommes de Sobek. Mal à l'aise, le traître décida de ne prendre aucun risque.

Il progressa jusqu'à un petit marché ambulant, acheta des fèves et revint sur ses pas.

En rentrant au village, il croisa Ouâbet la Pure qui puisait de l'eau dans une grande jarre.

– Tu ne vas pas en ville ? lui demanda-t-elle.

– Je n'ai rien à y faire... et je préfère me reposer chez moi.

– Avec les nouvelles contraintes administratives, tu n'as pas tort.

– Que veux-tu dire ?

– Auparavant, Kenhir se contentait de noter les motifs d'absence dans le Journal de la Tombe ; maintenant, il enregistre aussi les déplacements des uns et des autres ! Il a vraiment du temps à perdre, mais il veille sur notre sécurité... Et puis les scribes aiment écrire, et on ne les changera pas.

– C'est comme ça, Ouâbet. Bonne journée.

Ainsi, les policiers de Sobek travaillaient en étroite collaboration avec le scribe de la Tombe. Et une question angoissante se posait : depuis combien de temps Kenhir prenait-il ce genre de notes ?

— Mes services ont travaillé d'arrache-pied, déclara le général Méhy dans la pénombre apaisante de son vaste bureau. C'est pourquoi je vous ai priés de venir jusqu'à moi pour que vous soyez les premiers à connaître les résultats de l'enquête.

Le scribe de la Tombe et le maître d'œuvre étaient tout ouïe.

— En ce qui concerne les carriers du Gebel Silsileh, aucune complicité n'a été établie. Aucun d'eux n'avait de lien avec le Nubien qu'ils ont engagé comme tâcheron pour quelques jours, en raison de sa force physique. L'homme s'est comporté de manière tout à fait normale avant de commettre son geste criminel.

— Avez-vous réussi à l'identifier ?

— Un coup de chance... Il existe un village nubien, près de la carrière, et mes soldats ont procédé à des interrogatoires qui leur ont procuré un résultat indubitable. L'un des habitants a avoué : son compatriote était un repris de justice, évadé de la prison d'Éléphantine où il avait été arrêté pour coups et blessures sur la personne d'un pêcheur. Le bandit s'était réfugié dans ce village pendant quelques semaines, puis il avait cherché du travail.

— Avait-il parlé à quelqu'un de ses sinistres projets ?

— Non, mais il procédait toujours de la même façon : repérer un endroit intéressant, s'y faire des amis et détrousser le plus riche d'entre eux. On le soupçonne d'ailleurs de plusieurs agressions dont certaines se seraient terminées par la mort de la victime.

— Rien d'autre ? demanda Kenhir.

— Je crois n'avoir omis aucun détail.

— On pourrait donc supposer que ce brigand ne visait pas le maître d'œuvre de la Place de Vérité ès qualités, mais simplement la proie qui lui paraissait la plus intéressante ?

– C'est l'une des hypothèses, en effet, mais il nous manque une preuve formelle pour affirmer que c'est la bonne.

En se montrant réservé sur ce point, Méhy démontrait à ses interlocuteurs qu'il ne cherchait nullement à les influencer. Le général espérait une réaction de Néfer, mais ce dernier demeurait silencieux.

– Avez-vous enquêté sur les hommes de Sobek? questionna Kenhir.

– J'ai rassemblé un maximum de renseignements et je peux vous annoncer une excellente nouvelle : il n'existe aucune raison de les soupçonner d'un délit quelconque. Leurs états de service sont impeccables, rien ne saurait leur être reproché.

– Serez-vous aussi élogieux à propos de Sobek lui-même?

– Je n'ai aucun grief à formuler contre le chef Sobek. Son dossier ne contient que des appréciations flatteuses sur sa rigueur et sa probité. Le roi en personne m'a fait part de sa satisfaction quant aux mesures qu'il a prises pour que la sécurité des artisans soit assurée. De mon point de vue, il est inimaginable qu'il ait commis ou fait commettre un acte répréhensible.

Méhy avait choisi cette position sans nuances avec la certitude qu'elle ne dissiperait pas complètement les soupçons de ses interlocuteurs, mais qu'elle les rassurerait sur son objectivité.

– Que concluez-vous? demanda Kenhir.

– Un brigand est mort, tué par un complice, sans nul doute un autre Nubien qui a réussi à s'enfuir et que nous aurons le plus grand mal à identifier, à moins qu'il ne soit dénoncé. Souhaitons qu'il ne s'agisse que d'un incident ponctuel mais agissons néanmoins comme si le péril demeurait. Soyez très vigilants à l'intérieur du village pendant que Sobek continuera à surveiller le territoire placé sous sa responsabilité et que je m'occuperai de la rive ouest.

– La visite du pharaon nous a rassurés, révéla le scribe de la Tombe.

– C'est vrai, les rumeurs de guerre se sont éloignées et la

paix se consolide. Aurez-vous encore besoin de mes soldats pour le transport des blocs de grès ?

— Une autre expédition est imminente, en effet, car le chef de l'équipe de gauche œuvre sur un rythme plus élevé que prévu. Le pharaon Mérenptah pourra bientôt compter sur l'énergie magique que lui fournira son temple des millions d'années.

58.

Tous les artisans de l'équipe de droite dormaient dans leurs huttes du col, leur station de repos entre le village et la Vallée des Rois, où le creusement de la demeure d'éternité de Mérenptah se poursuivait.

En cette nuit de nouvelle lune, seul le maître d'œuvre était éveillé. Comme chaque soir avant de s'assoupir, Néfer songeait à chacun des artisans, à leurs soucis, aux problèmes particuliers qu'ils avaient rencontrés pendant la journée et qu'il devait résoudre pour maintenir la cohérence et l'efficacité de l'équipe.

Parmi eux se trouvait un être assez vil pour feindre d'aimer son travail et ses frères avec un cœur aussi mensonger que ses lèvres, un être qui tentait de ronger la confrérie de l'intérieur. Ce fardeau-là, Néfer avait de plus en plus de peine à le supporter. Son monde était celui de la fraternité entre les artisans et de la pierre lumineuse, et non celui de l'hypocrisie et de ce mal sournois qu'il ne savait comment combattre.

Chaque jour, il perdait des forces dans cette lutte où l'adversaire avançait masqué et il s'interrogeait sur sa capacité à mener l'œuvre à son terme dans des conditions aussi difficiles.

Un vent léger et parfumé se leva sur la cime que Néfer contempla longuement. L'agitation intérieure du maître d'œuvre s'apaisa, et il se souvint des paroles prononcées par le scribe Ramosé lors de son initiation à la fonction suprême : « Le dieu caché vient dans le vent, mais on ne le voit pas, alors que la nuit est emplie de sa présence. Ce qui est en haut est comme ce qui est en bas, et c'est lui qui l'accomplit. Comme il est bon d'être dans la main d'Amon, le protecteur du Silencieux, qui donne le souffle de vie à ceux qu'il aime. »

Ni dieu ni homme ne connaissaient la véritable forme d'Amon, le seul médecin capable de guérir un aveugle ; mais ne tombait-on pas mort de saisissement en le voyant ? Bien qu'invisible, il se révélait en gonflant la voile des bateaux. Jamais né, il ne mourrait jamais.

À cet instant, Néfer perçut la puissance magique de cette montagne d'Occident qui répondait à son appel et allégeait son fardeau en lui permettant de communier avec Amon, source de l'énergie dont il avait besoin.

— Tu ne dors pas, toi non plus, murmura Paneb. Passer la nuit au col, c'est la récompense suprême... Ici, la vie est plus forte que partout ailleurs.

Néfer demeura silencieux. Paneb sentit que cet homme, qu'il croyait connaître, n'était pas seulement son ami et son supérieur, mais surtout un être d'exception investi d'une mission venant de l'au-delà du temps, une mission qui traversait son esprit et sa main comme un feu dévorant. Certes, le maître d'œuvre possédait des qualités comme le calme et la maîtrise de soi, mais n'était-il pas, lui aussi, un Ardent à la flamme inépuisable ?

LA FEMME SAGE

Paneb partagea le silence de Néfer et, comme lui, il perçut le souffle d'Amon dans le vent de la nuit.

— Tu es vraiment malade, reconnut Claire.

Karo le Bourru frissonnait.

— J'ai pris froid, dans ma cabane du col... Et dire que certains apprécient les nuits passées là-haut! Quand le vent souffle, en hiver, on a les os gelés. Je vais être obligé de m'aliter et je manquerai la prochaine période de travail.

— J'espère que non.

La femme sage disposait d'une vaste pharmacopée pour stopper l'infection. Le dépôt recueilli dans le fond des cruches à bière et le jus d'oignon entraient dans la composition des remèdes qui soignaient douleurs de ventre et coups de froid, et soulageraient rapidement Karo; mais elle utiliserait surtout l'antibiotique* naturel que l'on obtenait grâce à une manière spécifique d'emmagasiner les grains. Imprégnée par une substance guérisseuse, la couche inférieure des silos était recueillie avec soin et prescrite aux malades.

— Vu ta robuste constitution, je suis très optimiste.

— Et si j'ai encore de la fièvre dans deux jours?

— Je te réexaminerai.

Karo rentra chez lui, Claire étiqueta des fioles contenant un liquide exsudé par les pores de la peau d'une grenouille du Grand Sud possédant des vertus analgésiques et anti-infectieuses et qu'elle avait utilisé la veille pour soigner l'épouse de Nakht, atteinte d'une affection rénale. Souvent, même pendant ses consultations, la femme sage songeait à Ched le Sauveur. Elle avait relu les traités d'ophtalmologie et elle préparait de nouveaux mélanges de substances, mais sans grand espoir.

---

* Pour l'utilisation d'antibiotiques en Égypte ancienne dès les hautes époques, voir J. O. Mills, *Beyond Nutrition : Antibiotics produced through grain storage practices, their recognition and implications for the Egyptian Predynastic*, in Studies Hoffman, 1992, 27-36.

Lors des rituels célébrés dans le temple d'Hathor, la supérieure des prêtresses orientait la magie de la communauté féminine vers le peintre, car la science des humains ne suffirait pas à lutter contre sa cécité. L'équipe de droite avait besoin du génie de Ched le Sauveur sans lequel, malgré l'ardeur de Paneb et le talent des dessinateurs, le décor peint de la tombe de Mérenptah ne serait pas mené à bien.

— Une semaine de congé... Mais tu n'y penses pas! s'exclama Kenhir.

— C'est le minimum que vous devez m'accorder, rappela Niout la Vigoureuse. Je pourrais exiger davantage, mais je ne tiens pas à vous mettre dans l'embarras.

— Mais le ménage, la cuisine...

— Je laisse votre maison dans un parfait état de propreté, et vous avez de quoi manger froid pendant mon absence. Faites-vous inviter deux ou trois fois à déjeuner et mangez le moins possible le soir. Je ne serai pas là pour vous empêcher de commettre des excès et je crains de vous retrouver malade.

— Tu ne vas quand même pas partir tout de suite?

— À la semaine prochaine.

Le scribe de la Tombe trouva soudain sa demeure bien vide. Certes, cette petite peste était insupportable, mais elle lui manquait; il devait lui reconnaître une certaine utilité, sauf quand elle s'autorisait à semer le désordre dans son bureau.

Chassant le souvenir de sa servante, Kenhir voulut prendre le temps de rédiger quelques pages de sa *Clé des songes*, mais l'arrivée de son assistant l'empêcha de tracer les premiers mots sur le papyrus.

— Qu'est-ce qu'il y a, Imouni?

— Paneb m'a encore réclamé des pains de couleur!

— Qu'y a-t-il d'anormal?

— J'ai calculé le nombre exact qu'un peintre doit utiliser chaque jour, et Paneb le dépasse largement! Si les autres artisans se comportaient comme lui, la gestion de ce village deviendrait impossible !

— Sans doute, sans doute...

— Et ce n'est pas tout, poursuivit Imouni. Non seulement Paneb refuse de se plier au règlement, mais encore m'a-t-il menacé !

— Comment as-tu réagi ?

— J'ai préféré m'éloigner... Mais vous devriez lui adresser un blâme !

— Je réglerai cette affaire, promit Kenhir.

— Je peux lui annoncer qu'il n'aura plus l'autorisation d'utiliser autant de pains de couleur ?

— Je viens de te dire que je m'en occupe.

Imouni ne comprendrait jamais qu'un règlement devait être appliqué avec intelligence, et Kenhir se sentait incapable de le lui révéler.

Comme Ched le Sauveur le lui avait appris, Paneb avait besoin d'une grande quantité de couleurs, en supplément de celles qu'il fabriquait lui-même, sans compter le nombre impressionnant de pinceaux et de brosses qu'il usait avec une rapidité remarquable. Le colosse se montrait impitoyable envers sa propre technique et réalisait de nombreuses esquisses avant de peindre la figure finale. Le résultat était si éblouissant que même Ched le Sauveur n'effectuait que quelques modifications. Dans ces conditions, peu importait l'abondance de matériel indispensable à Paneb ! Mais inutile de tenter de l'expliquer à Imouni.

Prenant le frais sur sa terrasse, le traître vit passer le scribe de la Tombe qui frappait le sol de sa canne pour rythmer une marche énergique.

— Où va-t-il comme ça ? demanda-t-il à son épouse.

— Sans doute dîner chez le maître d'œuvre, comme hier soir. Depuis que Niout la Vigoureuse est en congé, il mène la grande vie. Quand on prend l'habitude d'être servi, on ne sait plus se débrouiller seul.

– Quand sa servante reviendra-t-elle ?

– À la fin de la semaine.

– Dès que la nuit sera tombée, je sortirai.

– Où comptes-tu aller ?

– Écarter un danger qui pourrait nous menacer. Si quelqu'un passe nous voir, dis-lui que je suis légèrement souffrant et que je dors déjà.

Nerveux, le traître marchait pieds nus le long des façades avec l'espoir de ne rencontrer personne. Autrement, il justifierait cette promenade nocturne en prétextant une migraine.

La chance le servit, et il atteignit sans embûche la demeure de Kenhir.

Au cas où la porte principale serait fermée, il n'insisterait pas. Mais elle s'ouvrit sans grincer, et il se glissa dans le domaine du scribe de la Tombe.

De combien de temps disposait-il ? Claire cuisinait bien, Kenhir était un bon convive... Mais il devait néanmoins se hâter. Si on le surprenait, il serait accusé de vol, chassé du village, emprisonné, et tous ses rêves s'effondreraient.

Il ne lui restait qu'à trouver l'endroit où Kenhir rangeait les papyrus composant le Journal de la Tombe. Et il avait une tâche précise à accomplir.

Avant de s'endormir, le scribe de la Tombe aimait à lire un bon vieux texte classique qui lui faisait oublier les tracas de la journée. Ragaillardi par un succulent dîner, il eut envie de travailler encore un peu et de consulter le Journal de la Tombe pour commencer à dresser la liste des artisans qui s'étaient rendus le plus fréquemment sur la rive ouest pendant les dix derniers mois.

Il crut d'abord s'être trompé, puis il dut se rendre à l'évidence : le papyrus sur lequel il avait pris ces notes-là avait disparu.

59.

Alors que la quatrième année de règne de Mérenptah s'achevait, sans qu'aucun conflit eût éclaté aux frontières, le creusement et la décoration de sa tombe avaient beaucoup progressé. Étaient achevés les trois premiers « passages du dieu » qui jalonnaient la première partie du couloir se terminant par le puits d'où montait l'énergie du *Noun*, l'océan cosmique, dont serait imprégné le sarcophage royal lorsqu'on le descendrait vers sa dernière demeure ; la première salle à piliers, destinée à repousser les rebelles et les forces maléfiques ; un nouveau couloir où l'âme du ressuscité monterait au zénith ; la salle de Maât qui la maintiendrait éternellement dans la rectitude ; et le début du dernier couloir qui mènerait à la salle de l'or où reposerait la momie de Mérenptah.

Les dessinateurs avaient tracé les hiéroglyphes composant

les *Litanies du Soleil*, certains extraits du *Livre des Portes* et du *Livre de la Chambre cachée* qui offriraient au pharaon les formules indispensables pour affronter victorieusement les gardiens de l'au-delà et pénétrer librement dans les paradis ouverts aux justes.

Mérenptah offrant des onguents et de l'encens à Osiris, du vin à Ptah, Râ et Anubis donnant la vie au monarque, la déesse Maât ailée, et de nombreux dialogues entre le pharaon et les divinités : telles étaient les figures qu'avaient peintes Ched le Sauveur et Paneb l'Ardent pendant que leurs collègues s'enfonçaient dans les entrailles de la roche.

Grâce aux nombreuses lampes dont les mèches ne fumaient pas, l'éclairage était excellent. Les deux peintres préparaient leurs couleurs à l'extérieur et rivalisaient de virtuosité pour superposer des couches d'épaisseur variable et créer des nuances subtiles, notamment des rouges et des bleus rendus brillants par une couche de vernis dont Ched avait révélé le secret de fabrication à son disciple.

La puissance de Paneb était si communicative que le Sauveur ne ressentait pas la lassitude lorsqu'il travaillait à ses côtés ; il lui semblait même que sa vue s'améliorait pendant que sa main faisait vivre la barque d'or où voguaient les dieux au fil des heures de la nuit.

– Cette fois, c'en est trop ! s'exclama Ounesh le Chacal. Je demande l'intervention de Ched !

Ce dernier s'approcha du dessinateur, encadré de ses deux collègues, Païle le Bon Pain et Gaou le Précis, qui fixaient les traits d'un superbe personnage à la perruque bleue et au pagne d'or, debout à l'avant de la barque solaire. Inscrit au-dessus de sa tête, son nom, Sia, « l'intuition créatrice » qui, seule, décelait le chemin.

– Que reproches-tu à cette peinture ? demanda Ched.

– C'est moi qui ai dessiné le quadrillage, avec des indications précises que Paneb n'a pas respectées !

– Exact, reconnut Gaou.

Gêné, Païdemeura muet.

– Regarde l'ensemble, recommanda le Sauveur : la barque, Sia, et les entités célestes qui tiennent la corde de halage.

Ounesh fronça les sourcils.

– Je ne vois pas...

– C'est la raison pour laquelle tu n'es pas peintre. Tu as inscrit un schéma rigide sur le mur, en respectant les données techniques, et Paneb les a fait vivre en les transgressant un peu. Le travail a disparu, la beauté est née.

– Alors, Paneb peut faire n'importe quoi ! s'insurgea Ounesh.

– Au contraire. Si nous avançons lentement, c'est à cause de lui, parce qu'il doit étudier le quadrillage avec tant de minutie qu'il finit par s'intégrer à sa main. Et c'est elle, parfois, qui s'affranchit d'une contrainte formelle pour faire jaillir ce qui n'existait pas encore.

– Tout de même, objecta Gaou, il prend des libertés inadmissibles.

– Tu te trompes, il modèle les proportions sans lesquelles une peinture est condamnée à dépérir. Crois-tu que je lui permettrais de s'égarer, surtout dans une tombe royale ? Regardez mieux, et dites-moi ce que vous avez à reprocher à cette scène.

Les trois dessinateurs cherchèrent en vain une critique à formuler.

– Allons préparer le quadrillage suivant, recommanda Paï.

– Comment va Kenhir, ce matin ? demanda Claire à Niout la Vigoureuse.

– Beaucoup mieux. Il a enfin retrouvé l'appétit et il ne cesse de bougonner à propos de tout et de rien. À mon avis, votre traitement l'a complètement guéri.

La mine renfrognée, le scribe de la Tombe sortit de sa chambre.

– J'ai du travail en retard. Ah, Claire... Que les divinités vous soient favorables. Devrai-je absorber encore longtemps vos pilules fortifiantes ?

– Non, puisque vous avez retrouvé votre vigueur.

– Après le vol du papyrus, j'ai cru mourir... Un vol, chez moi, dans mon bureau! Qui a pu accomplir un pareil forfait?

Après la découverte de l'horrible larcin, Kenhir avait été victime d'une profonde dépression qui avait duré de longues semaines au cours desquelles Imouni s'était montré d'une aide précieuse pour assumer les tâches quotidiennes, tandis que la femme sage, utilisant à la fois le magnétisme et la médication, lui redonnait la santé.

– Je me sens d'attaque pour retourner dans la Vallée des Rois, affirma-t-il.

– Ce n'est pas à vous de décider, objecta Niout la Vigoureuse, mais à la femme sage.

Claire sourit.

– Ce remède-là complétera les miens, et l'équipe sera heureuse de vous revoir.

Le scribe de la Tombe était bouleversé.

– Tu as créé un chef-d'œuvre, dit-il à Néfer. Cette tombe est aussi belle que celle de Ramsès le Grand!

– Le plus difficile reste à faire, précisa le maître d'œuvre. Tant que la salle du sarcophage ne sera pas achevée, je vivrai dans l'inquiétude.

Kenhir allait et venait dans les couloirs de la demeure d'éternité, ne sachant quel détail admirer dans le foisonnement de couleurs.

– Dessinateurs et peintres se sont surpassés... Jamais la mort ne régnera en ce lieu.

– C'est toute l'équipe qui a mis son âme dans cette œuvre.

À l'extérieur de la tombe, on se partagea un repas fait de poisson séché, de salade, d'oignons et de pain. À midi, seule était autorisée une bière très légère. Kenhir avait repris place sur son siège creusé dans la roche et, malgré son caractère revêche, chacun se félicitait de son retour.

La pause terminée, l'équipe retourna dans la tombe.

– Je n'ai cessé de penser à ce papyrus volé, confia le scribe de la Tombe au maître d'œuvre. J'y avais noté toutes les sorties dont j'avais eu connaissance et j'avais l'intention d'en établir la fréquence, artisan par artisan. Celui que nous recherchons a dû le pressentir, et il a détruit le document.

– N'avez-vous pas gardé l'essentiel en mémoire ?

– Je ne l'encombre pas avec trop de détails matériels que je préfère confier au papyrus. Sans ces notes, je suis incapable d'établir des faits sérieux.

– Notre homme sera de plus en plus méfiant... Sans doute s'est-il aperçu que Sobek avait pris de nouvelles mesures de sécurité.

– Sa situation devient difficile. S'il rechigne à quitter le village, comment va-t-il communiquer avec ses complices ?

– Sobek a raison : à un moment ou à un autre, il commettra un faux pas. À nous de demeurer vigilants.

– Quand comptes-tu utiliser de nouveau la pierre de lumière ?

– Lorsque la salle du sarcophage aura été creusée et voûtée, répondit Néfer. Ses murs seront imprégnés d'énergie avant le passage des dessinateurs et des peintres.

– Pour être sincère, il devient presque impossible de distinguer le travail de Paneb de celui de Ched... L'élève égale le maître. Les couleurs de cette tombe sont même plus vives que celles de la dernière demeure de Ramsès.

– D'après Ched, Paneb a mis au point de nouvelles teintes en jouant sur les nuances de rouge. Et ce ne serait qu'un début.

– Le Sauveur n'est-il pas un peu jaloux ?

– Au contraire, Kenhir. Faire progresser son élève lui a redonné de la jeunesse et de l'enthousiasme. Le Sauveur est l'homme des grandes œuvres, et rien ne l'aigrit davantage que la routine. Pendant longtemps, il a désespéré de trouver un successeur à sa mesure.

– Et Paneb est arrivé... Encore un miracle de la Place de

Vérité ! Prends garde à ce que la vanité ne détruise son cœur et sa main.

— C'est le danger qui nous guette tous. Pour le moment, Paneb est confronté à tant de difficultés qu'il est sans cesse obligé de se surpasser. Tant qu'il lutte avec et contre lui-même pour une œuvre qui le dépasse, son feu est créateur. Et nous pouvons compter sur Ched pour repousser chaque jour les limites de son disciple.

Le maître d'œuvre franchissait le seuil de la tombe lorsque la solution lui traversa l'esprit.

— Le courrier !

— Que veux-tu dire ? demanda Kenhir.

— C'est par lettre que le traître communique avec l'extérieur.

Le facteur Oupouty fut scandalisé par la requête du scribe de la Tombe.

— J'ai juré de préserver le secret du courrier. Si je trahis ma parole, le bâton de Thot me frappera à juste titre et je perdrai mon emploi. On a souvent tenté de me corrompre, personne n'y est parvenu.

— Félicitations, Oupouty, mais je ne cherche nullement à te corrompre !

— Vous voulez quand même connaître le contenu des lettres écrites par les artisans et le nom de leurs destinataires ! Ma réponse est non, Kenhir, et un non définitif.

— Je comprends ton attitude, mais sois certain que ma probité n'est pas moins ferme que la tienne et que j'agis dans l'intérêt supérieur de la confrérie.

— Je ne mets pas votre parole en doute, mais ma décision est irrévocable et conforme aux engagements solennels que j'ai pris en entrant dans le métier.

Dans le cadre d'une enquête criminelle, le scribe de la Tombe aurait sans doute été autorisé à consulter la correspondance acheminée par Oupouty, mais il devait préserver l'honneur de la confrérie et ne pas étaler cette sombre affaire au grand jour alors que les deux équipes étaient en plein travail.

– Donne-moi au moins un renseignement, Oupouty : pendant ces trois derniers mois, quel est l'artisan qui t'a confié le plus de courrier ?

– Pourquoi voulez-vous le savoir ?

– Pour le noter sur le Journal de la Tombe, faire des comparaisons avec les années antérieures et préparer un dossier sur notre volume de correspondance que le vizir ne manquera pas de me réclamer.

Ce pieux mensonge dérida Oupouty.

– En ce cas... Celui qui écrit le plus, c'est Païle Bon Pain. Mais vous n'en saurez pas davantage.

60.

– Tu ne reprends pas une tranche de gigot, Paï? s'étonna son épouse.

– Non, pas ce soir.

– Pas de tripes non plus?

– Non, je me sens un peu lourd.

– Mais tu n'as presque rien mangé, alors que j'avais préparé un repas de fête pour notre anniversaire de mariage!

– C'est bien ainsi, je t'assure.

– Toi, tu me couves quelque chose!

À voir la panse du dessinateur, ses joues rebondies et sa mine épanouie, personne n'aurait pensé qu'il était sous-alimenté.

– Je vais faire un tour.

– Ne rentre pas trop tard, tu réveillerais les enfants.

– Ne t'inquiète pas.

Résister plus longtemps à l'odeur des mets était impossible ; il valait mieux prendre l'air et tenter d'oublier. L'estomac dans les talons, le dessinateur s'engagea dans l'artère principale du village.

— Ça tombe bien, s'exclama Paneb, c'est toi que je voulais voir !

— Moi... Mais pourquoi ?

— Le maître d'œuvre et le scribe de la Tombe aimeraient te parler.

— Tout de suite ?

— Tout de suite.

— J'allais me coucher et...

— Tu sortais de chez toi, non ?

— Non, enfin oui, mais je rentrais...

— Ils m'ont envoyé te chercher, je te ramène. Entendu ?

— Oui, oui, entendu...

La gentillesse feinte du colosse était encore plus redoutable que sa colère. Païe préféra le suivre docilement et il pénétra avec appréhension dans la demeure de Néfer et de Claire dont le magnifique regard lui parut plus inquisiteur qu'amical.

— Tu parais chiffonné, lui dit-elle ; mauvaise digestion ?

— Non, je vais bien, très bien...

Debout, les mains appuyées sur sa canne, Kenhir ne se répandit pas en formules de politesse.

— Tu écris beaucoup, ces derniers temps.

— Peut-être... Mais ça me regarde.

— Ça regarde aussi la Place de Vérité. À qui écris-tu ?

— Vous n'avez pas à le savoir.

— Justement, si ! Et si tu refuses de nous répondre, je convoque le tribunal.

Païe parut abasourdi.

— Mais... C'est insensé !

— Si tu es en paix avec toi-même, intervint Néfer, réponds-nous. Ton refus ne signifierait-il pas que tu dissimules des actes indignes d'un Serviteur de la Place de Vérité ?

Païs baissa la tête.

— Vous savez tout, n'est-ce pas ?

Un lourd silence lui répondit.

— Tout a commencé il y a un an, environ, quand j'ai fêté les quatre-vingts ans de ma mère qui habite sur la rive est, près du marché aux poissons. J'ai abusé des tripes et du gigot, je l'admets, et elle m'a lancé au visage cette phrase célèbre de l'*Enseignement pour Kagemni* : « La gloutonnerie est méprisable, il faut la montrer du doigt. Une coupe d'eau peut suffire à étancher la soif et une bouchée de légumes à fortifier le cœur. Malheureux est celui dont le ventre est avide quand le moment du repas est passé. » Impitoyable, elle a refusé de me revoir tant que je ne suivrai pas un régime. Voilà plus de vingt lettres que je lui écris pour lui parler de mes efforts surhumains, mais elle me veut svelte avec une vingtaine de kilos en moins ! Ce soir, j'ai encore essayé de grignoter... Et je meurs de faim !

— Païs est innocenté, jugea Néfer.

— Et s'il était un excellent comédien ? hasarda Kenhir. Sachant qu'il risquait d'être démasqué, il avait une explication toute prête et tellement grotesque que personne n'aurait l'idée de la mettre en doute.

— C'était mal vous connaître, commenta Claire en souriant.

— Moi, intervint Paneb, je suis sûr que Païs a dit la vérité mais je suis d'avis de vérifier son histoire. Demain matin, j'irai voir sa mère, et nous en aurons le cœur net.

— La mère de Païs ? Elle habite dans la troisième ruelle, sur ta gauche.

Paneb salua le poissonnier qui préparait son étal et il prit la direction indiquée, mais dépassa la troisième ruelle et se mit à courir.

Derrière lui, un bruit de pas précipités.

On le suivait depuis qu'il avait pris le bac, peut-être depuis plus longtemps.

Ainsi, Païe le Bon Pain avait menti. Ses explications n'étaient qu'un tissu de mensonges et, comme il redoutait que quelqu'un fût mandaté pour vérifier sa fable, il avait ordonné à un complice de l'extérieur de supprimer le curieux.

Paneb était ravi. Son suiveur aurait certainement beaucoup de confidences à lui faire.

Caché à l'angle d'un mur, il vit un Nubien s'immobiliser et regarder dans toutes les directions.

— C'est moi que tu cherches, l'ami?

Le poing du Nubien partit avec vivacité. Paneb para le coup de l'avant-bras, et son pied droit percuta le ventre de son adversaire qui recula d'une bonne dizaine de pas mais resta debout.

— Tu sais te battre et tu es résistant, reconnut le jeune colosse. Je vais être obligé de cogner assez fort, à moins que tu ne préfères me donner tout de suite le nom de ton patron.

L'homme fit saillir ses pectoraux et fonça sur Paneb, la tête en avant.

Au dernier moment, l'artisan s'écarta et il abattit ses deux poings réunis sur la nuque de l'agresseur qui termina sa course contre un mur.

Le front en sang, il parvint à se redresser en titubant.

— Tu es un coriace, toi!

Le Nubien respirait avec difficulté.

— Si tu me tues... tu ne nous échapperas pas... On n'échappe pas... aux policiers de Sobek.

Les yeux dans le vague, le Nubien s'évanouit.

Prudentes, des maîtresses de maison jetèrent un œil dans la ruelle.

— Apportez-moi de l'eau! exigea le colosse.

Il fallut une jarre pleine pour réveiller le Nubien.

— Tu es vraiment policier?

Le malheureux eut un sursaut d'effroi.

— Tu vas encore cogner?

— Si tu dis la vérité, non. Pourquoi m'as-tu filé?

– C'est ma mission... Je dois suivre les artisans qui se rendent sur la rive est pour savoir où ils vont.

– Je suis en mission, moi aussi !

– Le chef Sobek ne m'en a rien dit.

Personne n'avait pensé à le prévenir... Paneb aida le Nubien à se relever et à marcher jusqu'à l'officine d'un marchand de plantes médicinales qui lui appliquerait un baume salvateur.

– Je dois rédiger un rapport, précisa le policier. Qu'est-ce que je vais raconter à Sobek ?

– Dis-lui de s'adresser au scribe de la Tombe. Kenhir saura lui expliquer la situation.

– Vous êtes bien la mère de Paï ?

Petite, ridée, la matrone n'avait pas l'air commode.

– Qu'est-ce que vous me voulez ?

– Je suis un ami de votre fils.

– A-t-il maigri ?

– Un peu, mais...

– Qu'il cesse de m'écrire et qu'il passe aux actes ! Ce glouton est la honte de ma famille. Qu'il ne reparaisse pas devant moi avant de se rendre présentable.

– Je vous assure qu'il accomplit de sérieux efforts et...

– Essayer ne suffit pas. Qu'il réussisse.

La mère de Paï claqua sa porte au nez de Paneb.

Le général Méhy banda son arc, visa le centre de la cible et tira. La flèche s'enfonça profondément dans le bois dur

– Joli coup, apprécia Daktair.

Méhy arracha la flèche et il constata que sa pointe était presque intacte.

– Joli résultat, Daktair : l'alliage que tu as obtenu présente une résistance exceptionnelle. Avec des pointes de flèches d'une telle qualité, les archers thébains bénéficieront d'une arme sans égale. Et pour les épées ?

— J'avance bien.

— Pourtant, tu parais déçu et mécontent.

— Je suis réduit à la condition de technicien supérieur... Nos rêves de grandeur me paraissent si lointains !

— Tu te trompes, Daktair.

— Mérenptah règne sans partage, vous êtes contraint de protéger la Place de Vérité, et nous n'avons obtenu aucun de ses secrets ! Les murs de ce village sont vraiment infranchissables.

— Crois-tu que j'aie renoncé ?

— Je crois que vous poursuivez une brillante carrière et que la mienne se terminera dans ce laboratoire.

— Nous triompherons parce que nous savons prendre la mesure de l'adversaire, assura Méhy ; et il est beaucoup plus redoutable que nous ne le supposions. Le maître d'œuvre et la femme sage donnent à la confrérie une cohérence semblable à celle qui relie entre elles les pierres d'un temple, et il ne sera pas facile de la détruire. Les petites victoires que nous avons remportées sont insuffisantes, je te le concède, et nous avons essuyé de sérieux revers dont il convient de tirer les leçons. La principale consiste à priver Néfer de ses soutiens majeurs. Grâce à notre allié de l'intérieur, nous savons que le scribe de la Tombe a été souffrant. Vu son âge, il ne devrait plus nous encombrer très longtemps. Mais Néfer possède un chien de garde très gênant, le jeune Paneb, qui a refusé de s'enrôler dans l'armée. Tant pis pour lui.

61.

Paneb caressa les longs cheveux roux de Turquoise après lui avoir fait l'amour avec une passion intacte qu'elle avait su partager. Et la belle, à la nudité triomphante, le regardait comme si elle le voyait pour la première fois.

— Seule la déesse Hathor peut t'inspirer de tels jeux amoureux, Turquoise. Si tu continues, serai-je capable de te suivre ?

— Deviendrais-tu modeste ?

— Mets-moi à l'épreuve.

Aussi infatigables l'un que l'autre, ils s'élancèrent dans une nouvelle joute dont ils se moquaient de sortir vainqueur ou vaincu. Ils s'amusaient à se surprendre et se délectaient de leur désir chaque fois qu'ils s'étreignaient.

— Es-tu heureux avec Ouâbet ?

— C'est elle qui a décidé d'être heureuse avec moi...

Pourquoi aurais-je la cruauté de la contrarier ? Et puis il y a mon fils ! Ce garnement-là, j'en ferai un vrai guerrier, et personne ne lui tiendra tête.

— N'est-il pas aussi l'enfant d'Ouâbet ? Elle a peut-être d'autres rêves.

— Avec Aperti, impossible ! Il a déjà envie de se battre.

Paneb s'allongea sur Turquoise.

— Si nous cessions de parler ? La nuit va bientôt tomber, et tu me mettras à la porte.

— Si je n'étais pas une femme libre, m'aimerais-tu encore ?

Toutes de douceur, les mains du peintre lui répondirent en suivant ses courbes. Soudain, elle se déroba.

— On frappe à ma porte.

Dégrisé, Paneb entendit : on frappait avec insistance. Turquoise se couvrit d'un châle pour aller ouvrir.

— Paneb se trouve-t-il chez toi ? demanda Gaou le Précis.

— Pourquoi cette curiosité ?

— J'ai peur qu'il n'ait bientôt de gros ennuis... D'après Ounesh qui a surpris une conversation, les tailleurs de pierre ont l'intention de déposer plainte contre lui. Ils discutent avec le scribe de la Tombe.

Paneb apparut, furieux.

— Qu'est-ce que tu racontes ?

— Je n'en sais pas davantage, mais les deux autres dessinateurs et moi, nous avons l'impression qu'on complote dans ton dos et que l'on se prépare à te porter un mauvais coup.

— Je vais voir Kenhir.

Nakht le Puissant et Casa le Cordage regardaient Paneb avec animosité, Karo le Bourru lui tournait le dos et Féned le Nez pointait vers lui un index accusateur.

— C'est toi, le voleur, et tu ferais mieux d'avouer !

— Ravale immédiatement tes injures, ou bien...

— L'affaire semble sérieuse, intervint Kenhir.

Paneb se tourna vers le scribe de la Tombe.

– Quelle affaire ?

– Le grand pic qui sert à attaquer la roche a disparu.

– Et c'est Paneb qui l'a volé ! précisa Féned. Qui d'autre aurait pu commettre ce forfait ? C'est lui qui a porté l'outil à la chambre forte.

– Exact, reconnut le colosse.

– Comment expliques-tu qu'il ne s'y trouve plus ? interrogea le scribe de la Tombe.

– Je n'ai pas à l'expliquer ! J'ai déposé le pic avec les autres outils devant la porte de la chambre forte. Ce sont les tailleurs de pierre qui les ont rangés à l'intérieur du local, pas moi.

– Ne renverse pas l'accusation, protesta Nakht ; nous sommes tous d'accord pour dire que tu as été le dernier vu en possession de ce pic.

– Dérober un outil est un délit grave, rappela Kenhir. Si tu t'en es servi pour des travaux personnels, il vaudrait mieux l'avouer sans délai.

– C'est faux !

– Nous portons plainte contre Paneb, déclara Casa le Cordage, et nous exigeons une enquête immédiate.

– Qu'est-ce que ça signifie ?

– Que je suis obligé de fouiller ta maison en compagnie du maître d'œuvre et en présence de deux témoins, indiqua le scribe de la Tombe.

– Fouiller ma maison ? Jamais !

Casa le Cordage ironisa.

– N'est-ce pas la réaction d'un coupable ?

– Si tu es innocent, renchérit Nakht, pourquoi refuses-tu cette procédure ?

– Vous savez tous que je n'ai rien à me reprocher !

– En ce cas, établissons la preuve de ton innocence.

Paneb jeta des regards incendiaires aux tailleurs de pierre.

– Je rentre chez moi et je vous attends.

– Hors de question ! trancha Casa le Cordage. Tu ferais disparaître le pic ! Tu restes ici, Kenhir désigne les deux témoins, on va les chercher, et la commission d'enquête au grand complet se rendra sur les lieux.

Quand le scribe de la Tombe, le maître d'œuvre, l'épouse de Paï le Bon Pain et Thouty le Savant franchirent le seuil de la demeure de Paneb, tout le village était informé de la grave accusation portée contre le jeune colosse.

Le traître, qui communiquait par lettres codées avec ses commanditaires, avait appliqué le plan qu'ils proposaient : faire condamner Paneb pour un délit indiscutable et provoquer ainsi son expulsion hors de la confrérie. Profitant de la maladie de Kenhir et d'un moment d'inattention de son assistant, le traître avait dérobé le pic pour le dissimuler chez Paneb, à l'endroit qu'il s'apprêtait à transformer pour agrandir la cuisine et qui était accessible de l'extérieur.

Et la rumeur, lancée par une amie de sa femme qui avait grossi des propos d'abord mesurés, avait vite atteint son but.

Son fils dans les bras, Ouâbet la Pure ouvrit de grands yeux étonnés.

— Que voulez-vous ?

— Ton mari est accusé de vol, expliqua Kenhir ; nous devons fouiller la maison de fond en comble.

— C'est... c'est impossible ! Je m'y oppose !

— Sois raisonnable, Ouâbet. Telle est notre loi, et nous devons l'appliquer, de gré ou de force.

Paneb prit sa femme par les épaules.

— Allons nous asseoir à l'extérieur et laissons-les agir. Celui qui veut ma perte croit avoir réussi, mais je l'identifierai et je lui briserai les os.

La fouille fut interminable. Paneb apprenait à Aperti les différentes manières de serrer le poing et il l'entraînait à frapper dans la paume de son énorme main. Riant aux éclats, le bambin en redemandait.

Kenhir fut le premier à ressortir de la demeure en s'épongeant le front avec un carré de lin.

— Nous n'avons rien trouvé, Paneb. Tu es lavé de toute accusation.

Paneb se leva en déployant sa masse, encore plus impressionnante qu'à l'ordinaire.

— Ça ne change rien, puisque ni vous ni les autres n'avez cru en ma parole.

— Si tu exiges des excuses, tu les obtiendras.

— Elles ne me suffiront pas.

— Que te faut-il d'autre ?

— Je n'ai plus rien à faire dans ce village, Kenhir ; tu peux rayer mon nom de l'équipe de droite.

— Je ne veux pas partir, déclara Ouâbet la Pure. Je suis née ici et j'y mourrai.

— Libre à toi de rester ; en ce qui me concerne, ma décision est irrévocable.

— Parce que tu es coupable ?

Le ton de la jeune femme s'était durci.

— Qu'est-ce que ça signifie, Ouâbet ?

— As-tu volé ce pic ?

— Toi aussi, tu oses m'accuser !

— L'as-tu volé, oui ou non ?

— Sur la tête de mon fils, je jure que je suis innocent !

— Tu peux le remercier, ton fils ; c'est lui qui t'a sauvé.

— Explique-toi...

— Il est allé jouer, sans mon autorisation, dans la partie de la maison que tu veux aménager. Je l'ai retrouvé en train de gratter le sol et de dégager un manche en bois.

— Celui du grand pic...

— J'ai songé à t'avertir, mais tu t'amusais avec Turquoise. Alors, j'ai prévenu le maître d'œuvre.

— Néfer ! Comment a-t-il réagi ?

— Il a emporté l'outil.

Paneb courut aussitôt jusqu'à la demeure du Silencieux qui fabriquait une amulette en forme d'équerre.

— Où as-tu caché le pic, Néfer ?

— Quel pic ?

— Celui qui avait été dissimulé chez moi pour me perdre !

— Ma mémoire est défaillante... Et la preuve a été établie que tu n'es pas mêlé à cette triste histoire.

— Si tu m'as sauvé, c'est que tu me crois innocent.

— Tu n'es pas exempt de défauts, Paneb, mais tu n'es pas un voleur. De plus, tu es informé de la période difficile que nous affrontons et tu as été mandaté pour me protéger. Toi éliminé, nos adversaires auraient abattu un solide rempart.

— Kenhir et les tailleurs de pierre m'ont traîné dans la boue, et leur conviction est fermement établie. Le village entier est persuadé que je suis un voleur, chacun me regardera avec d'autres yeux. Je sais que je n'ai plus ma place dans cette confrérie.

— Oublie cette humiliation et ne deviens pas l'esclave de ta vanité.

— Ton intervention aura été inutile, Néfer. Le mal est fait, la déchirure irréversible.

— Tu te comportes comme un vaincu, Paneb.

Les deux hommes se défièrent longuement.

— Merci de m'avoir évité un jugement inique, maître d'œuvre. Mais je n'ai plus envie de côtoyer des hommes qui me haïssent et que je méprise.

— Tu vas tout perdre, Paneb, et ton existence sera de nouveau semblable à un bâton tordu.

— Au moins, il me servira à fracasser la tête de quiconque se mettra en travers de mon chemin ! Je te plains d'être enchaîné dans ce village, contraint de servir des médiocres... Moi, je reconquiers ma liberté.

62.

— Acceptes-tu de partir avec moi, Turquoise ?

— Non, Paneb.

— Je te ferai mener une existence fabuleuse que tu n'imagines même pas !

— Elle ne m'intéresse pas.

— Dans ce village ne règnent que l'injustice et la jalousie. Si tu moisis ici, tu le regretteras.

— Tu réagis sous le coup de la colère et de ta vanité blessée.

— Ah non, pas toi !

Le colosse prit la superbe rousse dans ses bras.

— Je t'emmène, Turquoise.

— As-tu oublié que je suis une femme libre et qu'aucun homme ne peut m'imposer sa volonté ?

– Mais qu'attends-tu encore de cette confrérie ?

– Chaque jour, ici, est vraiment un nouveau jour. Et comme prêtresse d'Hathor, j'ai prêté à la déesse serment de fidélité.

Paneb s'écarta de sa maîtresse.

– M'accuserais-tu de parjure ?

– À toi de juger.

– Je te regretterai, Turquoise.

– Je n'ai pas réussi à convaincre Paneb de rester, confia Néfer à son épouse. L'humiliation a été trop profonde, et il a perdu confiance en ses frères.

– Même en toi ?

– Il sait que je crois en son innocence et que je lui ai permis de sortir du piège où l'on voulait le faire tomber, mais sa révolte contre cette injustice est trop intense.

– Tu as besoin de lui, n'est-ce pas ?

– Il est devenu un peintre exceptionnel, et je ne suis pas certain que Ched aura l'énergie nécessaire pour terminer le décor de la tombe de Mérenptah. Mais Paneb est libre de quitter la Place de Vérité, et il ne reste plus que toi pour le convaincre de servir l'œuvre qu'il a commencée.

– « Quand j'aurai rejoint l'Occident, m'avait avertie la femme sage qui m'a initiée, que la déesse de la cime, celle qui aime le silence, devienne ton guide et ton regard. » Cette nuit, j'irai la consulter.

L'énorme cobra royal aux yeux rouges sortit de son sanctuaire, au sommet de la cime, et se dressa devant la femme sage qui s'inclina devant lui.

Éclairé par la lumière argentée du soleil de la nuit, le reptile se balançait doucement de gauche à droite et de droite à gauche, sans cesser de fixer Claire, dont le front était ceint d'un bandeau doré. S'il passait à l'attaque, elle n'aurait aucune chance de lui échapper.

Au-delà de la peur s'instaurait un dialogue entre le regard de la femme sage et celui du cobra femelle, incarnation de la déesse du silence.

Claire lui parla de Paneb, de la demeure d'éternité de Mérenptah, et elle l'implora de lui indiquer le chemin à suivre pour préserver l'harmonie de la confrérie.

Une à une, les étoiles disparurent comme si un voile noir les recouvrait. Alors que la nuit s'achevait, une goutte d'eau tomba sur les cheveux de Claire.

La femme sage comprit que la réponse de la déesse serait terrifiante, mais à la mesure de Paneb.

Ouâbet la Pure ne parvenait plus à retenir ses larmes.

— Tu ne vas pas partir, Paneb...

— Suis-moi si tu veux, mais je ne reviendrai pas sur ma décision.

Le colosse roulait sa natte de voyage.

— Ton fils... Tu l'abandonnes sans regret?

— Tu l'élèveras très bien, et je suis certain qu'il saura se débrouiller, comme son père.

— Ta peinture, l'énorme travail que tu as accompli... Tout cela n'existe plus?

— N'insiste pas, Ouâbet.

— Pourquoi refuses-tu d'admettre que tu es plus buté qu'un mulet parce qu'on a heurté ta vanité? Même si tu ne t'entends plus avec les tailleurs de pierre, quelle importance? Le maître d'œuvre est ton ami le plus fidèle et, puisqu'il faut te le rappeler, il y a au moins deux femmes et un enfant qui t'aiment, dans ce village!

Paneb attacha la natte à un sac contenant une miche de pain, une outre d'eau, des sandales et un pagne neuf, et il sortit de chez lui sans regarder Ouâbet en pleurs et sans embrasser son fils endormi.

Le jour se levait. Dans chaque demeure, on se préparait à vénérer les ancêtres.

Mais ce n'était pas une aube comme les autres.

En ce vingt-septième jour du premier mois de la saison d'été de la quatrième année de règne du pharaon Mérenptah, de gros nuages noirs obscurcissaient l'orient et empêchaient le soleil d'apparaître. L'atmosphère était lourde, presque irrespirable, et l'air chargé d'une tension qui rendait les os douloureux.

Un éclair déchira le ciel, et la foudre tomba sur la forge d'Obed. Réveillé en sursaut, il appela au secours les rares auxiliaires qui dormaient sur le site et provoqua un début de panique.

Avec une violence inouïe, un déluge s'abattit sur la Place de Vérité. La pluie était si forte et si drue que Paneb avait l'impression d'être piqué par des milliers d'aiguilles.

Un monstrueux orage se concentrait sur la rive ouest de Thèbes. Une succession d'éclairs zébrait les nuées menaçantes, et les précipitations s'intensifiaient encore.

Dans la rue principale du village, un torrent se formait avec une rapidité incroyable. Près de Paneb, un muret en construction s'écroula.

Plusieurs femmes sortirent sur le seuil de leur maison pour observer, incrédules, le flot qui gonflait.

– Montez sur les terrasses ! hurla Paneb.

Des enfants se mirent à crier. Devant chez Païle Bon Pain, un gamin, de l'eau jusqu'aux genoux, perdit l'équilibre et hurla. Paneb le rattrapa par les pieds et le confia à Nakht qui accourait.

Un instant, les deux hommes se regardèrent, haineux.

– Ramène ce gamin chez lui, ordonna Paneb, et vérifie qu'aucun autre ne traîne dehors. Et passe le mot, vite : tous sur les terrasses.

Au rythme où l'eau montait, elle envahirait bientôt les rez-de-chaussée en y causant de gros dégâts. Dans la zone des auxiliaires, les murs de boue séchée se disloqueraient.

Paneb blêmit.

Étant donné la puissance de l'orage, une autre catastrophe,

plus grave encore, se préparait. Aussi se rua-t-il chez le maître d'œuvre.

— Allons immédiatement à la Vallée des Rois, exigea-t-il. La tombe de Mérenptah est en danger.

Dans la tourmente, les deux hommes franchirent la porte du village et grimpèrent jusqu'au col en courant. Sans leur parfaite connaissance de la piste sur laquelle dévalaient les cailloux en s'entrechoquant, ils n'auraient pu franchir le rideau de pluie et se seraient égarés dans la montagne où le grondement du tonnerre devenait assourdissant.

Mais ni Néfer ni Paneb n'avaient le temps d'avoir peur ou de songer aux multiples coupures aux pieds que leur infligeaient les silex. Au risque de se rompre le cou, ils dévalèrent la pente qui aboutissait à l'entrée de la Vallée des Rois.

Trempé mais stoïque, le policier nubien était resté à son poste.

— Viens avec nous, Penbou, vite!

Le trio se hâta jusqu'à la tombe de Mérenptah où le second policier de garde amassait des débris de calcaire pour former un muret devant l'entrée. Une coulée de boue et de pierrailles se ruait à l'assaut du fragile barrage.

— Ça ne tiendra pas, jugea Tousa; déguerpissons avant d'être engloutis!

La coulée pénétrerait dans la tombe de Mérenptah et lui infligerait d'irréparables dommages.

— Partez, dit Paneb. Moi, je reste.

Les deux Nubiens n'hésitèrent que quelques secondes avant de sortir du piège qu'avait provoqué le monstrueux orage dont l'ardeur ne faiblissait pas.

— Va-t'en, Néfer; tu es à bout de souffle.

— Un capitaine abandonne-t-il son bateau quand il risque de sombrer? Agissons, au lieu de palabrer!

L'unique solution consistait à dresser un mur formé d'éclats de roche, suffisamment épais pour que le flot se brise contre lui.

Ignorant la lassitude, Néfer se multiplia, malgré les glissades et la pluie qui, par moments, l'aveuglait. Devant lui, le jeune colosse soulevait des monceaux de pierrailles et bâtissait sans relâche le rempart destiné à sauver la tombe.

De temps à autre, Paneb poussait des cris de révolte contre le ciel déchaîné, mais il ne ralentissait pas la cadence que le maître d'œuvre suivait avec peine. Puisant dans ses ultimes ressources, Néfer réussit néanmoins à seconder son ami avec efficacité. Englué dans la boue, il en extrayait de grosses pierres que Paneb entassait les unes sur les autres.

Un éclair d'une violence inouïe déchira les nuages. La foudre toucha la cime.

– Claire ! hurla Néfer.

– Elle est là-haut ?

– Elle voulait consulter la déesse du silence et n'était pas redescendue quand tu es venu me chercher.

La pluie se calma brutalement, un coin de ciel bleu apparut.

– La tombe de Mérenptah est intacte, constata Paneb, couvert de boue.

– Claire…

Le colosse arracha le maître d'œuvre à la gangue dont les derniers élans se brisaient contre le mur.

– Nous devons monter à la cime, estima Néfer, pour savoir si la foudre l'a touchée.

– Tu es incapable de faire un pas. Repose-toi, je m'en occupe.

Le soleil perça, et les deux hommes burent les dernières gouttes de pluie qui leur lavèrent le visage.

– Regarde, Néfer, la voilà !

La tête cerclée d'or, la femme sage descendait de la cime en tenant le grand pic, capable de percer la roche la plus dure.

63.

Devant les villageois au grand complet, la femme sage brandit le pic.

– Voici l'objet que vous avez cru volé par Paneb! Je l'ai exposé à la cime pour conjurer la colère du dieu Seth dont l'orage a failli détruire la tombe du pharaon et nos demeures. La foudre a touché le pic, et sa lumière terrifiante y a tracé des signes.

Thouty le Savant s'approcha et discerna la tête de l'animal de Seth, au long museau et aux deux grandes oreilles, tracée par le feu du ciel.

– Paneb a sauvé la demeure d'éternité de Pharaon, révéla Néfer; sans son courage, l'œuvre communautaire aurait été réduite à néant et la Place de Vérité accusée de négligence. Que ce pic au nom de Seth, le fils du ciel et le maître de l'orage, lui appartienne à jamais.

– Il faudra noter ce don exceptionnel sur le Journal de la Tombe, intervint Imouni. Sinon, Paneb aurait des ennuis avec l'administration.

Nakht le Puissant agrippa le scribe assistant par le col de sa chemise plissée.

– Et si tu apprenais à te taire, avorton ?

– Je suis d'accord avec lui, approuva Paneb ; que les événements soient notés et que personne ne conteste mon droit de propriété sur cet outil.

En éclatant de rire, le colosse éleva le pic vers le ciel d'un bleu éclatant.

– Dois-je comprendre que tu diffères ton départ ? lui demanda le maître d'œuvre.

– Qui t'a parlé de départ ?

– Vous m'avez invité, général Méhy, et je suis venu ! déclara le jeune prince Amenmès avec assurance.

– C'est un grand honneur pour Thèbes et pour moi-même.

– Je suis impatient de monter l'étalon que vous m'avez promis.

– Il est à votre disposition.

– Acceptez-vous de quitter votre bureau pour me montrer la plus belle randonnée dans le désert ?

– Sans aucune hésitation.

Joyeux comme un enfant à qui l'on offre un nouveau jouet longtemps espéré, Amenmès bondit sur le dos d'un magnifique destrier noir que lui avait amené le palefrenier personnel du général. Ce dernier avait choisi un animal moins fougueux mais très résistant, et les deux cavaliers galopèrent vers l'ouest pour emprunter le lit d'un oued à sec.

Quand Amenmès s'arrêta, au terme d'une course folle, il était ivre de plaisir.

– Quelle région envoûtante ! Je la préfère mille fois au Delta... Vous avez beaucoup de chance de vivre ici, général.

Les deux hommes mirent pied à terre et ils s'assirent sur un monticule pour se désaltérer avec de l'eau gardée fraîche dans une outre de voyage.

– Votre visite, prince Amenmès, signifie que notre roi a bien consolidé la paix.

– Vous vous trompez, général... C'est exactement le contraire. Le pharaon vient d'envoyer de grandes quantités de blé aux Hittites qui s'inquiètent des velléités de conquête de certaines principautés d'Asie. L'Égypte doit nourrir ses alliés afin qu'ils forment le premier rempart à une invasion venue du Nord.

– Cette procédure serait-elle inhabituelle ?

– Plus ou moins, mais il y a plus inquiétant, à mon avis : l'agitation des Libyens.

– Ne sont-ils pas trop faibles et trop divisés pour menacer sérieusement l'Égypte ?

– C'est ce que beaucoup croient... Mais pas mon père. Les informateurs de Séthi, dans la région, estiment que les tribus libyennes sont capables de se fédérer. Alors, elles deviendraient redoutables.

– Le pharaon a-t-il été informé ?

Amenmès parut gêné.

– En partie...

– Est-il aussi inquiet que votre père ?

– Oui et non... Il se méfie davantage de l'Asie que de la Libye.

– Je vais vous montrer un objet surprenant, prince Amenmès.

Méhy exhiba une pointe de flèche, Amenmès la palpa longuement.

– Elle est d'une dureté incroyable !

– Plus encore que vous ne le supposez. Cette arme a été

mise au point par le laboratoire de la rive ouest et elle équipera bientôt les troupes thébaines... avant d'autres innovations.

— Impressionnant... très impressionnant.

— Vous êtes le premier à voir cette petite merveille.

— Vous voulez dire... avant le pharaon ?

Méhy demeura silencieux.

— Estimez-vous, général, que je dois être le seul à connaître cette invention ?

— Peut-être vous servira-t-elle si vous accédez au pouvoir suprême.

Amenmès vit soudain s'ouvrir un vaste horizon.

— Les troupes thébaines me seraient-elles fidèles si je réclamais leur appui dans des circonstances exceptionnelles ?

— Je suis persuadé, prince, que vous avez des qualités de chef et que vous le démontrerez au service de l'Égypte.

Amenmès était bouleversé. Méhy lui permettait de prendre conscience de ses véritables ambitions qu'il n'avait pas encore osé s'avouer de manière aussi nette. Mérenptah était âgé, Séthi trop autoritaire et peu apprécié des courtisans... Lui, Amenmès, était jeune, conquérant et séducteur.

— Je vais vous faire bien connaître Thèbes, promit Méhy. Et nous n'omettrons pas la visite de la caserne principale où vous assisterez à l'exercice de mes troupes d'élite.

Paneb avait dévoré à belles dents le cochon de lait rôti à point et parfumé à la sauge, qu'il avait arrosé d'un vin de fête digne d'un grand banquet.

— Merci pour cet excellent repas, dit-il à Claire et à Néfer. Je me suis comporté comme un imbécile et, pourtant, je ne suis pas certain d'avoir vaincu ma vanité et de pouvoir supporter l'injustice sans réagir.

— Nous avons pris une grave décision te concernant, révéla le maître d'œuvre.

— Une sanction ?

– J'espère que tu ne la considéreras pas comme telle... Mais nous devons te convoquer devant le tribunal.

Le jeune colosse s'assombrit.

– Aurai-je au moins le droit de me défendre et d'expliquer pourquoi je désirais partir ?

– Ce ne sera pas nécessaire. Il te suffira de répondre par oui ou par non.

– Les tailleurs de pierre m'ont accusé à tort, ils...

– Il ne s'agit pas de cela.

– Mais alors... de quoi ?

– Conformément à une coutume souvent mise en pratique dans notre village, Claire et moi désirons t'adopter. En devenant officiellement notre fils, tu bénéficieras de notre protection ; si l'on t'attaque, c'est nous que l'on attaquera. De plus, tu deviendras notre héritier... Mais ne t'attends pas à devenir riche !

– À toi de choisir, insista la femme sage avec un sourire dont la lumière aurait apaisé le plus vindicatif des démons.

Paneb vida sa coupe d'un trait.

– Avez-vous douté un seul instant de ma réponse ?

Le général Méhy était furieux et inquiet.

Furieux, parce que la machination entreprise pour se débarrasser de Paneb avait échoué. D'après la lettre codée de son informateur, le jeune colosse avait même été adopté par le maître d'œuvre et la femme sage. Désormais, s'attaquer de front à leur fils serait presque impossible, à moins que ce dernier ne commette une faute grave ; mais Paneb ne se montrerait-il pas de plus en plus méfiant ? Cette mauvaise nouvelle était cependant loin de décourager Serkéta ; rien ne l'excitait plus qu'un combat difficile, et elle était ravie d'affronter un adversaire à sa mesure.

Inquiet, parce qu'il allait accueillir au débarcadère de la rive ouest Séthi, le fils de Mérenptah, qui venait à Thèbes en visite officielle, quelques semaines après son fils Amenmès, enchanté par son séjour et persuadé de ses capacités à gouverner. Au cours d'un banquet bien arrosé, Serkéta lui avait présenté une jeune danseuse nubienne dont la science amoureuse avait enchanté le prince qui ne jurait plus que par Méhy et son épouse.

L'arrivée inattendue de Séthi était porteuse de menaces. Le général aurait préféré garder l'initiative en se rendant à Pi-Ramsès pour le rencontrer, et ce voyage le prenait de court. Peut-être Amenmès avait-il trop parlé et s'était-il trop vanté, déclenchant ainsi l'intervention de son père.

Même les délires sensuels de Serkéta n'avaient pas réussi à calmer Méhy qui redoutait de voir sa carrière brisée. Il avait pourtant recommandé au jeune Amenmès de tenir sa langue, de ne rien avouer de ses ambitions et de garder cachée leur amitié afin qu'elle soit pleinement efficace au moment voulu.

Dans la force de l'âge, Séthi était un homme puissant, au visage harmonieux mais sévère, et à la démarche assurée.

Méhy s'inclina devant lui avec déférence.

– Heureux de vous revoir, général, après notre trop court entretien à Pi-Ramsès. Comme on m'a dit le plus grand bien de vos troupes d'élite, j'aimerais vérifier par moi-même. Un fond de scepticisme, sans doute... Mais certains sages ne recommandent-ils pas le doute constructif ? Ne perdons pas de temps, le mien comme le vôtre sont précieux. Montrez-moi vos casernes.

– Dois-je comprendre... qu'il me faut donner un ordre de mobilisation générale ?

– Pas du tout, général ! Grâce à la poigne du pharaon Mérenptah, nos ennemis potentiels se tiennent tranquilles, et la situation est calme. J'accorde néanmoins le plus grand intérêt aux garnisons thébaines, car qui peut prévoir l'avenir ? Une seule certitude est acquise : le vieillissement. Mon bien-aimé père subit le poids des années, comme tout un chacun ; le jour où il me faudra lui succéder, j'espère pouvoir compter sur la fidélité de l'ensemble des dignitaires et des officiers supérieurs Me fais-je bien comprendre, général?

– Thèbes vous est dévouée, seigneur, et elle le restera.

– Mon fils Amenmès s'est-il plu ici?

– Je crois qu'il a apprécié la région, mais surtout l'étalon que j'ai eu le plaisir de lui offrir et qu'il a ramené dans la capitale.

– Amenmès est un bon cavalier et un rêveur qui aime s'amuser. S'il sait rester à sa place, il mènera une existence agréable, dépourvue de soucis. N'est-ce pas, pour lui, la meilleure des destinées?

64.

Sous la présidence du scribe de la Tombe, le tribunal de la Place de Vérité entérina l'adoption de Paneb par le couple que formaient Claire, la femme sage, et Néfer le Silencieux, chef de l'équipe de droite et maître d'œuvre de la confrérie. Il serait désormais désigné dans tout document officiel comme Paneb, fils de Claire et de Néfer, hériterait de ses parents adoptifs et serait le serviteur de leur *ka* après leur décès.

Bien entendu, ce joyeux événement s'accompagnait d'une fête au village et de quelques jours de congé supplémentaires, fort appréciés après un travail intense tant sur le site de la tombe que sur celui du temple de Mérenptah.

La tête basse, Féned le Nez et les autres tailleurs de pierre se présentèrent devant Paneb.

— Nous autres, on n'est pas du genre à s'excuser... Mais on

a commis une bourde et l'on voulait que tu saches qu'on le sait. Enfin, il serait peut-être bon de conclure la paix. Après tout, l'essentiel est de former une équipe, et l'on peut dire qu'aujourd'hui tu es définitivement adopté.

— Tu es vraiment doué pour les discours, estima Paneb en lui donnant l'accolade.

— Te souviens-tu de la promesse que je t'avais faite, il y a plusieurs années ? demanda le maître d'œuvre à son fils adoptif.

— Tu les as toutes tenues, au-delà de mes espérances.

— Celle-là, pas encore. Pour être sincère, j'attendais que tu sois prêt à recevoir pleinement ce qui va t'être offert.

Et Paneb se souvint.

— Tu veux parler... d'un voyage aux pyramides de Guizeh, près de Memphis ?

— Ta mémoire est excellente.

— Mais la tombe... mes peintures...

— La salle du sarcophage est creusée ; il ne reste plus qu'à polir les murs et à les préparer pour le quadrillage. Ched le Sauveur dirigera l'équipe pendant notre absence.

Paneb faillit étouffer son père adoptif en l'embrassant.

— Jusqu'à mon retour, dit Néfer à son épouse, tu assumeras la fonction de maître d'œuvre de la confrérie en plus de celle de femme sage. Désolé de t'imposer ce surcroît de responsabilités, mais il est maintenant nécessaire de faire découvrir à Paneb le message des pyramides. Aucune difficulté majeure ne devrait survenir, ni à la tombe ni au temple.

— Le Nord est-il aussi calme qu'on le prétend ? s'inquiéta Claire.

— La récente visite de Séthi tend à prouver que l'imminence d'un conflit est écartée. Et même si la situation se dégradait, Memphis ne serait pas concernée.

— Sois tout de même très prudent...

— Avec notre fils à mes côtés, quel péril redouterais-je ? Toi et Kenhir serez les seuls informés de notre destination et de la durée de notre voyage. Le scribe de la Tombe a loué un bateau au nom du chef des auxiliaires, et nous partirons demain, avant l'aube.

— C'est étrange... Je ressens ce voyage tantôt comme un doux soleil couchant, tantôt comme un orage imprévisible. Promets-moi de ne prendre aucun risque, Néfer.

Le maître d'œuvre embrassa tendrement son épouse.

Paneb absorbait les paysages comme s'il buvait un grand cru du Delta et il appréciait la chaleur croissante d'avril, encore tempérée par le vent du nord. Toujours à l'avant du bateau, il avait le sentiment de prendre possession d'une terre nouvelle dont il gravait chaque aspect dans sa mémoire.

Le voyageur découvrait de charmants villages aux maisons blanches bâtis sur des buttes, hors de portée de l'inondation, des palmeraies et une campagne paisible parsemée de petits sanctuaires et de temples imposants que desservaient des embarcadères.

Mais toutes ces merveilles n'étaient rien en comparaison du prodige que Paneb découvrit à l'aube, baigné par la lumière de l'orient : le plateau de Guizeh où se dressaient les pyramides de Khoufou, de Khâ-ef-Râ et de Men-kaou-Râ*, gardées par un sphinx gigantesque, au visage de pharaon et au corps de lion.

Assommé par tant de beauté et de grandeur, le colosse demeura longtemps en contemplation devant les géants de pierre dont le revêtement de calcaire étincelait sous le soleil.

— Les bâtisseurs de l'Ancien Empire ont ainsi recréé les origines de la vie, indiqua Néfer : l'unité s'est transformée en trois éminences, surgies de l'océan primordial.

---

* Khoufou, « Qu'il (Dieu) me protège », connu sous le nom grec de Khéops ; Khâ-ef-Râ, « Râ, il se lève en gloire », Khéphren ; Men-kaou-Râ, « la puissance créatrice de Râ est stable », Mykérinos.

– Est-ce la raison pour laquelle une petite pyramide surmonte les tombes de Serviteurs de la Place de Vérité ?

– Même sous une forme modeste, ce symbole nous relie à nos prédécesseurs de l'âge d'or. La pyramide est un rayon de lumière pétrifié qui provient de l'au-delà, où la mort n'existe pas.

Néfer conduisit Paneb jusqu'à l'ancien atelier des plans où avaient été conçues les pyramides géantes ; là travaillaient les tailleurs de pierre chargés d'entretenir les tombes des dignitaires qui avaient fidèlement servi les monarques bâtisseurs.

Chauve et trapu, le chef d'atelier accueillit les visiteurs.

– Qui êtes-vous ?

– Je m'appelle Néfer le Silencieux, et voici mon fils adoptif, Paneb l'Ardent.

Le chef d'atelier recula d'un pas.

– Tu n'es quand même pas... le maître d'œuvre de la Place de Vérité ?

Néfer lui montra son sceau.

– Tous les tailleurs de pierre du pays ont entendu parler de toi... C'est un grand bonheur de te recevoir ici !

– J'aimerais que tu dévoiles à Paneb la géométrie sacrée des pyramides. Nous aurions pu le faire au village, mais j'ai préféré qu'il bénéficie de cette révélation face aux monuments eux-mêmes.

L'enseignement débuta aussitôt.

Paneb découvrit la réalité du triangle 3/4/5, le Trois correspondant à Osiris, le Quatre à Isis et le Cinq à Horus ; au cœur de la pierre vivait la triade divine rendue agissante par la proportion dorée, clé du principe d'harmonie inscrit dans les formes naturelles et de la cohérence d'un édifice. Il apprit les lois de l'équilibre dynamique de l'architecture où la symétrie n'avait aucune place, et il réussit à reproduire des calculs complexes dont celui du volume d'un tronc de pyramide.

Enthousiaste, Paneb démontra à Néfer qu'il avait bien assimilé les leçons.

– Ne sombre pas dans la théorie, recommanda le maître d'œuvre. Ne te fie qu'à la vérité de la matière et à l'expérience de la main; considère chaque monument, qu'il s'agisse d'une petite stèle ou d'un temple immense, comme un être vivant et unique.

– Mais… je suis d'abord un peintre !

– Nous sommes ici pour élargir ta vision, Paneb. Un artisan de la Place de Vérité doit savoir tout faire, car nul ne peut prévoir à quelle tâche il sera appelé pour le bien de la confrérie.

Chaque soir, le père et le fils assistèrent au coucher du soleil sur les pyramides de Guizeh, et Paneb vécut des heures inoubliables.

Le pharaon Mérenptah sortait du temple d'Amon où il avait célébré le rituel du matin lorsqu'il fut abordé par le chef de sa garde personnelle.

– Un messager en provenance de Syrie vient d'arriver au palais, et il souhaiterait vous voir d'urgence, Majesté.

Le roi le reçut dans la salle d'audience.

– La situation est très grave, Majesté; c'est une énorme coalition qui se prépare à attaquer l'Égypte en franchissant notre frontière du Nord-Est.

– Qui sont les coalisés ?

– D'après nos espions sur place, des Achéens, des Anatoliens, des Étrusques, des Lyciens, des Sardes, des Israéliens et des Crétois, auxquels se sont ajoutés des Libyens et des Bédouins. Ils forment une masse de plusieurs milliers d'hommes décidés à nous envahir en ravageant tout sur leur passage.

– Pourquoi n'ai-je pas été prévenu plus tôt ?

– Des difficultés de transmission… Et l'incrédulité des fonctionnaires en poste dans la région. Nos diplomates estimaient que le souvenir de Ramsès le Grand était assez vivace pour empêcher une pareille coalition de s'organiser.

Mérenptah convoqua aussitôt son conseil de guerre auquel

le messager fournit un maximum de détails sur la position de l'ennemi et son armement.

— Que proposez-vous ? demanda le roi.

— Il n'y a qu'une stratégie efficace, Majesté, estima le plus vieux des généraux : masser nos troupes à la frontière et la rendre infranchissable.

Ses collègues l'approuvèrent.

— Si nous agissions ainsi, observa Mérenptah, les coalisés raseraient de nombreux villages et ils massacreraient une multitude de civils qui se croyaient placés sous notre protection.

— Ce sont les malheurs de la guerre, Majesté.

— En choisissant la passivité, général, nous risquons la défaite ! C'est une autre stratégie que nous adopterons : attaquer l'ennemi pendant sa progression, au cœur de la Syro-Palestine.

— Ce serait une manœuvre très audacieuse, Majesté, et...

— Telle est ma décision, général, et nous engagerons la totalité de nos forces dans ce combat pour frapper fort et vite.

L'aide de camp de Mérenptah avertit le roi qu'un autre messager demandait à être reçu sans délai. Le chef de la sécurité militaire de la frontière du Nord-Ouest fut invité à s'exprimer devant le conseil de guerre.

— Je suis extrêmement inquiet, Majesté ! Les tribus libyennes viennent de se fédérer et, sans nul doute, elles se préparent à nous attaquer !

L'est et l'ouest du Delta menacés, le nord de l'Égypte pris dans un étau d'où il ne sortirait pas indemne, une civilisation millénaire qui menaçait de s'effondrer...

— À ton avis, dans combien de temps les Libyens seront-ils prêts à déclencher les hostilités ?

— Environ un mois... Surtout si leur objectif est Memphis, comme nos espions le supposent.

Les membres du conseil de guerre frémirent.

— Appelons les troupes thébaines en renfort pour protéger la ville, proposa l'un d'eux.

– Hors de question, trancha le roi. Si les Nubiens profitaient des troubles pour se révolter, Thèbes serait sans défense.

– Mais alors, Majesté...

– Notre ligne de conduite est toute tracée : il nous reste un mois pour détruire la coalition et revenir en hâte de Syro-Palestine afin de sauver Memphis de l'agression libyenne. La survie de l'Égypte est à ce prix.

65.

Après avoir initié Paneb aux lois de la geométrie, les tailleurs de pierre l'avaient convié à visiter, en compagnie de Néfer, la vieille cité, première capitale de l'Égypte. Le fils adoptif du maître d'œuvre avait découvert l'ancienne citadelle aux murs blancs, les temples de Ptah, d'Hathor et de Neit, les palais royaux et le quartier des artisans, avant de finir la journée dans une taverne où l'on servait une délicieuse bière fraîche.

La joyeuse bande n'était pas avare d'histoires drôles ; Paneb s'apprêtait à raconter les siennes lorsqu'un officier, suivi d'une dizaine de soldats, pénétra dans la taverne.

– Silence ! ordonna-t-il. Écoutez-moi tous avec attention.

Inquiets, les regards convergèrent vers l'officier.

– Les troupes casernées à Memphis sont en état d'alerte, car nous redoutons une attaque libyenne d'un jour à l'autre.

Étant donné la gravité de la situation, il nous faut un maximum de volontaires pour défendre la ville ; si elle tombait aux mains de l'adversaire, la population serait massacrée. J'espère que vous saurez vous montrer courageux.

Néfer voulut se lever, comme les autres, mais Paneb l'en empêcha en lui posant fermement la main sur l'épaule.

— Pas toi, mon père. Tu es le maître d'œuvre de la Place de Vérité, tu ne dois pas risquer ta vie.

— Et toi, tu es peintre et...

— Si j'étais tué au combat, Ched le Sauveur terminerait le travail.

L'un des tailleurs de pierre memphites s'exprima au nom de ses camarades.

— Paneb a raison, et l'officier l'approuvera, lui aussi. Chacun connaît l'importance que le roi accorde à la Place de Vérité. Ta place est là-bas, Néfer.

— Mais Paneb est un membre de mon équipe et...

— Justement, coupa Paneb. À moi de défendre l'honneur de notre confrérie. Sois tranquille, les Libyens ne seront pas déçus.

Mérenptah avait frappé vite et fort, engageant la quasi-totalité de ses troupes dans un assaut décisif, au moment où les chefs des coalisés se querellaient pour des problèmes de pré-séance et de répartition du prodigieux butin qu'ils considéraient déjà comme acquis.

La première armée égyptienne avait attaqué par l'est, la deuxième par le sud et la troisième par l'ouest. La quatrième s'était contentée d'intervenir en renfort, alors que la bataille était déjà gagnée. Désorganisés, recevant des ordres contradictoires, les coalisés avaient éclaté comme une grenade trop mûre. Certains fuyards s'étaient réfugiés dans les villes de Gézer et d'Ascalon, que les Égyptiens avaient aussitôt prises d'assaut ; d'autres avaient réussi à s'échapper pour rejoindre le gros des troupes libyennes massées à la hauteur du Fayoum, au sud-ouest de Memphis.

Le roi n'avait pas permis à ses armées de reprendre leur souffle. Les dernières poches de résistance éliminées et la Syro-Palestine de nouveau sous contrôle, il avait gagné Memphis à marche forcée.

Son fils Séthi l'attendait à l'entrée de la citadelle aux murs blancs.

— Memphis résistera à n'importe quel assaut, Majesté.

— Ne soyons pas passifs, décida le monarque, et continuons à appliquer la stratégie qui nous a offert une première victoire.

— Laisserons-nous Memphis sans défense ?

— Cette nuit, le dieu Ptah m'est apparu en rêve et il m'a donné une épée qui a écarté de moi le doute et la peur. Que les éclaireurs me fournissent la position exacte des Libyens, et nous les écraserons avant qu'ils n'attaquent.

Au terme d'une ultime séance de palabres, la décision avait enfin été prise : ce serait le chef de tribu Mérié qui mènerait dix mille combattants libyens à la conquête de Memphis.

La défaite de la coalition, au nord-est de l'Égypte, n'avait pas ébranlé sa détermination. La bataille avait été rude, les troupes égyptiennes étaient épuisées, et Memphis dégarnie. Quand ses défenseurs verraient déferler une horde hurlante de guerriers tatoués et barbus, à la chevelure nattée dans laquelle étaient plantées deux grandes plumes, ils prendraient peur et ne résisteraient pas longtemps.

Après s'être emparé de Memphis, Mérié mettrait à sac la ville sainte d'Héliopolis dont la destruction démoraliserait l'adversaire. Puis les victoires s'enchaîneraient, avant la conquête du Delta tout entier, suivie d'une invasion nubienne au sud.

La défaite des coalisés n'avait pas surpris le chef des Libyens ; leur rôle majeur ne consistait-il pas à affaiblir l'ennemi en le fixant loin de Memphis pour laisser le champ libre à la principale vague d'assaut ?

Mérié effacerait des siècles d'humiliation. Pour la première fois, la Libye vaincrait l'Égypte et s'emparerait de ses trésors. Il tuerait Mérenptah de ses propres mains en lui transperçant le corps de sa lance et il n'épargnerait aucun membre de sa famille afin d'anéantir sa dynastie.

Le nouveau roi d'Égypte se nommerait Mérié.

Le troisième jour du troisième mois de la troisième saison était torride, comme souvent fin mai. Les poignets ornés de bracelets, Mérié avait revêtu une robe chamarrée aux motifs floraux et croisé un baudrier sur sa poitrine. À sa ceinture étaient accrochés poignard et épée courte. Son coiffeur avait égalisé les poils de sa barbe en pointe et divisé son abondante chevelure en trois parties, avant de façonner une longue tresse centrale bien enroulée à sa partie inférieure et d'y planter les deux plumes d'autruche, écartées l'une de l'autre.

Après un copieux déjeuner qui avait renforcé un moral déjà élevé, les soldats libyens n'attendaient plus que le signal du départ.

Alors que Mérié sortait de sa tente, un cavalier pénétra en trombe dans le campement et il s'immobilisa devant son chef.

– Les Égyptiens... Ils sont là !

– Des éclaireurs ?

– Non, une armée, une énorme armée avec le pharaon à sa tête !

– C'est impossible ! Il n'a pas pu revenir aussi vite de Palestine.

– Nous sommes encerclés !

La première volée de flèches ne fit que de rares victimes mais elle sema la panique dans le camp libyen. Mérié eut le plus grand mal à rassembler ses hommes qui s'éparpillaient dans tous les sens. Déjà, les premiers fantassins égyptiens franchissaient les palissades sommaires, sous la protection du tir fourni et ininterrompu des archers.

– Au canal, vite !

LA PIERRE DE LUMIÈRE

Tenter de défendre le campement aurait été suicidaire. Il fallait trouver refuge sur les bateaux et battre en retraite.

Les flammes qui montaient vers le ciel clouèrent Mérié sur place. Pharaon avait attaqué de tous côtés et incendié les embarcations. Autour du chef des Libyens, les hommes tombaient sous les coups d'un adversaire implacable qui progressait à une vitesse fulgurante.

La bataille entrait dans sa sixième heure, et elle serait bientôt terminée. Après la débandade initiale, les Libyens s'étaient ressaisis et avaient combattu pied à pied, sachant que l'ennemi ne ferait pas de quartier. Mérié avait rameuté ses dernières forces pour tenter une contre-attaque, avec l'espoir de briser l'encerclement.

S'amusant comme un fou, Paneb avait vu les Libyens se répandre sur les digues comme des souris et il en avait rattrapé une bonne cinquantaine à la course. Épées et poignards n'effrayaient pas le jeune colosse qui brisait allégrement les avant-bras avant d'assommer l'adversaire d'un coup de poing. Il entassait ses prisonniers de place en place sous les yeux ébahis des fantassins.

Le campement libyen était en feu, et la fumée favorisait la fuite des vaincus. Au passage, Paneb en estourbit une dizaine qui eurent le tort de s'enfuir dans sa direction.

Il en repéra un grand, vêtu d'une robe bariolée et chaussé de sandales de luxe, qui tentait de monter sur un char tiré par un cheval trop effrayé pour avancer. L'animal se cabra en hennissant, et le Libyen renonça.

– Toi, là-bas ! hurla Paneb. Rends-toi ou je te brise les os !

Mérié lança son javelot, mais son bras avait tremblé et l'arme frôla l'épaule du colosse. Irrité, Paneb se rua sur le sauvage qui avait failli le blesser.

Un Libyen tenta de protéger la fuite de son chef, mais Paneb lui fit éclater le nez d'un coup de coude. Affolé, Mérié avait ôté ses sandales afin de courir plus vite ; son poursuivant piétina les deux plumes tombées sur le sol, souillé du sang des Libyens, et d'un bond, il lui sauta sur le dos.

La victoire à peine acquise, une nuée de scribes avaient entamé leur comptabilité pour remettre au pharaon un rapport détaillé.

Leur supérieur se présenta devant le roi qui contemplait le champ de bataille où ses hommes venaient de sauver l'Égypte.

— Sous réserve de vérifications ultérieures, Majesté, voici les premières estimations des biens prélevés sur l'ennemi : 44 chevaux, 11 594 bœufs, ânes et béliers, 9 268 épées, 128 660 flèches, 6 860 arcs, 3 174 vases de bronze, 531 bijoux d'or et d'argent et 34 pièces d'étoffe. 9 376 Libyens ont été abattus, 800 faits prisonniers, les autres ont disparu.

— Comptez un prisonnier de plus, leur chef ! clama la voix puissante de Paneb qui poussait devant lui un Mérié tremblant de tous ses membres.

Ce dernier se jeta aux pieds de Mérenptah pour implorer son pardon.

— Je te connais, dit le roi au colosse. N'es-tu pas un artisan de la Place de Vérité ?

— Je suis Paneb, fils de Néfer le Silencieux et de Claire, la femme sage, Majesté, répondit le peintre en s'inclinant.

— Pourquoi te trouves-tu ici ?

— Néfer voulait me faire connaître les pyramides et Memphis... La bienveillance des dieux m'a permis de participer à ce combat et de vous ramener ce lâche qui tentait de s'enfuir.

L'exploit de Paneb serait vite célébré dans le pays entier, et l'on saurait que la Place de Vérité n'avait pas hésité à se battre aux côtés des soldats de Pharaon.

— Je te confie une importante mission, Paneb. Un scribe te remettra un papyrus contenant le récit de ma victoire sur les Libyens et de la lumière sur les ténèbres. Tu te rendras à Karnak et tu graveras ce texte sur la paroi intérieure du mur est de la cour du septième pylône du temple d'Amon. Tous ici présents, vénérons-le pour avoir guidé nos cœurs et rendu fermes nos bras.

Une prière muette monta vers le ciel bleu d'une chaude soirée de mai au cours de laquelle les Deux Terres savouraient la paix sauvegardée.

66.

La lettre du gouverneur d'Éléphantine était alarmiste : d'après des informateurs dignes de confiance, une révolte se préparait en Nubie. Plusieurs tribus considéraient le moment favorable pour envahir l'Égypte par le sud et tenter une jonction avec les conquérants du nord. Il serait temps, alors, d'entamer des négociations et de se partager les dépouilles du géant fracassé.

Méhy ne pouvait intervenir sans l'ordre du pharaon qui aurait peut-être besoin des troupes thébaines dans le Delta ; aussi se contenta-t-il de mettre les garnisons en état d'alerte et d'envoyer un messager à Pi-Ramsès pour demander des instructions précises.

L'arrivée du prince Amenmès dissipa les doutes.

– Victoire totale, général ! Les Libyens et leurs alliés ont été exterminés. La stratégie du roi a fait merveille : fondre sur l'ennemi avant qu'il n'attaque.

Ces nouvelles ne déridèrent pas Méhy.

— Vous semblez contrarié, général... Le triomphe de Mérenptah ne vous satisferait-il pas ?

— Il me réjouit au plus haut point, mais un autre danger vient de surgir : une révolte en Nubie.

— Le pharaon l'avait prévue, et je suis précisément de retour ici pour vous transmettre ses ordres : attaquer immédiatement en laissant à Thèbes un minimum de soldats. Nous partagerons le commandement.

Si Mérenptah n'avait envoyé que le prince Amenmès, c'est qu'il comptait sur l'autorité de Méhy et la puissance de l'armée thébaine pour écraser des Nubiens courageux mais mal organisés. L'aventure intéressait le général qui expérimenterait ainsi, lors d'un véritable conflit, les nouvelles pointes de flèches et les épées courtes qui venaient d'être fabriquées grâce aux techniques préconisées par Daktair.

— Mes hommes sont prêts à partir, prince.

— Ce sera ma première victoire, général !

Acclamé par les auxiliaires déjà informés de ses exploits, qui s'amplifiaient sans cesse en passant de bouche à oreille, Paneb fut accueilli avec chaleur par les deux équipes de la Place de Vérité.

— Il paraît que tu as tué plus de cent Libyens ? questionna Nakht.

— Je n'ai tué personne mais j'ai fait quelques prisonniers, dont leur chef.

— Tu as vu le roi ? demanda Païou le Bon Pain.

— Il m'a ordonné de graver le récit de sa victoire sur un mur de Karnak.

Les artisans s'écartèrent pour laisser passer le maître d'œuvre.

– On m'a mis de force sur un bateau en partance pour Thèbes, expliqua Néfer, alors que je voulais rester à Memphis.

– Excellente initiative de la part de nos collègues, jugea Paneb. Comme je te l'avais promis, je n'avais vraiment rien à craindre. Et puis, à travers moi, le pharaon a décidé de récompenser la confrérie.

– Nous offre-t-il un ravitaillement de choix et des grands vins ? interrogea Rénoupé le Jovial.

– Ils nous seront livrés demain, et nous recevrons aussi une belle quantité de métaux précieux dont une partie servira à fabriquer des outils.

– Et l'autre ? s'inquiéta Féned le Nez.

– Elle sera répartie entre nous.

– Alors, constata Didia le Généreux, on va devenir riches !

– Moi, décida aussitôt Karo le Bourru, je vais m'acheter une vache laitière.

Pendant que chacun annonçait haut et fort ses projets d'artisan aisé, Paneb embrassait son fils que lui avait amené Ouâbet la Pure, très fière des exploits de son époux.

– J'ai eu peur, avoua-t-elle, mais je savais que tu reviendrais.

– Même un petit bout de femme comme toi aurait vaincu les Libyens ! Ils ne savent que courir, seuls leurs tatouages sont effrayants. J'ai rapporté les deux plumes du chef pour Aperti ; elles lui rappelleront qu'il ne faut jamais s'enfuir.

– Tu es devenu un héros, estima Ched le Sauveur, non sans ironie.

– Sais-tu à quoi je pensais avant d'assommer du Libyen ? Aux peintures de la tombe royale qui restent à créer.

– En ton absence, je n'ai guère avancé.

– Ipouy et Rénoupé m'aideront à graver les hiéroglyphes à Karnak, et je reviendrai dès que possible dans la Vallée des Rois. Si tu voyais les couleurs que j'ai dans la tête...

Paneb crut discerner une sorte de soulagement dans le

regard de Ched le Sauveur, comme si le maître avait attendu son disciple avec impatience. Mais il se trompait sûrement.

La fête avait duré toute la nuit, et chacun avait compris que Paneb, en dépit de ses excès, était un élément indispensable de la confrérie. Même ses adversaires les plus résolus devaient reconnaître que sa bravoure les avait enrichis.

Néfer pénétra le premier dans la chambre à coucher. Fatigué, il allait s'allonger sur le lit lorsque la voix de Claire le figea sur place.

— N'avance plus, je t'en prie !

Claire alluma une lampe et se porta à la hauteur de son mari.

La flamme leur permit de distinguer un énorme scorpion noir en position d'attaque, sur l'oreiller. Si le maître d'œuvre s'était allongé, il aurait été piqué dans la nuque et il n'aurait eu que peu de chances de survivre.

— Recule doucement, lui recommanda-t-elle.

— Je vais chercher un bâton.

— Ne tente pas de le combattre... Une énergie mauvaise l'habite. C'est elle que j'ai perçue.

La femme sage avança, le scorpion aussi.

— Tiens-toi immobile, je te ferme la bouche ! déclara-t-elle en récitant une antique formule révélée par la déesse Isis. Que ton poison se fige, sinon je coupe la main d'Horus et j'aveugle l'œil de Seth. Tiens-toi tranquille, comme Seth le vindicatif devant Ptah, le maître des artisans ! Retourne ton poison contre toi-même, repars dans les ténèbres d'où tu proviens !

Le monstre tourna sur lui-même et il sembla diminuer de volume. Soudain, avec une violence qui surprit la femme sage, il se piqua lui-même et mourut sous leurs yeux.

Claire brûla le cadavre.

— Quelqu'un a introduit ce tueur dans notre chambre, estima-t-elle, et il a prononcé sur lui un charme que tous les artisans connaissent pour éviter d'être piqués dans la montagne.

Mais il a inversé les paroles magiques pour faire grossir le scorpion et le rendre plus agressif.

– Encore cet avaleur d'ombres... Quand cessera-t-il de nuire ?

– Il est allé trop loin pour renoncer. Désormais, tu porteras une amulette représentant le nœud d'Isis ; à l'intérieur, j'insérerai un minuscule papyrus sur lequel seront écrites des formules de protection.

Grâce à un vent soutenu, la flotte égyptienne avançait vite vers le Grand Sud. Méhy avait fait embarquer une importante quantité de vivres, comme s'il prévoyait une rude et longue campagne. Le prince Amenmès avait également été impressionné par le nombre de flèches, d'arcs, de javelots et d'épées stockés dans un bateau de charge.

– Nous avons progressé, révéla le général à Amenmès ; la pointe des javelots est à présent aussi dure et solide que celle des flèches, et elle est capable de percer une armure. Quant au tranchant des épées, il vous surprendra.

– Autant d'armes nouvelles... C'est extraordinaire !

– Elles nous seront utiles pour vaincre les Nubiens... Mais ne pensez-vous pas que, pour un certain temps, leur usage devrait être limité aux troupes thébaines ?

– Sage suggestion, général.

Amenmès appréciait de plus en plus l'attitude de Méhy, qui le rendait dépositaire d'un secret militaire de la plus haute importance. Dès que la succession de Mérenptah serait ouverte, une lutte sans pitié s'engagerait entre Séthi et son fils ; et ce dernier disposait à présent d'un avantage qui pourrait s'avérer d'autant plus décisif que son père en ignorerait l'existence. Méhy avait choisi son camp, celui de la jeunesse et de l'ambition justifiée, et Amenmès saurait s'en souvenir lorsqu'il monterait sur le trône.

– Ce paysage est superbe mais angoissant, jugea le prince ;

des archers pourraient s'embusquer dans les bosquets de pal-
miers.

– J'ai envoyé plusieurs éclaireurs à cheval. Les uns ont
emprunté la piste qui longe le Nil, les autres celles du désert.
Dès qu'ils repéreront l'ennemi, ils feront demi-tour pour nous
prévenir.

– Vos hommes semblent très confiants...

– Ils sont simplement bien entraînés et prêts à réagir au
moindre danger. C'est le résultat de la réforme que j'ai mise en
œuvre depuis plusieurs années pour réveiller des garnisons
endormies.

Amenmès admirait le général. Sa cour ne se composerait
que de caractères bien trempés comme le sien.

Au loin, un nuage de poussière.

Un éclaireur.

Grâce au rapport précis du cavalier, les troupes thébaines
avaient attaqué par surprise le campement nubien. Et les armes
nouvelles avaient prouvé leur terrifiante efficacité ; flèches et
lances avaient aisément percé les boucliers nubiens, tandis que
les glaives brisaient poignards et javelots adverses.

En dépit de leur courage, les guerriers noirs ne résistèrent
pas longtemps et ils se trouvèrent bientôt réduits à un dernier
carré qui, malgré les injonctions du vainqueur, refusa obstiné-
ment de se rendre.

Méhy ordonna à ses archers de s'éloigner, et les Nubiens
crurent qu'il leur laissait la vie sauve.

Mais le général voulait savoir jusqu'à quelle distance les
nouvelles pointes de flèches s'enfonceraient dans les chairs.
L'expérience ne le déçut pas, car aucun Nubien ne survécut à
un tir pourtant si lointain qu'il aurait dû être inoffensif.

Avertie du massacre, la seconde tribu révoltée déposa les
armes, et son chef supplia le général Méhy de lui accorder son
pardon. Ce dernier s'effaça devant le prince Amenmès qui jugea

nécessaire de faire preuve de fermeté en condamnant les insurgés aux travaux forcés à perpétuité dans les mines d'or.

    – Prince, lui dit le général avec déférence, vous pouvez
écrire au roi que vous avez mis fin à la révolte nubienne et que
l'Égypte n'a plus rien à craindre du Grand Sud. Mes hommes
et moi-même vous félicitons pour ce magnifique succès qui sera
certainement fêté avec éclat à Pi-Ramsès comme à Thèbes.

    La première victoire d'un futur pharaon... Amenmès écoutait avec délices les paroles du général qui avait su discerner sa
véritable nature.

67.

À la suite du maître d'œuvre, Paneb emprunta la série de couloirs rectilignes menant jusqu'à la chambre funéraire du pharaon Mérenptah qu'éclairaient des lampes dont la mèche ne fumait pas.

Les deux hommes s'immobilisèrent sur le seuil de la grande salle voûtée que soutenaient deux rangées de colonnes, à l'est et à l'ouest. Au nord et au sud avaient été creusées quatre petites pièces où seraient déposés les éléments du trésor royal, alors que seize niches aménagées dans les murs est et ouest recevraient des statuettes destinées à veiller sur le sarcophage où, nuit après nuit, jour après jour, s'accomplirait le mystère de la résurrection, hors de la vue des humains.

Au-delà de la vaste pièce, une sorte de crypte formée de trois chapelles dont la plus étroite, axiale, s'enfonçait dans la roche.

– Le travail des tailleurs de pierre est terminé, déclara Néfer. Aux dessinateurs et aux peintres de rendre ces murs vivants, à l'exception de la dernière pièce.

– La tombe doit-elle demeurer inachevée?

– Seulement en apparence, comme toutes celles de la Vallée. C'est à l'invisible et à la roche mère, non à l'homme, de poser le dernier regard sur une demeure d'éternité.

La surface à décorer était considérable, et Paneb sentit monter en lui un désir intense d'animer ces parois encore muettes.

– Combien de temps accordes-tu aux peintres?

– Les figures symboliques choisies par Ched seront d'une exécution particulièrement difficile, mais en accord avec les dimensions du lieu. Nous sommes ici dans le ciel, et le temps ne compte plus; seule importe la qualité de l'œuvre.

À six ans, Aperti avait déjà la stature d'un adolescent. Doté d'un appétit féroce, il commençait à mettre en pratique les enseignements de son père en n'hésitant pas à jouer des poings pour s'imposer à ses compagnons de jeux dont il avait pris la tête.

Mais son père, qui avait des idées bien arrêtées sur l'éducation, ne se contentait pas de ces premiers succès. Comme les autres enfants nés dans la Place de Vérité, il serait libre de quitter le village pour exercer la profession de son choix après avoir appris à lire et à écrire; certains choisissaient de poursuivre leurs études à l'école des scribes de Karnak, d'autres devenaient gestionnaires de domaines ou s'installaient en ville comme artisans. Les filles qui décidaient de rejoindre l'extérieur trouvaient souvent un bon mari, flatté d'épouser une femme éduquée, et certaines se lançaient dans les affaires.

Paneb se montrait intransigeant quant aux résultats scolaires d'Aperti et il lui faisait refaire lui-même les exercices ratés. Il lui apprenait aussi à colorier des poteries, à fabriquer des sandales, à aider sa mère à la cuisine et à rendre service à n'importe quel artisan qui avait besoin d'un coup de main.

Voyant le petit Aperti, à la solide charpente, porter une lourde cruche d'eau fraîche, Ouâbet la Pure jugea bon d'intervenir.

— N'exiges-tu pas trop de ton fils, Paneb ?

— Il ne faut pas économiser ses forces quand on est jeune. Ce gaillard-là possède de l'énergie à revendre, et c'est en se rendant utile qu'il apprendra à vivre. Les mains molles et les pieds fatigués ne produisent que des incapables.

— Aperti n'a que six ans !

— Il a déjà six ans... Par chance, Gaou le Précis et Paï le Bon Pain ont accepté de lui apprendre les rudiments du calcul. Comme Aperti a souvent la tête en l'air, il se fera taper sur les doigts, et quelques bons coups de bâton lui ouvriront l'oreille qu'il a sur le dos.

Revenant de la cuisine, le gamin enfonça le poing dans le mollet de son père.

— Trop mou, garçon ! Tu manques d'entraînement. Viens, nous allons boxer.

Les parois et les plafonds de la chambre funéraire de la tombe de Mérenptah étaient prêts à recevoir un décor d'une exceptionnelle complexité. Ched le Sauveur avait mis toute sa science dans ce projet dont l'ampleur avait étonné Paneb.

Afin de se préparer à cette tâche qui dépasserait peut-être ses capacités, le jeune peintre avait décidé de passer la soirée seul, au bord d'un canal longeant les cultures. Le soleil se couchait, les paysans ramenaient leurs troupeaux des champs, et des airs de flûte s'entrecroisaient dans la tiédeur du crépuscule.

Quand elle sortit de l'eau, Paneb crut qu'elle était la déesse dangereuse dont parlaient les contes, celle qui séduisait les hommes pour les détourner du droit chemin et les entraîner vers une mort si douce qu'ils s'endormaient dans ses bras en écoutant son chant.

Mais il la reconnut à ses longs cheveux roux qui tombaient en cascade sur son corps nu. Turquoise ondulait avec une grâce sensuelle, si émouvante que Paneb se précipita vers elle. Mais au moment où il allait la toucher, sa maîtresse se déroba et plongea dans le canal.

Elle nageait avec moins de puissance que son amant, mais avec davantage de souplesse ; à plusieurs reprises, elle lui échappa alors qu'il croyait la saisir. Puis elle se laissa prendre, et ils remontèrent à la surface, enlacés et fous de désir. Le visage baigné par les derniers rayons du couchant, ils s'aimèrent avec passion avant de s'étendre sur la berge.

— Ignores-tu, Paneb, que des créatures dangereuses habitent les eaux et qu'il faut les conjurer avec des formules magiques ?

— Lesquelles désires-tu entendre ?

— Celles d'un peintre qui ne s'endort pas dans le confort douillet de sa petite famille. Très peu d'êtres ont eu le privilège de décorer la chambre de résurrection d'un pharaon. Cette chance miraculeuse, n'es-tu pas en train de la gâcher en perdant ton énergie dans des occupations ordinaires ? N'importe qui est capable d'aimer son épouse et d'être un bon père de famille. Mais toi, tu as été choisi par Ched pour faire vivre des symboles d'éternité au cœur de la Vallée des Rois.

Paneb ferma les yeux.

— Si je t'avouais que j'ai peur de ce qui m'attend, me croirais-tu ? Je ne cesse de penser à cette salle que le maître d'œuvre m'a montrée et aux scènes esquissées par Ched... J'ai réalisé mon rêve, je sais dessiner et peindre, mais cette tombe exige davantage de moi. Peut-être n'en sortirai-je pas vivant... C'est pourquoi je lègue à mon fils ce que j'ai appris. Le comprends-tu ?

Comme elle ne répondait pas, il ouvrit les yeux.

Turquoise avait disparu.

Un instant, Paneb se demanda s'il n'avait pas été victime de l'apparition de la redoutable séductrice résidant entre deux eaux ; mais ni les actes ni les paroles de Turquoise ne l'avaient entraîné vers le néant.

Dans la grande salle d'audience du palais de Pi-Ramsès, le général Méhy comparut devant le pharaon Mérenptah pour lui rendre compte des mesures de pacification qu'il avait prises en Nubie et de sa gestion de la province thébaine dont les résultats paraissaient excellents.

Le roi, qui avait écouté d'une oreille distraite, ne fit aucun commentaire et se retira dans ses appartements privés dès que Méhy eut terminé son rapport.

Déçu et inquiet, ce dernier quittait le palais à pas lents lorsque Séthi l'interpella.

— Vous avez l'air contrarié, général ! Pourtant, on ne dit que du bien de vous, à Pi-Ramsès.

— Pour être sincère, j'ai eu le sentiment que mon rapport ne satisfaisait pas Sa Majesté.

— Le roi vous aurait-il adressé des critiques ?

— Non, aucune.

— Alors, soyez sans crainte ! Mon père n'a aucun goût pour la diplomatie. Quand il est mécontent, sa parole devient aussi tranchante qu'une épée.

Séthi baissa la voix.

— Confidentiellement, le roi était un peu souffrant, ces derniers jours. Il avait réduit ses audiences au minimum, et le simple fait de vous avoir reçu prouve qu'il vous tient en haute estime. De nombreux dignitaires n'ont pas eu votre chance.

— J'espère que la santé de notre souverain ira en s'améliorant...

— Nos médecins sont compétents, et la constitution de mon père robuste, mais le destin de chacun d'entre nous n'est-il pas entre les mains des dieux ? Dites-moi, général... Vos troupes se sont remarquablement comportées en Nubie, paraît-il ?

— Leur courage fut exemplaire, en effet.

— Mon fils Amenmès s'est-il vraiment montré à la hauteur ?

– Il a pris part au combat avec une belle ardeur, et vous pouvez être fier de lui.

– Accepteriez-vous de me rendre un grand service, général ?

– Si mes modestes capacités me le permettent...

– Je crains que, en raison de sa jeunesse et de son inexpérience, Amenmès n'ait de mauvaises réactions. Il me paraît indispensable de l'éloigner quelque temps de la capitale jusqu'à ce que l'avenir s'éclaircisse... Et je pense qu'un homme de votre qualité pourrait aider mon fils à mûrir et à prendre conscience de ses responsabilités. Amenmès se plaira beaucoup à Thèbes, j'en suis certain. Qui ne souhaiterait vivre dans cette ville superbe, sous la protection du dieu Amon ?

– Ainsi, je suis condamné à l'exil ! s'emporta le prince Amenmès.

– Votre père ne m'a pas présenté votre séjour à Thèbes comme un châtiment, indiqua Méhy.

– Il me prend pour un imbécile et il veut m'écarter de la cour où tant d'événements décisifs vont survenir ! Vous ignorez sans doute, général, que le roi est souffrant et que ses médecins ne sont pas optimistes. Séthi et son ambitieuse épouse s'imaginent déjà couronnés !

– Probablement, prince, mais pourquoi désespérer ? Si votre père a pris cette décision, c'est qu'il vous considère comme un rival dangereux. Thèbes se trouve loin de la capitale, mais la cité du dieu Amon domine toute la Haute-Égypte, et Pharaon ne saurait se passer de ses richesses et de la protection du maître divin de Karnak. L'équilibre du pays ne repose-t-il pas sur l'union entre le Sud et le Nord ?

– Sous-entendez-vous que Thèbes pourrait m'être fidèle en prenant le risque de s'opposer à mon père ?

– Tant que Mérenptah régnera, j'exécuterai fidèlement ses ordres.

Amenmès sourit.

– Je me rendrai à Thèbes d'un cœur joyeux, général. Avec un allié de votre envergure, mon avenir s'annonce moins sombre. Et je garderai suffisamment d'appuis à Pi-Ramsès pour soutenir ma cause.

Méhy se demandait qui, du père ou du fils, remporterait la guerre de succession. Séthi semblait favori, mais l'ambition du jeune Amenmès croissait jour après jour. Au général de continuer à jouer au plus fin pour sortir vainqueur de cette confrontation, quoi qu'il advienne.

68.

Ched le Sauveur avait terminé le portrait de Mérenptah coiffé de la très ancienne perruque à bandes bleu et or. Il avait repris une dernière fois le cobra, lui aussi de couleur or, dressé au front du monarque. Les yeux las, il descendit jusqu'à la chambre funéraire où Paneb mettait la dernière main à la scène essentielle qui représentait les trois états de la lumière, correspondant aux trois étapes de la résurrection : un enfant nu et rouge vif, un scarabée noir et un disque rouge éclairant le nom de Mérenptah. Au-dessous, la figure la plus délicate à exécuter : un bélier aux ailes immenses, évoquant à la fois la puissance de création du premier soleil et la capacité d'envol de l'âme du roi ressuscité.

— Tu as su soigner le moindre détail, Paneb, tout en simplifiant le trait et en rendant les couleurs éclatantes.

Le compliment étonna le colosse.

— Y a-t-il des motifs à rectifier ?

— Non, aucun. Aujourd'hui, je peux t'avouer que le plan du maître d'œuvre m'avait effrayé : une tombe plus vaste que celle de Ramsès, des volumes plus importants, un axe unique et un programme de sculpture et de peinture comme on n'en avait jamais réalisé... Néfer ne s'est pas contenté de copier son prédécesseur, il a créé une demeure d'éternité d'un style nouveau qui servira de modèle. Et j'ai dû moi-même changer ma manière de peindre tout en t'apprenant les bases intangibles de notre métier. Tu es né avec cette tombe, Paneb, ta main s'y est formée et tu n'as plus besoin de moi.

— Tu te trompes, Ched ; sans ton regard, je me perdrais.

— Moi seul sais que Paneb le colosse a parfois besoin de se rassurer lorsqu'il lui faut avancer dans l'inconnu... Mais tu n'as jamais hésité, et c'est la raison pour laquelle je t'ai donné tout ce qui m'a été donné. Tu n'es plus mon disciple, Paneb, mais mon égal.

— Désolé de vous importuner, déplora Imouni, mais je dois dénoncer certaines pratiques intolérables.

— Je t'écoute, dit Kenhir en continuant à écrire son chapitre sur les temples construits ou restaurés pendant le règne d'Amenhotep III.

— Gaou le Précis a utilisé trop de papyrus prélevés sur le stock attribué à la confrérie.

— Non, Imouni ; c'est moi qui les lui ai donnés afin qu'il dessine des esquisses détaillées pour le chef de l'équipe de gauche.

— Il faudra le noter de manière explicite dans le Journal de la Tombe.

Kenhir regarda son assistant par en dessous.

— Tu prétends m'apprendre mon métier ?

Imouni rosit.

— Non, bien sûr que non...

— Tu as terminé ?

430

– Je dois également signaler qu'Ouserhat le Lion a reçu un bloc d'albâtre dont la destination n'a pas été précisée sur le bordereau de livraison.

– C'est tout à fait normal, puisqu'il est destiné à la préparation du cercueil royal.

– On ne m'avait pas prévenu...

– Cela aussi, c'est tout à fait normal. Tu n'es ni le scribe de la Tombe, ni le chef sculpteur, si je ne m'abuse ?

Imouni avala sa salive mais continua à porter ses accusations.

– Le comportement de Paneb, lui, est inacceptable ! Il refuse de me préciser le nombre de pains de couleur qu'il fabrique, il utilise plus de mèches qu'il n'en faudrait et gâche un nombre incroyable de pinceaux ! Si les autres membres de l'équipe violaient le règlement comme lui, ce serait l'anarchie.

– Prenons les problèmes dans l'ordre, décida Kenhir. Y a-t-il eu des désordres sur le chantier ?

– Non, non, pas encore...

– Puis-je mentionner sur le Journal de la Tombe que Paneb n'a pas été absent une seule journée ?

– Oui, c'est exact, mais...

– Admets-tu que l'œuvre a progressé de manière satisfaisante et que je peux rédiger un rapport officiel à l'intention de Pharaon pour lui annoncer d'excellentes nouvelles ?

– Certes, mais...

– Si tu savais différencier l'essentiel du secondaire, Imouni, tu te tracasserais moins.

– Il faut pourtant prendre des sanctions contre Paneb !

– Rassure-toi, j'en prendrai.

– Puis-je les connaître ?

– Je lui adresserai une remontrance orale tout en lui demandant de ne rien changer à sa méthode de travail.

Ses consultations terminées, Claire poursuivait ses recherches. Jusqu'à présent, elle n'avait réussi qu'à freiner la dégénérescence des yeux de Ched le Sauveur, sans parvenir à trouver le remède qui empêcherait la cécité.

Quand Néfer pénétra dans son laboratoire, elle consultait une nouvelle fois un papyrus médical de l'époque des pyramides qui offrait une série de prescriptions pour vaincre les agents pathogènes capables de détruire l'œil.

— Tu travailles trop, Claire, et tu t'épuises.

Elle sourit pendant qu'il l'enlaçait tendrement.

— Ne faut-il pas tout tenter pour sauver le regard de Ched ?

— Tu ne renonces jamais... Et tu as découvert une piste, n'est-ce pas ?

— Ses yeux meurent doucement parce que des parasites dangereux s'y sont introduits et dénaturent peu à peu le sang et les liquides. Pour chasser l'obscurité qui menace d'envahir l'œil, j'ai utilisé un collyre composé d'oliban, de résine, d'huile blanche, de moelle osseuse et de suc de baumier. Le résultat ne me satisfait pas, et je crois comprendre pourquoi : il manque un produit qui dynamiserait l'ensemble et anéantirait les substances pathogènes sans abîmer l'œil.

— Lequel ?

— Un minéral que les Anciens ont appelé « sagesse ».

— Autrement dit, la pierre de lumière.

— Telle est ma conclusion, en effet ; j'ai essayé quantité d'autres minéraux, mais ils n'ont pas amélioré le remède.

— Tu souhaites donc que nous prélevions un extrait de la pierre de lumière pour l'inclure dans ta formule et tenter de guérir Ched.

— Je connais d'avance ton objection : la pierre doit rester intacte pour donner vie au sarcophage, et c'est la demeure d'éternité du pharaon que nous devons privilégier.

— En effet, Claire, et il y a une hypothèse effrayante que nous ne devons pas écarter : suppose que Ched soit celui qui trahit la confrérie.

— Non, Néfer, ce n'est pas lui.

— Pourquoi en es-tu certaine ?

– Sa manière d'être pourrait le rendre suspect, j'en conviens, et il n'éprouve que peu d'estime pour certains membres de l'équipe, mais je souhaite le guérir.

– Est-ce une exigence de la femme sage ?

– Au maître d'œuvre de décider.

Le scribe de la Tombe avait écouté l'exposé médical de la femme sage, en présence de Néfer le Silencieux.

– Déplacer la pierre de lumière avant de la transporter au tombeau de Mérenptah sous bonne garde ne me plaît pas du tout, dit Kenhir en maugréant. Dans les circonstances actuelles, c'est une démarche dangereuse. Ne peut-on attendre la fin du chantier ?

– D'ici là, Ched sera aveugle, annonça Claire. Aujourd'hui, il reste encore une possibilité de lui sauver la vue.

– Une possibilité... Pas une certitude.

– Nous avons besoin de votre accord, précisa Néfer.

– Ne devons-nous pas préférer la réussite de l'œuvre au bien-être d'un individu ?

– Ched est un peintre d'exception qui donnera la dernière touche aux scènes majeures de la tombe, et il n'a pas achevé la formation de Paneb, même s'il le considère comme son égal. Si Ched guérit, ce sont l'œuvre et la confrérie qui bénéficieront de son génie.

– Voilà bien un raisonnement de maître d'œuvre !

– Ne convient-il pas au scribe de la Tombe ?

– Comment comptez-vous procéder ?

– Étant donné l'endroit où est cachée la pierre, répondit la femme sage, j'effectuerai un prélèvement avec un ciseau de cuivre au soleil levant, lorsqu'elle se recharge de lumière. C'est le moment où les artisans et leurs épouses célèbrent le culte des ancêtres, et personne ne m'apercevra.

– Nous pourrions également proposer un leurre, avança Néfer ; si c'est bien la pierre que recherche l'avaleur d'ombres, il devrait commettre un faux pas qui lui sera fatal.

LA PIERRE DE LUMIÈRE

À l'équipe de droite rassemblée à l'intérieur du local de la confrérie, Néfer avait annoncé la fin prochaine des travaux dans la tombe de Mérenptah. Peintres et dessinateurs mettaient la touche finale à leur œuvre, tandis que les sculpteurs achevaient statues et sarcophages. Quant à Thouty, il façonnait les derniers bijoux destinés à accompagner l'âme royale dans l'autre monde.

Chacun savait que seule la pierre de lumière possédait le pouvoir de rendre vivantes les statues créées dans l'atelier du village. Et personne ne s'étonna de voir le local fermé et gardé par Paneb la veille de leur transport dans la Vallée des Rois.

Comme la journée du lendemain promettait d'être rude, on se coucha tôt.

Et le traître attendit que le village fût endormi pour aller observer l'atelier où se trouvait forcément la pierre. Tromper la vigilance du jeune colosse serait impossible, mais il ne résistait pas à l'envie de s'approcher au plus près du trésor.

Quelle ne fut pas la surprise du traître de constater que Paneb n'était pas à son poste ! Un seul verrou de bois à briser... et la pierre lui appartenait !

Les mains moites, il s'avançait, presque à découvert, quand l'angoisse le cloua au sol. Et s'il s'agissait d'un traquenard ?

Oui, bien sûr, on lui tendait un piège ! Et le trésor ne devait même pas être dissimulé à l'intérieur de ce local, surveillé depuis sa cachette par Paneb qui guettait sa proie.

Le traître s'éloigna à reculons, pas à pas, silencieux comme un félin.

69.

Ouserhat le Lion bomba le torse en regardant la statue de schiste couverte d'or qui représentait la déesse Hathor. Son corps serait éternellement jeune et svelte, et son sourire céleste illuminerait la nuit du tombeau.

– Polis encore un peu le talon gauche, demanda-t-il à Rénoupé le Jouvial.

Ce dernier s'exécuta en utilisant un galet rond enveloppé de cuir pendant que le chef sculpteur vérifiait une à une les statues en bois doré aux yeux incrustés de cornaline, de calcaire brillant et d'albâtre. Osiris, Isis et d'autres divinités veilleraient sur les trésors de Mérenptah et participeraient quotidiennement à sa résurrection.

Ipouy l'Examinateur entra en trombe dans l'atelier.

– J'espère que tout est prêt ! Demain, on nous envoie des sommités pour assister au transport des statues.

– Ouserhat le Lion a-t-il déjà fait défaut au maître d'œuvre ? Au lieu de papillonner, aide-nous à terminer.

– Je suis inquiet pour les sarcophages...

– Les directives que j'ai données aux tailleurs de pierre étaient pourtant très précises !

– Karo souffre d'une bronchite et Féned s'est blessé au pied.

– Qu'ils consultent la femme sage et qu'ils se remettent au travail !

– C'est fait, Ouserhat, mais j'ai quand même peur qu'ils n'aient du retard.

– Occupe-toi des statues, je vais voir.

Dans l'autre atelier où avaient été taillés les sarcophages royaux, Néfer le Silencieux prêtait déjà main-forte à Nakht le Puissant, Karo le Bourru, Féned le Nez et Casa le Cordage.

À la vue des chefs-d'œuvre, le chef sculpteur fut rassuré.

– Il ne reste que de minces détails à régler, estima-t-il.

– Le levage et la descente dans la tombe risquent de nous poser des problèmes, redouta le maître d'œuvre.

– Ça, c'est ma spécialité ! affirma Casa. Je vérifierai moi-même chaque cordage et je vous promets que nous n'aurons aucun ennui.

– Où se trouvent les peintres et les dessinateurs ? s'inquiéta Ouserhat.

– Ils auront terminé ce soir, répondit Néfer.

Chaque artisan avait la même pensée : jusqu'à présent, les dieux avaient été favorables. En serait-il de même lors de l'ultime étape ?

En instillant dans chaque œil le nouveau collyre préparé par la femme sage, Ched le Sauveur avait ressenti une légère brûlure, vite dissipée, mais aucune amélioration notable ne s'était produite. Depuis la veille, les couleurs avaient tendance à s'estomper, et la dégradation de sa vue s'accentuait.

LA FEMME SAGE

Dans la tombe illuminée, Ched contemplait les peintures aux couleurs éclatantes. Paneb avait réussi à entrer dans le métier au-delà de ses espérances, faisant vibrer les teintes avec une intensité que lui seul était capable de ressentir et de faire vivre.

Soudain, le détail d'une couronne royale lui parut plus précis, et les contours de l'œil royal, semblable à celui du faucon, d'une netteté surprenante. Les couleurs brillèrent davantage encore, comme si l'on venait d'allumer de nouvelles lampes.

Ched vacilla, mais il n'osa s'appuyer ni contre un mur ni contre une colonne. Ce fut le bras de Paneb qui le retint.

– Tu te sens mal?

– Non, non, au contraire...

– Ne devrais-tu pas consulter la femme sage?

Ched eut un franc sourire.

– Quelle bonne idée, Paneb, quelle merveilleuse idée! C'est la première personne que j'irai voir quand nous rentrerons au village.

Assis dans sa niche de pierre, Kenhir observait les allées et venues. Par bonheur, aucun artisan de l'équipe de droite ne manquait à l'appel. Claire avait soigné les malades pendant les deux jours de repos et n'en avait jugé aucun inapte au travail.

Le maître d'œuvre apporta de l'eau fraîche au scribe de la Tombe.

– Heureusement que quelqu'un pense à moi, dans cette confrérie! Les autres me laisseraient bien mourir de soif. S'ils croient que c'est plaisant de toujours tout contrôler pour que rien ne manque et qu'aucun reproche ne nous soit adressé... Enfin, chacun son lot de déboires. Si le tribunal de l'au-delà nous juge sur ce que nous aurons enduré, je n'ai rien à craindre.

– Notre piège n'a pas fonctionné, déplora Néfer.

— Je ne cesse d'y penser, avoua Kenhir, et cet échec me paraît plutôt rassurant.

— Ne signifie-t-il pas que l'avaleur d'ombres est aussi méfiant que rusé ?

— Peut-être, mais j'ai surtout le sentiment qu'il a constaté son impuissance à nous nuire.

Le maître d'œuvre se prit à rêver. L'un des membres de l'équipe avait choisi un mauvais chemin, en oubliant la voix de Maât et son appel. Mais cette erreur était-elle irréversible ou bien, au contact de ses frères en esprit, s'était-il rendu compte qu'il n'aboutirait qu'au malheur et s'était-il décidé à redevenir fidèle au village où il avait connu de grands moments de bonheur ?

— Ne relâchons pas notre vigilance, recommanda Kenhir, surtout à l'approche de la fin du chantier.

— Connaissez-vous les dignitaires qui assisteront au transport des statues ?

— Une bande de scribouillards prétentieux, imbus de leurs prérogatives, qui seraient ravis de pouvoir remettre au vizir un rapport rempli de fiel pour démontrer que les artisans de la Place de Vérité ne possèdent aucun talent particulier.

— Ce n'est guère rassurant.

Le regard de Kenhir se fit plus confiant.

— As-tu donné le meilleur de toi-même, Néfer, et penses-tu que l'œuvre accomplie est conforme au plan adopté par Pharaon et par toi-même ?

— À vos deux questions, je réponds par l'affirmative.

— En ce cas, dors tranquille.

— Ce geste te paraîtra irrévérencieux, et je te prie à l'avance de me pardonner, dit Ched le Sauveur à la femme sage, mais puis-je quand même t'embrasser sur les deux joues hors de la présence de ton mari ?

Le patient et son médecin partagèrent une intense émotion, l'un et l'autre versèrent quelques larmes.

– Il faudra instiller deux gouttes dans chaque œil matin et soir jusqu'à ton dernier jour, rappela Claire.

– Quelle tâche légère pour voir de nouveau comme auparavant ! J'ai beaucoup appris pendant cette période où je me suis préparé à quitter ce monde de couleurs sans lesquelles mon existence n'a aucun sens, et je suis vraiment prêt à mourir.

– Ton organisme est en excellent état, rappela la femme sage, et tu m'apparais comme un candidat sérieux pour atteindre le grand âge.

Ched le Sauveur parut gêné.

– Je n'ai que peu d'estime pour le genre humain, Claire, car il me paraît bien médiocre face au ciel, à la lumière du jour et de la nuit, aux animaux, aux plantes et à toute cette création prodigieuse où les dieux font entendre leur voix... Je me demande même si l'architecte souverain n'a pas raté son coup de pinceau en nous dessinant, moi comme les autres. Mais j'ai quand même rencontré un homme qui pourrait presque me faire croire qu'un être humain est digne d'admiration. Jamais je ne parlerai à Néfer le Silencieux... Mais la femme sage, que j'admire sans réserves, gardera mon secret.

L'inondation avait été parfaite, ni trop forte ni trop faible, et le peuple d'Égypte disposerait, cette année encore, de nourritures abondantes et variées. En tant qu'administrateur principal de la rive ouest, Méhy avait été surchargé de travail, contraint de veiller à la préparation des digues et des bassins de retenue. Aucun incident majeur ne s'était produit, et le général pourrait se vanter de sa parfaite gestion.

Allongée sur des coussins, Serkéta consultait le message codé de l'artisan qui informait ses alliés, à intervalles réguliers, des événements importants de la vie du village.

– Le maître d'œuvre a réussi, indiqua-t-elle ; la tombe du roi est presque terminée.

– Mérenptah et le vizir ont donné l'ordre à de hauts

fonctionnaires du Trésor d'assister à l'installation des statues et des sarcophages, précisa Méhy.

— Et toujours aucune trace de cette pierre de lumière ! s'emporta l'épouse du général. Notre informateur est un incapable.

— Je ne suis pas aussi pessimiste que toi... N'oublie pas qu'il doit se montrer d'une extrême prudence et que son aide est loin d'être négligeable. Grâce à lui, nous connaissons aussi bien que possible le village et la confrérie.

— Les hauts fonctionnaires causeront-ils des ennuis aux artisans ?

— Il faudrait que Néfer le Silencieux eût commis de lourdes fautes, et ce n'est certainement pas le cas.

— Ne peux-tu les appuyer ?

— La situation est trop tendue... D'après nos amis de Pi-Ramsès, la santé de Mérenptah se dégrade, et l'avènement de son fils Séthi ne plaît pas à l'ensemble de la cour. Certains le jugent rigide, dépourvu d'intelligence et incapable de gouverner. Le parti du prince Amenmès se renforce, et lui-même croit chaque jour davantage à sa bonne étoile. À moi de ne pas m'engager de manière visible et de préserver ma réputation de protecteur de la Place de Vérité dont le rôle apparaît plus essentiel que jamais.

— Cet Amenmès n'a pas l'envergure d'un roi, estima Serkéta.

— Tu as sans doute raison, mon doux amour, mais n'est-ce pas un avantage dont nous pouvons tirer profit ? Un monarque comme Ramsès, ou même comme Mérenptah, empêcherait notre progression vers le pouvoir. Avec Amenmès, l'horizon n'est-il pas largement ouvert ?

— Méfions-nous quand même de ce gamin nerveux et violent, et ne néglige pas Séthi ; il bénéficie de nombreux et solides appuis.

— Pourquoi ne pas rêver d'une guerre civile qui affaiblirait les deux adversaires et nous permettrait d'en sortir vainqueurs ?

Serkéta passa lentement l'index sur ses lèvres gourmandes.

LA FEMME SAGE

– Nous devrions demander à notre allié de la Place de Vérité un service qui affaiblirait la position du maître d'œuvre.

L'épouse du général lui révéla son idée.

Quoique sceptique, il l'approuva.

70.

Le onzième jour du troisième mois de la saison de l'inondation, en l'an sept du règne de Mérenptah, une délégation officielle, mandatée par le pharaon, se présenta à la porte principale de la Place de Vérité où elle fut accueillie par le scribe de la Tombe.

À sa tête, l'intendant du Trésor, dont l'unique plaisir résidait dans la pratique assidue de la comptabilité. Né à Thèbes, il n'en sortait que rarement et s'aventurait pour la première fois dans le désert, avec l'espoir que cette corvée serait de courte durée.

Il s'adressa à Kenhir sur un ton suffisant.

— Est-ce que tout est prêt ?

— Quelle sorte de réponse attendez-vous ?

Pris au dépourvu, le haut fonctionnaire se tourna vers ses collègues.

– Y aurait-il une procédure particulière que mes services ne m'auraient pas signalée ?

Un adjoint du vizir lui parla à l'oreille.

– Ce scribe Kenhir est très mal embouché, ne le contrariez pas.

L'intendant du Trésor esquissa un sourire.

– Pourquoi grimacez-vous ainsi ? demanda Kenhir. Si vous avez des reproches à m'adresser, videz votre sac. Je les examinerai un par un.

– Mais... je n'en ai aucun ! Je viens simplement enregistrer un dépôt de statues et vous apporter, de la part du vizir, des jarres d'huile de qualité supérieure et une belle quantité de pâtisseries pour vous récompenser du travail accompli.

– Encore heureux que la coutume soit respectée... Eh bien, allons-y.

En s'aidant de sa canne, le scribe de la Tombe commença à marcher en bousculant quelques officiels qui ne s'écartaient pas assez vite.

– Nous... nous ne restons pas au village ?

– Vous n'êtes pas autorisés à y pénétrer, et ce n'est pas ici qu'a été creusée la tombe du pharaon. Nous nous rendons à la Vallée des Rois en passant par le col, et sous la protection de la police.

– Sommes-nous vraiment obligés de grimper sur cette montagne par cette chaleur et dans cette poussière ?

– Quand on vérifie, on vérifie. Comme ça, vous pourrez faire un rapport sur l'état de nos installations.

Les vieilles jambes de Kenhir le portaient mieux que celles de ses compagnons d'escalade, pourtant plus jeunes et plus robustes. Il ne lui déplaisait pas de les voir peiner, leurs vêtements luxueux trempés de sueur, sans cesse à la recherche d'un second souffle ; trop d'heures de bureau avaient coupé ces notables de la nature, et cette petite épreuve les rendrait moins arrogants.

– Surtout, recommanda Kenhir, ne sortez pas du sentier ;

par ici, les scorpions sont nombreux et leur piqûre est mortelle. Et je ne vous parle pas des vipères à cornes.

À la fatigue s'ajouta la peur, et l'inspection de la station du col ne prit que quelques minutes. L'intendant du Trésor était prêt à certifier le parfait état des lieux pourvu que cette abominable randonnée prît fin au plus vite.

– Maintenant, prévint Kenhir, on descend vers la Vallée des Rois. Ayez le pied ferme, car vous risquez à chaque instant de dévaler la pente et de vous rompre les os.

Agile comme une chèvre, le vieux Kenhir dut attendre plusieurs minutes la délégation à l'entrée de la Vallée.

– Devrons-nous repartir par le même chemin ? s'inquiéta l'intendant du Trésor.

– Non, des chars vous ramèneront par la piste qui aboutit près du Ramesseum. À présent, la fouille.

– C'est tout à fait inutile ! protesta le haut fonctionnaire.

– Le règlement doit être appliqué à la lettre, précisa Kenhir. Et je n'autorise que deux personnes à franchir le seuil de la Vallée : vous et le délégué du vizir. Les autres resteront dehors.

Un concert de protestations ne fit pas fléchir le scribe de la Tombe, et les policiers nubiens procédèrent à la fouille.

De l'autre côté de la porte de pierre, ce fut le maître d'œuvre qui accueillit les deux dignitaires, impressionnés par la solennité des lieux qu'écrasait un soleil brûlant.

Sans mot dire, Néfer les guida jusqu'à l'entrée monumentale de la tombe de Mérenptah près de laquelle s'étaient rassemblés les artisans de l'équipe de droite pour former une file de porteurs d'offrandes. En tête, Ouserhat le Lion, qui tenait « le bâton vénérable » en bois précieux plaqué de feuilles d'or avec lequel il animerait les statues pour qu'elles ouvrent les yeux et illuminent Pharaon, le maître de la contrée de lumière, quand il partirait vers le ciel.

L'intendant du Trésor et le délégué du vizir eurent de nouveau le souffle coupé, mais cette fois à cause des splendeurs qu'ils contemplaient.

– Les dieux et les déesses ont voyagé de la Demeure de l'Or de la Place de Vérité à celle de la Vallée des Rois, déclara le maître d'œuvre; ils vont prendre la place qui leur est réservée dans cette demeure d'éternité où ils veilleront sur Pharaon.

Émerveillés, les deux vérificateurs restèrent bouche bée en voyant passer les principales figures du panthéon égyptien, toutes recouvertes d'or; il fallut de nombreuses allées et venues des artisans pour descendre dans les salles de la tombe des statues de taille et de poids divers.

Quand la procession remonta pour la dernière fois des profondeurs, l'intendant du Trésor se demandait comment un si petit groupe d'hommes avait pu créer autant de chefs-d'œuvre.

Relu par Kenhir, le rapport qui serait remis au vizir était particulièrement élogieux. Les deux témoins de la descente des statues soulignaient l'excellence du travail mené à terme sous la direction de Néfer le Silencieux et se félicitaient de la manière dont avait été accompli le transport. Ne restait plus que l'ultime étape: introduire les sarcophages dans la tombe.

Las, Néfer se lavait le visage pendant que son épouse préparait leurs lits.

– Jusqu'à la dernière statue, avoua-t-il, j'ai redouté un mauvais coup... Il semble que notre avaleur d'ombres n'ait plus guère la volonté de détruire.

– Je redoute le contraire.

– Pourquoi, Claire?

– Parce que ton chevet a disparu.

L'appuie-tête en bois sur lequel on disposait un oreiller ne se trouvait plus à sa place habituelle.

– Je l'ai peut-être rangé, par mégarde, dans le coffre en sycomore.

Claire souleva le couvercle.

– Malheureusement non.

Des recherches approfondies ne donnèrent aucun résultat.

– Quelqu'un se serait introduit chez nous pour dérober ce modeste objet et rien d'autre... Ça n'a aucun sens! estima Néfer.

– Au contraire. Si le voleur ne cherchait que ce chevet, c'est pour l'utiliser contre toi.

– De quelle manière?

– Dans le bois se sont imprimés tes rêves et tes pensées secrètes... Qui saurait les déchiffrer aurait pouvoir sur toi et pourrait orienter tes décisions futures.

– Existe-t-il une parade?

– Un autre chevet sur lequel seront inscrites des formules qui protègent le sommeil tout en écartant les voleurs de pensées.

– Je le fabriquerai dès demain.

– Il faudra aussi inscrire des formules sur ton lit. Cette nuit, impossible d'y dormir.

– Me feras-tu une petite place dans le tien?

En compagnie d'autres épouses d'artisans, la femme du traître se rendit au marché qui se tenait près du Ramesseum, à la lisière des cultures. On y vendait de délicieuses laitues et une grande variété d'épices.

Comme de coutume, de longs palabres préludaient à l'achat. Une paysanne bouscula l'épouse du traître qui posa aussitôt son couffin sur le sol. À l'intérieur, le chevet que son mari avait dérobé chez le maître d'œuvre. Elle prit le couffin vide que la paysanne avait posé à côté du sien et le remplit de provisions.

– Voici l'objet, dit Serkéta à Méhy. Je me suis bien amusée, sur ce marché, déguisée en paysanne! Comme tu le vois, notre allié peut se révéler efficace.

– Que comptes-tu faire, avec ce chevet?

– Demander à un spécialiste d'extraire les rêves qu'il contient et prendre possession des pensées de Néfer le Silencieux. Alors, nous le manipulerons comme ces jouets aux membres articulés avec lesquels jouent les enfants, et nous saurons où il cache la pierre de lumière.

Méhy haussa les épaules.

– Où trouver ce spécialiste ?

– Tran-Bel, le marchand de meubles, connaît un envoûteur syrien qui obtient des résultats remarquables.

– Cette profession n'est-elle pas interdite sur notre territoire ?

– En effet, et ceux qui s'adonnent à la magie noire sont sévèrement condamnés. Mais seul ce Syrien court de gros risques, mon doux amour.

– Les sarcophages sont-ils terminés ? demanda le scribe de la Tombe au maître d'œuvre.

– Malheureusement non, répondit Néfer, abattu. En les examinant de près, j'ai repéré de petits défauts que je ne saurais tolérer.

– Quel est le responsable ?

– Moi-même. J'aurais dû m'en apercevoir plus tôt

– Hmmm... Tu prends sur toi l'erreur d'un autre !

– C'est le devoir d'un chef d'équipe.

– Tu as de la chance, Néfer ; le vizir est retenu à Pi-Ramsès, et il m'a fait savoir que la descente des sarcophages dans le tombeau serait retardée.

– Quelle est la nouvelle date prévue ?

– Elle n'est pas encore fixée.

– Cela signifie-t-il que des troubles graves sont à prévoir au sommet de l'État ?

– Je le crains, déclara Kenhir avec gravité.

71.

Le mage noir officiait dans une petite maison que lui louait Tran-Bel à prix d'or, sans compter le pourcentage que ce dernier prélevait sur les consultations. Dans une grande cave, le Syrien avait entreposé le matériel nécessaire à ses sinistres pratiques, allant des poupées de cire qu'il perçait de ses aiguilles jusqu'aux bâtons en ivoire couverts de signes maléfiques pour frapper à distance l'ennemi qu'on lui désignait.

Le crâne disproportionné par rapport au reste du corps, les lèvres grasses, le menton pointu, le mage aimait faire peur en se vêtant d'une robe noire striée de bandes rouges. Mais la femme qui se tenait devant lui ne semblait guère impressionnée.

– Tu vas faire parler ce chevet, ordonna Serkéta. Je veux connaître les pensées de l'homme qui l'a utilisé.

– Quel est son nom ?

– Tu n'as pas à le savoir.

– Au contraire, c'est indispensable.

– Me jures-tu de garder le silence sur notre entrevue ?

– La discrétion absolue est l'une des clés de mon succès.

Avec l'accord de Tran-Bel, qui exigeait une autre commission au passage, le mage vendait à la police quelques-uns de ses clients qu'il jugeait trop dangereux. Ainsi, chacun y trouvait son compte, et les autorités le laissaient tranquille.

Sous ses dehors de petite fille refusant de vieillir, cette femme-là était redoutable. Sans nul doute, un gros gibier. Cette fois, le mage tenterait sa chance en la dénonçant lui-même en échange d'une grosse prime.

– Il s'appelle Néfer le Silencieux.

– Où vit-il et que fait-il ?

– N'es-tu pas capable de le deviner ?

– Cela me prendra du temps. Si vous êtes pressée, pourquoi ne pas aller à l'essentiel ?

– Ne serais-tu pas un charlatan ?

Le mage noir ferma les yeux. Puis, d'une voix monocorde, il décrivit la chambre de Serkéta avec une précision incroyable, sans omettre un seul meuble.

– Êtes-vous satisfaite ? Sinon, je peux vous raconter par le détail votre soirée d'hier. Ma tâche est aisée, puisque vous êtes en face de moi. Il me suffit de lire en vous. Mais si vous désirez que je réussisse à extraire des pensées de cet objet, il faut le rendre plus familier.

– Néfer le Silencieux est le maître d'œuvre de la Place de Vérité.

Le mage passa une langue gourmande sur ses lèvres grasses.

– C'est un personnage considérable, tout à fait considérable... Peut-être devrions-nous d'abord nous entendre sur le prix de mes services.

– Un lingot d'or.

– Ajoutez-y une maison au centre de la ville... Étant donné votre fortune, ce n'est qu'une broutille.

– Que connais-tu de ma fortune ?

– Vos vêtements et votre perruque ne sont qu'un déguisement... N'oubliez pas que plus je vous regarde, plus je vous déchiffre.

– Fais parler ce chevet, et tu auras ce que tu demandes.

La fortune... Enfin, le mage atteignait son but ! Après avoir été payé, il avertirait aussitôt la police qui serait ravie de capturer un gros gibier et ne lésinerait pas sur la prime.

Le Syrien recouvrit le chevet d'une huile jaunâtre puis il le plongea dans une cuve en albâtre où surnageaient des fleurs de pavot. Il marmonna une série de formules dans un langage incompréhensible et il posa les mains sur les extrémités de l'objet.

– Que voulez-vous savoir ?

– Où Néfer le Silencieux cache-t-il le trésor le plus précieux de la confrérie ?

– Soyez plus précise... S'agit-il d'or, de documents ou d'autre chose ?

Serkéta n'hésita qu'un bref instant.

– C'est une pierre de lumière.

Intrigué, le mage songea qu'une telle merveille lui serait fort utile... Mais il lui fallait d'abord faire parler le chevet, et il se concentra.

– Où est cachée cette pierre ? interrogea Serkéta, impatiente.

– Je... je ne comprends pas.

– Que se passe-t-il ?

– Il y a une barrière... Une barrière que je ne parviens pas à franchir... On a rendu ce chevet muet... Quelqu'un a utilisé une science plus forte que la mienne !

– Essaye encore !

De grosses gouttes de sueur perlèrent au front du Syrien.

– Je m'épuise en vain, et ça devient dangereux pour moi...
Ce chevet est définitivement inerte, il ne me dira rien.

– Tu n'es qu'un charlatan, et un charlatan qui en sait trop.

Pesant de toutes ses forces sur la nuque du mage, Serkéta
lui enfonça la tête dans la cuve. Usé par son échec, le Syrien ne
se débattit que mollement ; lorsqu'il tenta d'appeler au secours,
ses poumons s'emplirent d'eau et il mourut étouffé.

Dans l'attente de l'ordre royal concernant la descente des
sarcophages dans la tombe, Néfer avait lui-même rectifié les
quelques défauts dont ils étaient affligés et vérifié chaque détail
de la demeure d'éternité en compagnie des deux peintres.

La porte en cèdre doré avait été installée et fermée. Deux
policiers nubiens veillaient en permanence sur le site.

Comme chaque matin, le maître d'œuvre passait chez
Kenhir dont les locaux étaient toujours briqués avec autant de
soin par Niout la Vigoureuse.

– Quelles nouvelles ?

– Toujours rien, répondit Kenhir. S'il y avait des troubles
graves dans la capitale, la rumeur se répandrait... Je ne sais plus
que penser.

– Ne faudrait-il pas consulter le général Méhy pour obtenir des informations fiables ?

– J'irai le voir cet après-midi.

– La protection de la Tombe étant assurée, j'emmène
l'équipe de droite au temple des millions d'années de Mérenptah. Les rites y sont déjà célébrés, et il sera bientôt terminé, lui
aussi.

Beaucoup moins vaste que le Ramesseum, le temple des
millions d'années de Mérenptah ne lui cédait néanmoins en
rien sur la qualité des matériaux et la splendeur des pylônes,
des portiques et des colonnes. Le maître d'œuvre et le chef de
l'équipe de gauche avaient utilisé au mieux le temps dont ils
disposaient pour concrétiser l'édifice conçu par le roi qui, en

raison de son âge, n'avait pu envisager un monument aussi colossal que celui de son père, Ramsès le Grand.

L'essentiel ne résidait pas dans la taille de l'édifice, mais dans son fonctionnement symbolique, assuré par la présence de trois chapelles consacrées à Amon, « le Caché », à son épouse Mout, « la Mère », et à leur fils Khonsou, « le Traverseur » du ciel, et par les salles osiriennes où renaissait l'âme royale. Le temple était magiquement relié à la tombe de la Vallée des Rois, et les deux entités concouraient à entretenir l'immortalité du pharaon grâce à la puissance des hiéroglyphes et des peintures.

Amon et Osiris n'étaient pas seuls à régner dans le sanctuaire ; s'y ajoutait le dieu de la lumière, Râ, dont la présence achevait le processus de transmutation. En progressant dans la cour à ciel ouvert qui lui était consacrée, Néfer le Silencieux sentit à quel point le royaume souterrain d'Osiris et l'empire céleste de Râ étaient les deux faces indissociables d'une seule et même réalité dont la pierre de lumière formait la synthèse.

Le maître d'œuvre aurait volontiers médité des journées entières dans ces salles paisibles, loin des tribulations du quotidien, mais les artisans le rappelèrent vite aux exigences de sa fonction. Il fallait s'occuper de l'achèvement du palais juxtaposé à la première cour, du lac sacré et des entrepôts en briques. Bientôt vivraient ici des prêtres, des scribes et différents corps de métier qui feraient de ce temple, comme de tous les autres, un émetteur d'énergie spirituelle et un pôle de régulation économique.

– À deux équipes, estima Féned le Nez, on n'en aura plus pour longtemps. Les gars de bâbord ne se sont pas endormis en chemin, et je n'ai repéré aucun vice de construction.

Néfer confia aux tailleurs de pierre le parement du lac sacré, aux sculpteurs la mise en place des statues et aux dessinateurs le tracé des figures astronomiques et astrologiques sur le plafond de la salle précédant le naos.

– Les couleurs manquent de vivacité, critiqua Paneb ; la

tombe est plus vivante! Je reprendrais bien l'ensemble pour lui donner davantage de force.

– Les dieux présents sur les parois s'en chargeront, prédit Néfer.

– L'équipe est inquiète, révéla le jeune colosse.

– Pour quelle raison?

– Si on ne descend pas les sarcophages, c'est que le pharaon n'est plus en mesure de donner des ordres.

– Conclusion trop hâtive, Paneb.

– En proposes-tu une autre?

– Nous en saurons davantage dès que le scribe de la Tombe aura parlé au général Méhy, notre protecteur.

– On a besoin de moi, au pylône, pour tirer des blocs; il n'y a pas de meilleur loisir lorsqu'on a envie de se reposer de la peinture.

Soudain, Néfer prit conscience qu'il n'avait pas encore rencontré Hay, le chef de l'équipe de gauche. Il refit donc son parcours en sens inverse et il croisa tous les artisans de bâbord, à l'exception de leur chef. Il leur demanda où il se trouvait, mais n'obtint aucune réponse précise. Hay les avait bien conduits au temple de bon matin, mais ensuite il s'était éclipsé.

Il ne restait plus qu'une seule solution : alerter Sobek, le chef de la sécurité.

Alors que le maître d'œuvre sortait de l'aire sacrée, il vit le policier nubien se diriger vers lui.

– Je suis inquiet, Sobek. Hay a quitté le chantier sans prévenir personne... Il est peut-être en danger.

– Je ne crois pas.

– Qu'as-tu appris?

– J'attends depuis très longtemps la faute du criminel que je cherche à identifier... Cette faute, Hay vient enfin de la commettre.

72.

Néfer était abasourdi.

– Tu te trompes, Sobek... Le chef de l'équipe de gauche ne peut pas avoir trahi.

– Je n'accuse pas à la légère.

– De quelles preuves disposes-tu?

– Pendant les deux derniers mois, Hay s'est rendu à cinq reprises sur la rive est. Il a pris de nombreuses précautions pour repérer d'éventuels suiveurs et il a réussi à semer mes hommes. Aujourd'hui, il a même abandonné son poste, probablement parce que les renseignements qu'il devait transmettre avaient un caractère d'urgence.

Le maître d'œuvre était troublé.

En sa qualité de chef d'équipe, Hay connaissait l'emplacement secret de la pierre de lumière. N'avait-il pas couru avertir ses complices pour tenter un coup de force contre la Place de Vérité ?

— J'ai pris le maximum de mesures de sécurité, assura Sobek, comme s'il lisait dans la pensée de Néfer. Si Hay ne revient pas au village, il n'y aura plus aucun doute sur sa culpabilité.

— Malgré toute la sympathie que vous m'inspirez, mon cher Kenhir, vous m'en demandez beaucoup.

Le général Méhy faisait les cent pas dans son bureau, mains croisées derrière le dos.

— La confrérie ne doit-elle pas être informée de ce qui se passe dans la capitale ? insista le scribe de la Tombe.

— Pourquoi cette requête pressante ?

— Parce que la demeure d'éternité et le temple des millions d'années du pharaon Mérenptah sont achevés. Nous attendons l'inauguration du temple et l'ordre de descendre les sarcophages dans la tombe.

— Je comprends, je comprends...

— Le roi pilote-t-il encore le navire de l'État ?

— D'après mes dernières informations, oui ; mais je ne connais pas les dédales de la cour de Pi-Ramsès ! Le vizir séjourne là-bas, et il nous éclairera dès son retour à Thèbes où réside à présent le prince Amenmès, l'un des candidats sérieux à la succession de Mérenptah.

— Cette dernière serait-elle ouverte ?

— Je l'ignore, Kenhir. En ce qui me concerne, je n'exécuterai des ordres que s'ils proviennent du palais et s'ils sont dûment authentifiés. De plus, j'ai le devoir de protéger la Place de Vérité et je ne faillirai pas à cette tâche. Qui agresserait la région thébaine se heurterait à mes troupes.

Rassuré, Kenhir reprit le chemin du village.

Le chef Sobek et le maître d'œuvre l'attendaient au premier fortin, et leurs visages n'annonçaient rien de réjouissant.

– Nos soupçons se portent sur le chef de l'équipe de gauche, révéla le policier qui réitéra ses accusations.

– Hay... C'est impossible ! L'as-tu interrogé ?

– Il n'est pas encore rentré. À mon avis, il n'osera plus revenir ici.

– Le soleil ne se couchera pas avant deux bonnes heures...

Les trois hommes s'assirent sur des tabourets d'artisan et ils fixèrent le chemin qui demeurait cruellement vide. Chacun songeait au caractère du chef de l'équipe de gauche, à son comportement, aux attitudes qui laisseraient à penser qu'il avait pu trahir la confrérie.

C'est alors que Hay apparut.

Il marchait d'un bon pas, mais, quand il aperçut les trois hommes, il se figea.

– S'il tente de s'enfuir, annonça Sobek, je le ceinture.

Hay sembla hésiter, puis il avança de nouveau.

– Que signifie cette assemblée ?

– D'où viens-tu ? interrogea Kenhir.

– C'est sans importance.

– Tu as quitté le chantier du temple sans explications, et c'est une faute professionnelle grave.

– J'ai donné des consignes ce matin, et le chantier n'a pas dû souffrir de mon absence momentanée.

– Ce n'est pas la procédure normale, jugea Kenhir. Tu avais l'obligation de m'avertir pour que j'enregistre le motif de ton absence sur le Journal de la Tombe.

– C'est vrai... Prenez donc les mesures disciplinaires qui s'imposent.

– Chez qui es-tu allé ? demanda Sobek.

– Je le répète : c'est sans importance.

– En ce cas, pourquoi avoir semé mes policiers ?

Aucune émotion ne s'inscrivait sur le visage sévère du chef de l'équipe de gauche dont le front était creusé de rides profondes. L'homme semblait avoir brusquement vieilli sous l'effet d'une pénible épreuve.

— Je n'aime pas être suivi.

— Explication insuffisante, Hay. Qu'as-tu à cacher?

— La Place de Vérité n'est pas concernée.

— Si tu refuses de parler, je t'arrête.

— Tu n'en as pas le droit sans l'autorisation du scribe de la Tombe et du maître d'œuvre.

— Cette autorisation, je l'ai.

Hay consulta du regard Néfer et Kenhir.

— Alors, vous êtes tous contre moi...

— Je suis persuadé que tu n'as rien à te reprocher, affirma Néfer, et tu as toute ma confiance. Mais comment t'aider, si tu continues à te taire?

— Es-tu sincère?

— Sur la vie de Pharaon, je le jure.

— J'accepte de parler, mais à toi seul.

Sobek s'apprêtait à protester, mais Kenhir, d'un battement de paupières, lui signifia de ne pas intervenir.

Les deux artisans s'éloignèrent et se dirigèrent à pas lents vers le village.

— Tu auras du mal à me croire, Néfer, mais j'ai eu une adolescence plutôt agitée, avant de devenir un artisan de la Place de Vérité. Parmi les filles que j'ai connues avant de me marier au village, il y en a une que je n'ai jamais oubliée. Quand elle m'a écrit qu'une grave maladie la frappait, j'ai décidé d'aller la voir, dans le plus grand secret. Aujourd'hui, j'ai assisté à ses derniers moments.

La voix du chef de l'équipe de gauche avait légèrement tremblé.

— Je comprends que tu sois sceptique, Néfer, car une telle péripétie ne correspond guère à ce que tu connais de moi; pourtant, c'est la stricte vérité. Comme aucune ombre ne doit subsister entre nous, j'insiste pour que tu vérifies mes dires.

— Hay est innocent, dit Néfer au scribe de la Tombe et au chef Sobek.

– Comment pouvons-nous en être sûrs ? s'insurgea le policier.

– En allant sur la rive est.

– Je t'accompagne, décida Sobek.

– J'ai promis à mon collègue de me rendre seul à l'endroit qu'il m'a indiqué et parce qu'il l'exige. Ses déclarations me suffisaient amplement pour le disculper.

– Ce pourrait être un piège !

– Hay n'a pas menti, je n'ai rien à craindre.

– En tant que maître d'œuvre, tu n'as pas le droit de courir de pareils risques, estima Kenhir.

– Si je renonce, d'insupportables soupçons continueront à peser sur Hay, et nous ne pourrons plus travailler avec lui en pleine confiance.

– Tu oublies un détail important, rappela Sobek : qui a exigé que je ne révèle à personne la présence d'un traître dans la confrérie ? Hay, toujours lui !

– Consultons la femme sage, proposa Kenhir.

Le chef de l'équipe de gauche avait été assigné à résidence dans sa propre demeure, sans qu'aucun artisan n'eût été prévenu. Officiellement, Hay était souffrant, et ce fut Néfer le Silencieux qui dirigea les ultimes travaux en cours sur le site du temple des millions d'années de Mérenptah.

Dès le premier jour de repos des équipes, le maître d'œuvre sortit du village après les rites de l'aube, suivi à bonne distance par Paneb auquel la femme sage avait demandé de protéger son mari.

Si Hay avait menti, Néfer tomberait dans un traquenard prévu de longue date. Ainsi le traître, même démasqué, exercerait-il sa vengeance.

Pour rester fidèle à la parole donnée, Néfer avait refusé de révéler sa destination ; en dépit des accusations réitérées de Sobek, il demeurait persuadé de la sincérité de son collègue. Depuis qu'ils se connaissaient, jamais ils ne s'étaient querellés ;

Hay ne s'était pas montré jaloux de l'ascension de Néfer, et il avait exécuté les plans du maître d'œuvre dont il partageait les vues. Hay était austère et autoritaire, certes, mais nul artisan de l'équipe de gauche n'avait eu à se plaindre de lui car il suivait le chemin de la rectitude.

Sur le bac, Néfer se retrouva au milieu d'un troupeau de chèvres qu'un éleveur comptait vendre un bon prix au chef des troupeaux de Karnak, en lui expliquant que des bêtes de cette qualité-là ne pouvaient servir que le dieu Amon.

Paneb jugea cette compagnie préférable à celle d'une foule où aurait pu se noyer le maître d'œuvre. Animée par une querelle entre deux maîtresses de maison à propos d'un héritage, la traversée se déroula sans encombre, et Néfer débarqua avec les chèvres.

Le suivre ne fut pas aisé, car il y avait un attroupement sur la berge en raison d'un arrivage de fruits frais dont les citadins discutaient âprement les prix. Néfer se fraya un passage avec difficulté, et le jeune colosse dut jouer des coudes pour ne pas le perdre de vue.

– Dis donc, tu pourrais t'excuser! protesta un porteur d'eau. Tu as failli me renverser!

– C'est vrai ça, j'ai tout vu! renchérit un marchand d'oignons, aussitôt approuvé par plusieurs badauds qui n'avaient pas assisté à l'incident.

Paneb aurait pu les assommer, au risque de déclencher une bagarre générale et de provoquer l'intervention de la police. Les poings serrés, il s'excusa, et la tension retomba.

Mais Néfer avait disparu.

73.

Paneb avait interrogé en vain des dizaines de personnes. Hésitant sur la conduite à tenir, il arpentait la berge désertée par les marchands et leurs clients; devait-il rentrer au village pour prévenir le scribe de la Tombe et déclencher des recherches, ou bien explorer seul les ruelles? Mais il ne disposait d'aucune indication pour s'orienter.

Furieux contre lui-même, Paneb ne se remettrait jamais d'avoir failli à son devoir de manière aussi lamentable. S'il arrivait malheur à Néfer, il serait le seul responsable et il s'exclurait de la confrérie pour mener la plus misérable des existences.

Non, il avait mieux à faire : venger son ami et son père adoptif. À l'infâme Hay, il arracherait le nom de ses complices; aucun d'eux ne lui échapperait. L'Ardent n'aurait plus d'autre but que de leur faire payer leur crime ici-bas et sans délai. Et ni les policiers ni les juges ne l'empêcheraient d'agir.

La douce lumière du couchant faisait scintiller le Nil, survolé par des centaines d'hirondelles. Soudain, Paneb crut distinguer la silhouette du maître d'œuvre sortant d'une ruelle. Le soleil dans les yeux, le colosse refusa de croire au miracle, mais il courut dans la direction de celui qui ressemblait à Néfer.

– C'est toi ?... C'est bien toi ?

– Ai-je tant changé depuis ce matin ?

– Je t'avais perdu, tu te rends compte ? Je ne mérite plus d'appartenir à la confrérie !

– Quelle étrange idée ! J'estime que tu m'as parfaitement protégé et je ne vois pas qui oserait prétendre le contraire.

– Pourquoi as-tu été si long ?

– Quelques problèmes matériels à régler pour permettre à une famille dans la détresse de connaître un peu d'aisance. J'ai dû intervenir auprès d'un service administratif, et c'est toujours compliqué ; mais le résultat devrait être satisfaisant.

– Cela signifie-t-il que Hay est innocent ?

– En doutais-tu ?

En apportant sa caution personnelle, Néfer avait réussi à obtenir une sorte de pension pour les vieux parents de la femme décédée, restée fidèle au souvenir du chef de l'équipe de gauche. Il partagerait désormais avec lui un secret qui renforcerait encore leurs liens. Sobek avait présenté ses excuses à Hay qui, loin d'humilier le policier, lui avait assuré qu'il comprenait son attitude et ne lui en garderait pas rancune.

Dans l'allégresse du banquet célébré entre les protagonistes de l'affaire Hay, Kenhir faisait grise mine.

– La cuisson du bœuf ne serait-elle pas à votre goût ? demanda Claire.

– Elle est parfaite, mais rien n'est résolu. Bien sûr, je me réjouis au plus haut point de l'innocence du chef de l'équipe de gauche, mais le vrai coupable parvient à demeurer dans l'ombre. Et pourquoi les directives royales se font-elles tant attendre ?

– Goûtez l'instant présent, Kenhir. Comme vous, je suis consciente des dangers qui nous menacent ; mais ce soir, c'est notre harmonie retrouvée que nous célébrons.

Résister au charme de Claire étant au-dessus de ses forces, Kenhir se contenta de bougonner quelques minutes supplémentaires avant de s'abandonner un peu à la joie du moment.

C'est un Féned le Nez à bout de souffle qui se présenta devant le scribe de la Tombe.

– Un message du palais ! Le facteur... Il vient d'apporter... un message du palais !

Kenhir ôta le sceau royal et lut le texte avec nervosité.

– De bonnes nouvelles ? s'inquiéta le tailleur de pierre.

– Excellentes !

Oubliant sa canne, le scribe sortit de son bureau pour se rendre aussi vite que possible chez le maître d'œuvre.

– Rassemblons tous les artisans, l'ordre de Mérenptah est arrivé !

Néfer préféra prendre d'abord connaissance du texte dont la teneur, en effet, ne présentait aucune ambiguïté : le moment était venu de descendre les sarcophages dans la tombe.

Alanguie, Serkéta regardait avec admiration le général Méhy ramer en cadence sur le petit lac de plaisance qui leur appartenait.

– La crise semble terminée, dit-il à son épouse. Mérenptah a recouvré la santé, les querelles de succession s'apaisent, Séthi est nommé à la tête des armées et Amenmès poursuit son exil doré à Thèbes. Je suis confirmé dans mes fonctions avec les félicitations du vizir. Bref, la paix et la stabilité...

– Ne sois pas si pessimiste, mon doux amour : ce n'est que la version officielle. Le roi continuera de vieillir et il ne retrouvera pas une vigueur de jeune homme. Quant aux intrigues, elles se renoueront très vite... Le jeune Amenmès piaffe d'impatience, et son père Séthi doit ronger son frein en espérant la mort prochaine de Mérenptah.

– Comme tu sais bien me redonner espoir, ma tendre caille!

– Tu es promis à un grand destin, Méhy, et ce ne sont pas quelques accidents de parcours qui t'empêcheront de le réaliser. Ne dévions pas de notre ligne de conduite : semer le trouble pour profiter de la situation. Jour après jour, dressons Amenmès contre son père Séthi, sans perdre la confiance ni de l'un ni de l'autre. N'est-ce pas la leçon que tu m'as enseignée ?

– Tu es ma meilleure élève.

– La meilleure... et la seule.

Serkéta ôta sa robe et elle s'étendit sur le dos en se caressant les seins.

N'y tenant plus, le général lâcha les rames et il se précipita sur cette femelle qui l'invitait au plaisir.

Trois sarcophages en granit rose : tels se présentaient « les maîtres de la vie », les barques de pierre dans lesquelles reposerait la momie du pharaon Mérenptah, son corps osirien qui servirait de support au processus de résurrection.

Les sarcophages étaient recouverts de textes et de représentations des divinités protectrices. Au fond du plus petit, qui serait en contact direct avec la momie royale, avaient été gravés cannes, armes, pièces d'étoffe et autres objets rituels ; à l'intérieur du couvercle figurait la déesse du ciel, Nout, dont la robe était parsemée d'étoiles, et qui ferait renaître le pharaon parmi les constellations.

Quant au sarcophage extérieur, long de 4,09 mètres, il représentait Mérenptah allongé à l'intérieur de l'ovale de l'univers, les bras croisés et tenant les symboles de sa fonction, le sceptre du bon pasteur et le flagellum formé de trois peaux stylisées évoquant la triple naissance, souterraine, solaire et céleste. Tout autour, un immense serpent, expression du temps sacré et des cycles vitaux dont l'harmonie demeurerait perceptible aussi longtemps qu'un pharaon permettrait à Maât de régner sur terre.

Soucieux, Paneb vérifiait les traîneaux et les cordages.

– Tu n'as pas confiance en un spécialiste ? s'indigna Casa.

– Deux paires d'yeux valent mieux qu'une.

– J'ai l'impression que tu te mêles de ce qui ne te regarde pas... Mon travail a été bien fait, et je n'ai pas besoin d'un vérificateur.

– Ajoute quand même une corde... On ne sait jamais.

Les grands yeux marron de Casa virèrent à l'orage, mais Paneb eut la sagesse de s'éloigner. Le tailleur de pierre vérifia l'arrimage du premier sarcophage et, tout en maugréant à voix basse contre le jeune colosse, il ajouta une corde.

À l'entrée de la tombe se tenait la femme sage qui, en prononçant les formules hiéroglyphiques inscrites dans la pierre, les rendrait vivantes pour l'éternité.

Le traîneau était prêt à entamer sa descente vers les profondeurs. Il était lui-même un hiéroglyphe qui servait à écrire le nom du créateur, Atoum, « Celui qui est et celui qui n'est pas » ; et lorsqu'on plaçait une pierre sur ce même traîneau, on formait un nouveau hiéroglyphe, « miracle, merveille ». De fait, par la magie du créateur, le miracle se reproduisait une fois encore : le sarcophage qui devait recevoir le corps d'un défunt se transformait à la fois en matrice capable de redonner la vie et en barque destinée à faire voguer le ressuscité dans les paysages de l'autre monde. En franchissant « les passages du dieu », mètre après mètre, le sarcophage s'imprégnerait de la totalité des symboles et des formules présents dans la demeure d'éternité.

D'épais cordages, vérifiés par Casa, avaient été enroulés autour d'un poteau d'amarrage en pierre ; en les relâchant progressivement, la descente s'accomplirait avec une extrême lenteur.

La femme sage prononça des paroles de protection pour

que le voyage soit heureux, et le maître d'œuvre donna le signal du départ.

Casa le Cordage, Nakht le Puissant, Karo le Bourru et Féned le Nez commencèrent à laisser filer les liens, et le sarcophage s'engagea doucement dans la pente.

Soudain, l'allure s'accéléra.

– Trop rapide ! cria Néfer.

Les quatre tailleurs de pierre n'avaient pourtant fait aucune fausse manœuvre, mais ils ne parvenaient plus à retenir l'énorme poids qui continuait à prendre de la vitesse.

Paneb se précipita à l'intérieur de la tombe, faillit glisser à proximité du traîneau, empoigna la corde supplémentaire que Casa avait accrochée à l'arrière et tira sur elle de toutes ses forces pour le retenir.

Les muscles du colosse se tendirent à craquer, et le traîneau s'immobilisa.

– Des cales, vite !

Dessinateurs et sculpteurs placèrent plusieurs coins de bois sous les patins, et Paneb put lâcher la corde.

– Tu as évité un désastre, lui dit Néfer.

En remontant vers l'entrée de la tombe, Paneb passa un doigt sur le sol.

– Un sabotage, murmura-t-il à l'oreille du maître d'œuvre. On a étalé de la graisse incolore.

Néfer était atterré. Ainsi, l'avaleur d'ombres n'avait pas renoncé à nuire, et il était même prêt à ruiner l'œuvre de la Place de Vérité.

74.

— Un nouveau vizir vient d'être nommé, apprit le scribe de la Tombe au maître d'œuvre.

— Le connaissez-vous ?

— Non, c'est un homme du Nord qui déléguera probablement l'essentiel de ses pouvoirs à Méhy, en tant qu'administrateur principal de la rive ouest. En tout cas, il ne semble pas nous être hostile, puisqu'il me félicite pour l'achèvement de la tombe et du temple de Mérenptah. Et le nouveau vizir ne se contente pas de belles paroles : pour fêter à la fois notre succès et sa nomination, il nous envoie cent cinquante ânes chargés de nourriture ! Encore du surmenage en perspective pour enregistrer toutes ces denrées... Mais si nous nous y prenons bien, nous organiserons une fête que le village ne sera pas près d'oublier !

LA FEMME SAGE

— Moi, je n'oublie pas l'avaleur d'ombres...

— Tu as réussi, Néfer; lui, il a échoué. Le temple des millions d'années de Mérenptah a été inauguré, et il fonctionne; sa demeure d'éternité est une merveille. Ta réputation de maître d'œuvre est fermement établie, les deux équipes éprouvent pour toi de l'admiration et de l'affection, et chacun sait que la femme sage protège magiquement le village... Alors, ne pensons plus à ce sinistre personnage, au moins pendant quelque temps, et réjouissons-nous de notre bonheur.

— Je m'interroge sur notre prochaine mission.

— Nous en parlerons le moment venu... Sache te reposer et faire la fête.

L'information se propagea dans la province de Thèbes puis atteignit rapidement le pays entier; une fois encore, la Place de Vérité avait rempli sa tâche sans faillir. Les monuments essentiels à la validité d'un règne étaient achevés et, même si une infime minorité d'Égyptiens était admise à les contempler, chacun savait que leur présence maintiendrait le lien entre les dieux et les hommes, entre l'harmonie céleste et la cohésion sociale.

Paneb se souviendrait toujours du sarcophage de Mérenptah, posé sur un lit de pierre doré, dans le secret de la chambre de résurrection. Comme ses confrères, il avait le sentiment d'avoir participé à l'éternité royale; revenir dans le quotidien, à la fois si près et si loin de la Vallée où les pharaons vivaient d'une autre vie, avait été un véritable choc.

Néanmoins il avait fallu préparer la fête, restaurer quelques façades de maison et jouer avec son fils qui apprenait le calcul avec Païle Bon Pain et Gaou le Précis, mais ne manifestait aucun goût pour la lecture et les contes auxquels sa mère tentait en vain de l'intéresser. Le dessin ne lui déplaisait pas, et il était déjà capable de se défendre à la lutte contre des camarades nettement plus âgés.

Ouâbet continuait d'être heureuse à sa manière et ne

demandait rien d'autre à la vie que ce qu'elle lui offrait. Mais lorsqu'elle vit Paneb briser son lit en mille morceaux, elle prit peur. Son monde douillet ne volait-il pas en éclats pour une raison encore inconnue ?

— Arrête-toi, je t'en supplie !

— Trop tard, Ouâbet, ma décision est irrévocable.

Ces mots-là, la jeune femme redoutait de les entendre ; ni sa tendresse ni même un fils ne pourraient retenir Paneb s'il avait choisi de quitter sa maison.

— Tu... tu vas vraiment partir ?

— Partir ? Mais je n'en ai nullement l'intention !

— Mais alors, pourquoi...

— Comment peux-tu encore dormir sur un lit pareil, Ouâbet ? C'est très mauvais pour ton dos. Récupère ce bois médiocre pour le chauffage ; moi, je vais fabriquer un meuble digne de mon épouse.

Elle sourit en pleurant.

— Qu'est-ce qu'il y a, Ouâbet ? Serais-tu souffrante ?

— Au contraire, je me sens merveilleusement bien... et très touchée.

— Regarde cet outil que m'a donné Didia le Généreux.

Paneb exhiba une chignole destinée à percer des trous dans le bois. Elle était actionnée par un arc qui présentait une courbe adaptée au mouvement que lui imprimerait l'artisan.

— Didia m'a appris que la courbure ne devait rien au hasard. Un bon menuisier l'obtient en faisant pousser la branche d'un arbre de manière appropriée. Maintenant, au travail.

Quand elle vit le résultat, Ouâbet fut ravie : son nouveau lit aurait fait pâlir de jalousie une riche Thébaine.

Elle osa à peine s'asseoir sur le matelas neuf, puis elle fit glisser les bretelles de sa robe avant de s'allonger lentement sur le côté.

— Aimerais-tu l'essayer avec moi ? implora-t-elle d'une voix douce.

C'était un jour paradisiaque, avec un soleil tendre, un vent léger, sans aucun malade à soigner, et Néfer qui acceptait enfin de prendre un peu de repos.

Après la célébration des rites du matin, Claire s'était assoupie sur sa terrasse en songeant aux années heureuses passées dans le village et à l'amour lumineux qu'elle avait la chance de vivre. Pas un seul instant elle n'avait regretté de s'être engagée dans cette aventure parsemée de moments extraordinaires, même si le labeur quotidien était plus exigeant que partout ailleurs.

Des bruits de pas et des rires éveillèrent la femme sage ; composée d'hommes, de femmes et d'enfants, une procession plutôt chaotique se dirigeait vers sa demeure. Claire descendit l'escalier et fut étonnée de ne pas trouver son mari dans la maison.

Intriguée, elle ouvrit la porte et se trouva face à face avec Néfer le Silencieux, à la tête de tous les habitants du village.

Les rires cessèrent lorsque le maître d'œuvre présenta à la femme sage un coffret à bijoux à quatre pieds que fermait un couvercle à glissière. Décoré de petites plaques d'or, le ravissant objet était un petit chef-d'œuvre.

— Permets au village de t'offrir ce présent, dit Néfer ; nous souhaitons honorer celle qui prend soin de chacun, jour après jour. Que ce coffret soit l'expression de notre respect et de notre amour.

Émue aux larmes, Claire avait la gorge tellement serrée qu'elle fut incapable de prononcer un seul mot.

— Longue vie à la femme sage ! clama la voix chaude et profonde de Paneb, aussitôt imité par les villageois.

— Je refuse, dit Néfer le Silencieux.

— Je dois insister, affirma Kenhir.

— Représentez-moi... Vous savez bien que je déteste les cérémonies officielles.

— L'administrateur principal de la rive ouest désire te

féliciter en présence de tous les notables thébains, et il ne m'est pas possible de te remplacer.

– Dites-lui que j'ai trop de travail.

– Il faut en passer par là, Néfer, si nous voulons savoir ce que l'avenir nous réserve. Il ne s'agira pas d'une banale remise de décorations, j'en suis persuadé ; Méhy en profitera pour nous faire des confidences, et nous connaîtrons ainsi une partie de nos tâches futures.

– Et si ce n'était qu'une mascarade mondaine ?

– Il ne t'aurait pas convié. De plus, à travers toi, c'est la Place de Vérité qui sera honorée et confortée. Ne dois-tu pas te sacrifier à l'intérêt général ?

– Vous êtes un redoutable débatteur, Kenhir.

– Seulement un vieux scribe qui aime son village et ne songe qu'à sa sauvegarde. Malgré toi, Néfer, tu es devenu un personnage très important, et cette reconnaissance officielle nous offrira une protection supplémentaire.

La femme sage avait approuvé le scribe de la Tombe, ôtant au maître d'œuvre tout espoir d'échapper à la cérémonie organisée dans la cour à ciel ouvert du temple des millions d'années de Mérenptah. Néfer avait dû se vêtir avec élégance, de même que Kenhir, dont la robe de fête aux manches évasées était du plus bel effet.

Dans l'assistance, il ne manquait pas un notable de la riche cité de Thèbes. Très à l'aise, le général Méhy avait d'abord rappelé les principales étapes de la carrière du scribe de la Tombe, avant de le féliciter pour son excellente gestion en lui souhaitant de remplir ses fonctions le plus longtemps possible.

Puis Méhy avait appelé Néfer le Silencieux, gêné de devenir le centre d'intérêt de l'assemblée.

– Le maître d'œuvre de la Place de Vérité avait une tâche particulièrement difficile à accomplir, déclara Méhy. Chacun sait qu'il n'aime guère sortir du village. mais la réputation de Néfer le Silencieux a dépassé ses murs ; c'est pourquoi il m'a paru nécessaire que, par ma voix, Thèbes honore l'homme qui l'a rendue encore plus belle et plus prestigieuse en créant la demeure d'éternité de Sa Majesté et le temple dans lequel nous nous trouvons. Néfer le Silencieux est à la fois un meneur d'hommes et un architecte de génie. Avec l'approbation du pharaon, je lui remets donc ce collier d'or et, en votre nom à tous, je lui donne l'accolade.

Le maître d'œuvre demeura figé et il ne concéda même pas l'ombre d'un sourire.

Tard dans la nuit, les invités au banquet somptueux offert par Méhy dans sa luxueuse villa s'en allaient un à un. Le général pria le maître d'œuvre et le scribe de la Tombe de passer dans son bureau où des lampes savamment réparties dispensaient une lumière intime.

— Enfin tranquilles, mes amis ! Je partage votre aversion pour ce genre de mondanités, mais elles sont malheureusement indispensables.

— Pourquoi le vizir était-il absent ? demanda Kenhir.

— Il est officiellement retenu à Pi-Ramsès, mais il m'a donné les instructions vous concernant. Je ne dois vous les transmettre que de bouche à oreille, et elles ne feront l'objet d'aucun document officiel. Cette confiance m'a beaucoup honoré, je vous l'avoue, et je ne suis pas peu fier de partager, si peu que ce soit, le secret de votre nouveau programme de travail.

— Nous vous écoutons, Méhy.

— Le pharaon Mérenptah vous demande, comme par le passé, de préparer les tombes des habitants du village et d'entretenir ce dernier ; le plus tôt possible, vous vous rendrez dans la Vallée des Reines et dans celle des Nobles pour y creuser les demeures d'éternité dont voici la liste.

Méhy remit au scribe de la Tombe un papyrus roulé et fermé par plusieurs sceaux royaux. S'y ajoutait celui du vizir, avec une date.

Kenhir le glissa dans sa manche gauche.

– Rien d'autre ?

– Ma mission est terminée, et je suis persuadé que vous remplirez la vôtre à la perfection.

Kenhir et Néfer se retirèrent.

Le général Méhy supportait mal le silence de ce maître d'œuvre dont le regard trop profond et trop franc l'importunait. Exploiter ses éventuelles faiblesses ne serait pas facile.

75.

Alors que débutait la dixième année de règne de Mérenptah, la Place de Vérité vivait un bonheur tranquille qu'un deuil venait pourtant de ternir : la mort de Noiraud qui s'était éteint doucement dans les bras de Claire. Aussi affecté que son épouse, Néfer avait momifié le chien et lui avait fabriqué un cercueil en bois d'acacia. Le fidèle témoin de leur amour les attendrait sur l'autre rive pour les guider sur les beaux chemins de l'au-delà. Par chance, un sosie de Noiraud était né dans une portée de trois chiots, et Claire l'avait aussitôt adopté.

L'équipe de gauche travaillait dans la Vallée des Reines, celle de droite dans la Vallée des Nobles; et Paneb terminait la représentation d'une table d'offrandes aux couleurs éclatantes qui lui avait valu l'admiration générale. Côtes de bœuf, grappes de raisin, oie troussée, laitues, bottes d'oignons, pains ronds étaient assemblés dans une harmonie qui enchantait le regard.

— Ton pinceau est plus vif que le mien, reconnut Ched le Sauveur, heureux des immenses progrès de son élève, auquel il n'avait laissé aucun répit depuis plusieurs mois afin qu'il maîtrise les secrets de métier.

— Est-ce un reproche ?

— Dans certains cas, comme celui de cette table d'offrandes, c'est plutôt un compliment ; il est bon que les aliments destinés à l'âme du défunt, sans cesse renouvelés grâce à cette peinture, éclatent de gaieté et de luxuriance. Mais il te manque encore de la gravité que les épreuves de l'existence t'inculqueront, si la vanité ne te détruit pas auparavant.

Ched se remit lui-même au travail, ignorant le regard furibond de Paneb.

— Où en es-tu ? demanda le général Méhy à Daktair.

Le savant tâta les poils roux de sa barbe, et ses petits yeux noirs brillèrent de satisfaction.

— J'ai réussi, annonça-t-il avec suffisance, et vous avez eu raison de me faire confiance. Nous disposons d'une grande quantité de pointes de flèches dont le pouvoir de perforation est le double de celles utilisées jusqu'à présent.

— Tu devrais faire mieux.

— Mais je n'ai pas cessé de progresser ! Si je vous affirme que j'ai réussi, ce n'est pas pour me vanter... J'ai allégé le poids des lances et accru leur efficacité lors de l'impact. Elles atteindront des cibles plus lointaines avec une précision remarquable. Mon chef-d'œuvre, ce sont les épées courtes à double tranchant ! J'ai assimilé les procédés de fabrication des forgerons étrangers et je les ai améliorés. Le soldat qui maniera cette arme-là se fatiguera moins vite que ses adversaires et, même s'il ne leur inflige que des blessures, il les mettra hors de combat. Vous n'imaginez même pas la puissance de cet équipement.

– Je vais le vérifier moi-même, puis j'entraînerai mes meilleurs hommes pour constituer un régiment d'élite.

– Informerez-vous le prince Amenmès ?

– Il en sait déjà assez. Sur mes conseils, il se montre beaucoup dans la haute société thébaine qui commence à l'adopter. Mais l'heure est plus que jamais à la prudence.

– Il paraît que les nouvelles en provenance de la capitale sont de plus en plus rares.

– D'après mes renseignements, la paix est fermement maintenue en Syro-Palestine, et Séthi n'hésite pas à inspecter la région avec une troupe nombreuse pour décourager toute envie de soulèvement. La meilleure nouvelle, c'est que le roi sera bientôt âgé de soixante-quinze ans.

– Son père, Ramsès, a vécu beaucoup plus vieux !

– Certes, mais Mérenptah ne se montre plus guère, même lors des cérémonies officielles où sa présence serait souhaitable. Autrement dit, sa santé décline.

Daktair prit plaisir à enfoncer une épine dans les espérances du général.

– Depuis que vous avez renforcé la réputation de la Place de Vérité, elle semble inattaquable.

– C'est ce que doit croire la confrérie, en ignorant que cette période de calme apparent précède une tempête dont je pressens la violence : Amenmès se dressera contre Séthi, le fils et le père s'entre-déchireront.

Daktair fit une grimace de dégoût.

– Ces querelles ne m'intéressent pas... Tout ce que je souhaite, c'est conserver la direction de ce laboratoire.

– Tu tentes de t'abuser toi-même, mais tes ambitions sont intactes, comme les miennes ! Contrairement à ce que tu crois, j'ai eu raison de me montrer patient et de conforter ma position. Aucun pharaon ne peut se passer de Thèbes ; lorsque Mérenptah disparaîtra, il emportera avec lui les lambeaux de la grandeur de Ramsès. Alors, nous commencerons à agir. Et aucun des secrets de la Place de Vérité ne m'échappera.

Claire préparait un contraceptif à base d'épines d'acacia broyées pour l'épouse de Casa le Cordage qui ne voulait plus d'enfants. Soudain, la tête lui tourna. Elle crut d'abord à un malaise passager, mais une douloureuse sensation de fatigue la contraignit à s'allonger sur le lit où, d'ordinaire, s'étendaient ses patients.

Inquiet de ne pas la voir rentrer, Néfer vint chercher son épouse dans son local de consultation où il la trouva assoupie. En lui caressant les cheveux, il l'éveilla doucement.

– Je suis épuisée, avoua-t-elle.

– Désires-tu que j'appelle un médecin de l'extérieur ?

– Non, ce n'est pas nécessaire... J'ai perdu trop de magnétisme ces dernières semaines, et la femme sage m'avait appris comment me soigner. Il faut que je monte à la cime.

– Une longue nuit de sommeil ne serait-elle pas préférable ?

– Aide-moi, veux-tu ?

Néfer savait depuis longtemps qu'il était inutile de lutter contre cette volonté souriante qui l'avait séduit dès le premier instant.

– Si l'ascension se révèle impossible, me permettras-tu de te ramener chez nous ?

– Grâce à toi, je réussirai.

Sous la voûte étoilée, ils grimpèrent enlacés, pas à pas. Claire ne quittait pas la cime des yeux, comme si elle absorbait l'énergie mystérieuse émanant de la pyramide qui dominait la rive d'Occident. Ni le maître d'œuvre ni la femme sage ne songeaient à l'effort nécessaire pour conquérir, une fois encore, la montagne sacrée dont l'appel était impérieux.

Parvenus à l'oratoire du sommet, ils fixèrent l'Étoile polaire autour de laquelle les étoiles impérissables formaient une cour céleste.

– Accorde-moi une faveur, pria Néfer : surtout, ne quitte pas cette terre avant moi. Sans toi, je serais incapable d'accomplir les tâches les plus infimes.

— Au destin de décider ; ce que je sais, c'est que rien, et surtout pas la mort, ne nous séparera. L'amour qui nous unit à jamais et l'aventure que nous vivons sauront la vaincre.

Quand l'aube se leva, Claire recueillit la rosée de la déesse du ciel avec laquelle cette dernière avait lavé le visage du soleil renaissant, et elle s'en humecta les lèvres. Ainsi recouvrerait-elle l'énergie nécessaire pour soigner les villageois.

Après s'être entretenu avec le chef des auxiliaires, Kenhir jugea que l'incident était suffisamment grave pour prévenir les deux chefs d'équipe et la femme sage.

— Le prix de la viande de porc vient d'augmenter de façon considérable, et c'est un signe inquiétant de déréglementation de l'économie, expliqua-t-il. Le prix d'autres denrées de consommation courante ne tardera pas à grimper, et les rations qui nous sont attribuées par le vizir seront diminuées d'autant.

— Ne faut-il pas le consulter sans délai ? suggéra Hay.

— Le vizir séjourne dans la capitale où je vais lui écrire pour l'alerter. Je vous propose de réagir en augmentant le prix de tous les objets, des statuettes aux sarcophages, que nous fabriquons pour l'extérieur.

— Ne provoquerons-nous pas une inflation dangereuse ?

— Le risque existe, mais nous ne pouvons accepter d'être placés devant le fait accompli. Et je ne vous cache pas que cette situation m'inquiète ; espérons qu'il ne s'agit que d'une perturbation passagère. Sinon, ce sera le prélude à une grave crise économique dont le village ne sortira pas indemne.

— Nos greniers sont-ils bien remplis ? s'inquiéta Claire.

— J'ai toujours été méfiant, dit Kenhir, et j'ai jugé préférable d'accumuler d'abondantes réserves en prévision des mauvais jours. Étant donné les garanties dont nous bénéficions de la part de l'État, je n'aurais même pas dû y songer. Aujourd'hui, je ne le regrette pas.

– L'administration principale de la rive ouest ne devrait-elle pas prendre des mesures ? s'interrogea Néfer.

– Méhy ne restera certainement pas inactif, mais il faudrait savoir pourquoi les marchands de viande de porc se comportent ainsi.

– À cause de la peur, avança la femme sage.

– Que redoutent-ils ?

– Depuis quelques jours, un vent de crainte se répand sur la vallée et il trouble l'esprit des humains.

– Nous concerne-t-il ? s'inquiéta le chef de l'équipe de gauche.

– Personne n'y échappera, répondit Claire.

Le vent de sable avait soufflé la nuit durant, obligeant les villageois à calfeutrer toutes les ouvertures de leurs demeures. Le soleil n'avait pas réussi à percer une atmosphère ocre et lourde, et les rites du matin avaient été retardés. On n'y voyait pas à cinq pas, et la corvée d'eau avait exigé de pénibles efforts.

Les inflammations oculaires seraient nombreuses ; aussi la femme sage avait-elle préparé plusieurs fioles de collyre avec des dosages correspondant à la gravité des affections.

– J'obtiendrai de Kenhir un allégement des heures de travail pendant la durée de cette tempête, annonça Néfer à son épouse, et nous nous cantonnerons aux tombes du village.

Le petit Noiraud s'était lové sur les genoux du maître d'œuvre pour bien lui signifier que bouger eût été une erreur déplorable ; d'une sagesse exemplaire, le chiot ne mordillait même pas les pieds des meubles et il dévorait avec un appétit réjouissant les pâtées de viande, de fromage, de légumes et de pain que lui préparait Claire. Il avait les mêmes yeux noisette et une intelligence aussi vive que son prédécesseur.

– Tu es très inquiète, n'est-ce pas ?

– L'agressivité de ce vent est anormale. Dans ses tourbillons se déclenche une forme de folie porteuse de destruction.

Des coups de canne furent frappés à leur porte.

LA FEMME SAGE

– Ouvrez vite, exigea Kenhir, qui s'était couvert la tête d'un capuchon.

– Que se passe-t-il? demanda Néfer.

– Le facteur Oupouty a bravé cette maudite tempête pour nous apporter une nouvelle tragique : le pharaon Mérenptah vient de mourir.

76.

En présence de tous les villageois, le maître d'œuvre prononça la formule rituelle qui figurait sur le message officiel envoyé par le palais à la Place de Vérité.

– L'âme du pharaon s'est envolée vers le ciel pour s'unir au disque solaire, se fondre avec son maître divin et rejoindre le créateur. Désormais, Mérenptah, juste de voix, vivra dans la contrée de lumière. Puisse le soleil briller de nouveau, alors que le pays entier est dans l'attente du nouvel Horus qui montera sur le trône des vivants.

Les visages étaient graves, personne n'osait poser la question qui hantait les esprits.

Personne, sauf Paneb.

– Quel sort nous sera réservé ?

— La Place de Vérité ne dépend que du pharaon, rappela Kenhir.

— Qui succédera à Mérenptah?

— Probablement son fils, Séthi.

Avec un nom aussi redoutable, le nouveau roi parviendrait-il à maîtriser la puissance de Seth, le dieu perturbateur, maître de la foudre?

— S'il règne, prédit Karo le Bourru, ce sera une période affreuse et nous devons redouter le pire.

— Pourquoi te montres-tu si pessimiste? s'enquit Gaou le Précis.

— Parce que personne ne peut reprendre le nom de Séthi, le père de Ramsès le Grand! Aucun roi n'avait osé le porter avant lui, et aucun autre n'aurait dû l'imiter.

— Ne murmure-t-on pas que le prince Amenmès convoiterait, lui aussi, le pouvoir suprême? avança Nakht le Puissant.

— Cessez de vous tourmenter, recommanda Païle Bon Pain; quoi qu'il arrive, un pharaon régnera, et il nous ordonnera de construire son temple des millions d'années et de creuser sa tombe dans la Vallée des Rois.

— À moins que n'éclate une guerre civile, suggéra Paneb, dont l'intervention sema le trouble.

La guerre civile... Enfin, le traître reprenait espoir! À cause de Mérenptah, il avait dû déchanter, lui qui espérait profiter au plus vite de sa fortune accumulée à l'extérieur du village; ce roi qu'on annonçait médiocre avait sauvé l'Égypte de l'invasion et soutenu fermement la Place de Vérité. Séthi II suivrait-il le même chemin ou succomberait-il sous le poids d'une fonction trop lourde pour lui, surtout si son propre fils, Amenmès, se dressait contre lui?

En cas d'affrontements violents, la Place de Vérité serait forcément affaiblie et elle perdrait de sa superbe. Sa sécurité serait de moins en moins bien assurée, ce qui permettrait au traître d'agir de façon plus efficace. Il ne découvrirait la cachette de la pierre de lumière qu'au prix d'une exploration systématique du village et en prenant d'indispensables précautions pour ne pas se faire repérer. Seule une période d'anarchie lui laisserait les mains libres.

– Jusqu'à nouvel ordre, précisa le maître d'œuvre, nous sommes sous la protection du chef Sobek et de ses policiers, et vous n'avez rien à craindre. Le scribe de la Tombe et moi-même consulterons le général Méhy pour obtenir de plus amples informations ; en attendant notre retour, ne sortez pas du village.

– Et si vous ne reveniez pas ? questionna Paneb.

Féned le Nez réagit avec agressivité.

– Comment oses-tu envisager une pareille tragédie ?

– Si des factions rivales s'affrontent, même les alentours de la Place de Vérité ne seront plus très sûrs.

– Si nous ne revenons pas, précisa le maître d'œuvre, c'est la femme sage qui gouvernera le village.

Le vent commençait à tomber, la visibilité augmentait, et la rive ouest de Thèbes semblait calme. Peu à peu, les paysans s'en retournaient aux champs, et l'on sortait les bêtes des étables. Les maîtresses de maison balayaient avec ardeur pour expulser le sable qui, malgré leurs précautions, s'était infiltré dans les moindres recoins.

De nombreux soldats nettoyaient la grande cour sur laquelle donnaient les bâtiments de l'administration centrale.

Un gradé interpella les deux visiteurs.

– Où allez-vous ?

– Voir Méhy, répondit Kenhir.

– De quel droit ?

– Du droit du scribe de la Tombe.

– Veuillez m'excuser... Le général n'est pas ici.

– Où se trouve-t-il ?

– Désolé, il ne m'est pas permis de le révéler à des civils.

– Avez-vous reçu des instructions concernant la Place de Vérité ?

– Aucune.

– Quand le général sera-t-il de retour ?

– Je l'ignore.

Dubitatifs, Kenhir et Néfer reprirent le chemin du village.

Le prince Amenmès était ivre de rage.

– Si je comprends bien, général Méhy, vous me retenez prisonnier dans cet appartement de la caserne principale de Thèbes !

– Bien sûr que non, prince ; mon unique souci est votre sécurité.

– Je ne suis quand même pas libre d'aller et de venir !

– Pendant cette période d'incertitude, n'est-il pas nécessaire de vous mettre à l'abri et sous la protection de l'armée thébaine ?

– Cette armée, je veux en prendre le commandement et partir à l'assaut de la capitale !

– Réfléchissez, prince, je vous en prie ; une guerre entre le Nord et le Sud ferait des milliers de victimes et affaiblirait si gravement l'Égypte qu'elle deviendrait une proie facile pour ses adversaires.

– Dès que mon père sera proclamé Pharaon, je ne serai plus qu'un fantoche !

– Nous n'avons aucune nouvelle de Pi-Ramsès ; peut-être Séthi vous rappellera-t-il d'urgence.

– Ce serait pour me supprimer !

– Pourquoi lui prêter de si noirs desseins ?

– Parce que le pouvoir suprême est en jeu, général Méhy ! Certains rêves se réaliseront, d'autres seront à jamais brisés. Et je n'accepte pas de renoncer aux miens... Que vous le vouliez ou non, l'affrontement entre Séthi et moi est inévitable. Ou bien mon père renonce à régner, ou bien je refuse de reconnaître son autorité et je me fais couronner ici, à Thèbes. Et chacun devra choisir son camp.

– Je m'incline devant votre volonté, prince, mais je vous

implore de séjourner dans cette caserne jusqu'à ce que les décisions de Séthi soient officielles.

— Entendu, général, mais maintenez les troupes en état d'alerte.

Méhy se retira, très satisfait de la tournure que prenaient les événements. Il avait craint que le jeune prince ne courbât trop vite la tête devant son père ; au contraire, le décès de Mérenptah avait décuplé les ambitions d'Amenmès que le général devrait refréner. Il faudrait habileté et intelligence pour dresser les deux hommes l'un contre l'autre, en faisant croire à l'un comme à l'autre qu'il était leur meilleur allié.

Le soir même, Méhy enverrait à Pi-Ramsès une lettre très confidentielle pour signaler à Séthi que le comportement de son fils Amenmès risquait de devenir dangereux ; fidèle serviteur de l'État, le général affirmait n'avoir d'autres buts que la paix et la prospérité du pays.

Quelle que soit l'issue de la lutte, lui, Méhy, en sortirait vainqueur grâce aux multiples armes à sa disposition. Et au premier rang des vaincus qu'il dépouillerait sans pitié, il y avait la Place de Vérité.

— Comment, pas de poisson séché ? s'étonna Nakht le Puissant. Tu en es vraiment sûre ?

— Si tu ne me crois pas, lui répondit sa femme, va voir toi-même !

Le tailleur de pierre marcha d'un pas décidé jusqu'à la porte principale où s'étaient rassemblées plusieurs maîtresses de maison.

— Les poissonniers n'ont pas livré ? interrogea Nakht.

— Ni les poissonniers, ni les bouchers, répondit l'ex-épouse de Féned le Nez.

Nakht se rendit aussitôt chez le scribe de la Tombe où étaient réunis le maître d'œuvre, Paneb et d'autres artisans dont les reproches se faisaient de plus en plus vifs.

– Ça suffit ! gronda Kenhir. Vos récriminations ne mènent à rien.

– Dites-nous la vérité, exigea Paneb.

– Notre ravitaillement est interrompu, déclara le scribe de la Tombe d'une voix sinistre ; mais nous avons plusieurs semaines de provisions devant nous.

– Intervenez avec fermeté ! pesta Casa le Cordage. Il faut alerter le vizir et le roi !

– Quel roi ? ironisa Thouty le Savant. On nous abandonne, voilà la vérité ! Les soldats ne tarderont pas à nous expulser pour occuper le village.

– Personne n'est autorisé à y pénétrer, rappela Paneb.

– Tu crois peut-être que nous pourrons résister ?

– Pourquoi être aussi pessimiste ? intervint Didia le Généreux. L'administration est désorganisée, c'est sûr, mais pour quelles raisons le nouveau pharaon nous serait-il hostile ?

– Ne discutons pas dans le vide, décida le maître d'œuvre ; il y a beaucoup de travail en retard, au village.

Néfer répartit les tâches entre les sanctuaires les tombes et les maisons. Embellir leur domaine rassura les artisans et leur fit oublier les angoisses du moment. On entendit même les chansons traditionnelles qui rythmaient le labeur des jours paisibles, comme si les menaces s'éloignaient.

Le maître d'œuvre contemplait l'endroit où la pierre de lumière était cachée. Depuis de nombreuses générations d'artisans, elle était transmise avec fidélité pour permettre à l'œuvre de s'accomplir ; mais ce miracle n'était-il pas sur le point de prendre fin ?

Claire vint à ses côtés et, comme lui, admira ce trésor inestimable.

– J'ai besoin de parler à la femme sage, avoua Néfer.

– Tu désires renoncer à ta fonction, n'est-ce pas ?

– Ni par lâcheté ni par crainte d'affronter la tempête, mais parce que ma tâche est terminée. Le chef de l'équipe de gauche possède toutes les qualités pour me succéder.

– Toutes, sauf une : il n'est pas un meneur d'hommes et il ne sera donc pas un bon maître d'œuvre. De sombres périodes nous attendent, et il ne suffira pas d'un excellent artisan pour défendre le village et sauver ce qui doit l'être. Ni les dieux ni la confrérie ne te laissent le choix, Néfer. Oublie-toi toi-même et continue à remplir la fonction pour laquelle tu as été choisi.

Claire leva les yeux vers la cime.

– N'entends-tu pas son appel, avec toujours davantage d'intensité ? C'est sa voix qui emplit le ciel, et sa générosité ne connaît pas de limites. Écoute ses paroles, Silencieux, et mets-les en œuvre.

Le maître d'œuvre serra passionnément son épouse dans ses bras. Avec son amour, il parviendrait peut-être à triompher des ténèbres et à préserver la pierre de lumière.

DU MÊME AUTEUR

Romans

L'*Affaire Toutankhamon*, Grasset et Pocket (prix des Maisons de la Presse 1992).
Barrage sur le Nil, Robert Laffont et Pocket.
Champollion l'Égyptien, Le Rocher et Pocket.
L'Empire du pape blanc (épuisé).
Le Juge d'Égypte, Plon et Pocket :
  * *La Pyramide assassinée.*
  ** *La Loi du désert.*
  *** *La Justice du vizir.*
Maître Hiram et le roi Salomon, Le Rocher et Pocket.
Le Moine et le Vénérable, Robert Laffont et Pocket.
Le Pharaon noir, Robert Laffont et Pocket.
La Pierre de lumière, Éditions XO :
  * *Néfer le Silencieux.*
Pour l'amour de Philae, Grasset et Pocket.
La Prodigieuse Aventure du lama Dancing, Le Rocher.
Ramsès, Robert Laffont et Pocket :
  * *Le Fils de la lumière.*
  ** *Le Temple des millions d'années.*
  *** *La Bataille de Kadesh.*
  **** *La Dame d'Abou Simbel.*
  ***** *Sous l'acacia d'Occident.*
La Reine Soleil, Julliard et Pocket (prix Jeand'heurs 1989).

Nouvelles

Le Bonheur du Juste, Le Grand Livre du Mois.
« La Déesse dans l'arbre », dans *Histoires d'Enfance* (SolEnSi), Robert Laffont.

Ouvrages pour la jeunesse

Contes et légendes du temps des pyramides, Nathan.
La Fiancée du Nil, Magnard (prix Saint-Affrique 1993).
Les Pharaons racontés par... Perrin.

Essais sur l'Égypte ancienne

L'Égypte ancienne au jour le jour, Perrin.
L'Égypte des grands pharaons, Perrin (couronné par l'Académie française).
Les Égyptiennes. Portraits de femmes de l'Égypte pharaonique, Perrin.
L'Enseignement du sage égyptien Ptahhotep. Le plus ancien livre du monde. La Maison de Vie.
Les Grands Monuments de l'Égypte ancienne, Perrin.
Initiation à l'égyptologie, La Maison de Vie.
Le Monde magique de l'Égypte ancienne, Le Rocher.
Néfertiti et Akhénaton, le couple solaire, Perrin.
Le Petit Champollion illustré. Les hiéroglyphes à la portée de tous ou Comment devenir scribe amateur tout en s'amusant, Robert Laffont et Pocket.
La Sagesse égyptienne, Pocket.
La Sagesse vivante de l'Égypte ancienne, Robert Laffont.
La Tradition primordiale de l'Égypte ancienne selon les Textes des Pyramides, Grasset.
La Vallée des Rois. Histoire et découverte d'une demeure d'éternité, Perrin.
Le Voyage dans l'autre monde selon l'Égypte ancienne (épuisé).

Albums

Karnak et Louxor, Pygmalion.
Sur les pas de Champollion, l'Égypte des hiéroglyphes (épuisé).
La Vallée des Rois. Images et mystères, Perrin.
Le Voyage aux Pyramides, Perrin.
Le Voyage sur le Nil, Perrin.

Cet ouvrage a été composé
*par l'**Imprimerie Bussière***
et imprimé sur presse Cameron
*par **Bussière Camedan Imprimeries***
à Saint-Amand-Montrond (Cher)
en avril 2000

Dépôt légal : mai 2000.
N° d'édition : 10.
ISBN 2-84563-002-6
N° d'impression : 640-001215/4.

Imprimé en France